Heinrich Theodor
BÖLL
1917 – 1985

Генрих БЁЛЛЬ

Глазами клоуна

Роман

Санкт-Петербург
Издательство «Азбука»
1999

УДК 82/89
ББК 84.4 Г
Б 43

Текст печатается по изданию:
Бёлль Г. Глазами клоуна. М., 1965

Перевод с немецкого
Л. Черной

ISBN 5-267-00033-7

*Не имевшие о Нем известия увидят,
и не слышавшие узнают.*

Посвящается Аннемари

1

Когда я приехал в Бонн, уже стемнело; я сделал над собой усилие, чтобы отрешиться от того автоматизма движений, который выработался у меня за пять лет бесконечных переездов: ты спускаешься по вокзальной лестнице, подымаешься по лестнице, ставишь чемодан, вынимаешь из кармана билет, опять берешь чемодан, отдаешь билет, идешь к киоску, покупаешь вечерние газеты, выходишь на улицу и подзываешь такси.

Пять лет подряд я чуть ли не каждый день откуда-то уезжал и куда-то приезжал, утром шел по вокзальной лестнице вверх, потом — вниз, под вечер — вниз, потом — вверх, подзывал такси, искал в карманах пиджака мелочь, чтобы расплатиться с шофером, покупал в киосках вечерние газеты, и в самой глубине души мне было приятно, что я с такой небрежностью проделываю всю эту точно разработанную процедуру. С тех пор как Мария меня покинула, чтобы выйти замуж за этого деятеля Цюпфнера, мои движения стали еще более механическими, хотя и продолжали быть столь же небрежными. Расстояние от вокзала до гостиницы и от гостиницы до вокзала измеряется для меня только одним — счетчиком такси. От вокзала бывает то две, то три, то четыре с половиной марки. Но с тех пор как ушла Мария, я порой выбиваюсь из привычного ритма и путаю гостиницы с вокзалами: у конторки портье лихорадочно ищу билет, а на перроне, у контролера, спрашиваю ключ от номера; впрочем, сама судьба — так, кажется, говорят — напоминает мне о моей профессии и о положении, в котором я оказался. Я — клоун, официально именуюсь комическим актером, не принадлежу ни к какой Церкви, мне двадцать семь лет, и одна из сценок, которые я исполняю, так и называется: «Приезд и отъезд», вся соль этой длинной (пожалуй, чересчур длинной) пантомимы в том, что зритель до самой последней минуты путает приезд с отъездом; эту сцену я большей частью репетирую еще раз в поезде (она слагается из шестисот с лишним движений, и все эти «па» я, разумеется, обязан знать назубок), поэтому-то, возможно, я и становлюсь иногда жертвой собственной фантазии: врываюсь в гостиницу, разыскиваю глазами расписание, смотрю в него и, чтобы не опоздать на поезд, мчусь по лестнице вверх или вниз, хотя мне всего-навсего нужно пойти к себе в номер и подготовиться к выступлению.

В большинстве гостиниц меня, к счастью, знают; за пять лет создается определенная рутина, и вариантов здесь меньше, чем кажется на первый взгляд; кроме того, импресарио, изучив мой характер, заботится, чтобы все, так сказать, шло как по маслу. Дань уважения отдается тому, что он именует «впечатлительностью артистической натуры», а когда я нахожусь у себя в номере, на меня излучаются «флюиды хорошего настроения»:

8

в красивой вазе стоят цветы, и, как только я сбрасываю с себя пальто и запускаю в угол башмаки (ненавижу башмаки!), хорошенькая горничная уже несет мне кофе и коньяк и приготовляет ванну — зеленые эссенции делают ее ароматной и успокаивающей нервы; лежа в ванне, я читаю газеты, и притом только развлекательные, — не больше шести и не меньше трех, — а после я не очень громким голосом напеваю что-нибудь церковное: хоралы, псалмы, секвенции, те, что я запомнил еще со школьных лет. Мои родители, убежденные протестанты, следуя послевоенной моде проявлять веротерпимость, определили меня в католическую школу. Сам я далек от религии, даже в церкви не бываю; церковные тексты и напевы я воспроизвожу из чисто медицинских соображений: они наиболее радикально излечивают от двух недугов, которыми наградила меня природа, — от меланхолии и головных болей. Однако, с тех пор как Мария переметнулась к католикам (Мария сама католичка, но слово «переметнулась» все равно кажется мне тут вполне уместным), мои недуги усилились, даже «Верую» и литании Деве Марии — раньше они действовали безотказно — теперь почти не помогают. Есть, правда, такое лекарство, как алкоголь, но оно исцеляет на время, исцелить навсегда меня могла бы только Мария. Но Мария ушла. Клоун, который начал пить, скатится по наклонной плоскости быстрее, нежели запивший кровельщик упадет с крыши.

Когда я пьян, я неточно воспроизвожу движения, которые может оправдать абсолютная точность, и потом я совершаю самую скверную ошибку, какую только может совершить клоун: смеюсь над собственными шутками. Нет горшего унижения! Пока я трезв, страх перед выходом все время возрастает (большей частью меня приходилось силой выталкивать на сцену); мое состояние, которое некоторые критики характеризовали как «лирически-ироническую веселость», скрывающую «горячее сердце», на самом деле было не чем иным, как холодным отчаянием, с каким я перевоплощался в марионетку; впрочем, плохо бывало, когда я терял нить и становился самим собой. Наверное, нечто подобное испытывают монахи, погрузившись в созерцание. Мария всегда таскала с собой массу всяких мистических книг, и я припоминаю, что в них часто встречались слова «пустота» и «ничто».

В последние три месяца я большей частью бывал пьян и, выходя на сцену, чувствовал обманчивую уверенность в своих силах; результаты сказались раньше, чем у лентяя школьника: тот еще может тешить себя иллюзиями до дня выдачи табеля — мало ли что случится за полгода. А мне уже через три недели не ставили больше цветов в номер, в середине второго месяца номера были без ванны, в начале третьего я жил уже на расстоянии семи марок от вокзала, а мое жалованье скостили до одной трети. Не стало коньяка — мне теперь подают водку, не стало и варьете — вместо них в полутемных залах какие-то чудны́е сборища, выступая перед которыми на скудно освещенных подмостках я уже не только позволял себе неточные движения, а откровенно валял дурака, потешая юбиляров: железнодорожников, почтовиков или таможенников, домашних хозяек — католичек или медсестер протестантского вероисповедания; офицеры бундесвера, которым я

10

скрашивал конец службы, не знали толком, можно ли им смеяться, когда я показывал ошметки своей старой пантомимы «Оборонный совет». А вчера в Бохуме, выступая перед молодежью с подражанием Чаплину, я поскользнулся и никак не мог встать. Никто даже не засвистел, публика только сочувственно шепталась, и, когда занавес наконец опустили, я поспешно заковылял прочь, собрал свои пожитки и, как был в гриме, поехал к себе в гостиницу, где разыгралась ужасающая сцена, потому что хозяйка отказалась одолжить мне деньги на такси. Разбушевавшийся шофер утихомирился только после того, как я отдал ему свою электрическую бритву — не под залог, а в уплату за поездку. У него еще хватило порядочности одарить меня вместо сдачи пачкой сигарет и двумя марками. Не раздеваясь, я бросился на неубранную постель, допил остатки водки и впервые за последние месяцы почувствовал себя полностью излечившимся и от меланхолии, и от головных болей. Я лежал на кровати в том состоянии, в каком мечтал окончить свои дни: я был пьян, и мне казалось, будто я валяюсь в канаве. За рюмку водки я отдал бы последнюю рубашку, и только мысль о сложных переговорах, которые вызовет эта сделка, удерживала меня от нее. Спал я прекрасно, крепко и со сновидениями: мне снилось, что на меня мягко и бесшумно, как саван, опускается тяжелый занавес, словно сумрачное благодеяние, и все же сквозь сон и забытье я уже испытывал страх перед пробуждением; лицо измазано гримом, правое колено опухло, на пластмассовом подносике дрянной завтрак и возле кофейника телеграмма моего импресарио:

«Кобленц и Майнц отказали тчк Позвоню вечером Бонн Цонерер». Потом позвонил тот человек, который нанял меня; только сейчас я узнал, что он ведает просвещением прихожан-протестантов.

— Говорит Костерт, — голос у него был подобострастный, тон — ледяной, — нам еще предстоит уточнить с вами гонорарный вопрос, господин Шнир.

Пожалуйста, согласился я, но вижу никаких препятствий.

— Ах так? — сказал он.

Я молчал, тогда он начал снова, и в этом его пошло-ледяном тоне появились прямо-таки садистские нотки.

— Мы условились платить сто марок клоуну, который в то время стоил все двести... — Он сделал паузу для того, конечно, чтобы дать мне время прийти в бешенство, но я по-прежнему молчал, — тут он сорвался и заговорил в свойственной ему хамской манере: — Я отвечаю за общественно полезное дело, и совесть запрещает мне платить сто марок клоуну, цена которому от силы двадцать, я бы даже сказал — красная цена.

Я не видел причин прерывать молчание, закурил сигарету, подлил себе жидкого кофе и прислушался к его пыхтению.

— Вы меня слушаете? — спросил он.

— Да, я вас слушаю, — сказал я и стал ждать, что будет дальше.

Молчание — хорошее оружие; в школьные годы, когда меня вызывали к директору или на педагогический совет, я всегда упорно молчал. Пусть-ка добрый христианин Костерт на другом конце провода немножко попотеет; жалости ко мне он не почувствовал — для этого он был слишком мелок, — зато он стал жалеть себя и в конце концов пробормотал:

— Предложите что-нибудь, господин Шнир.

— Слушайте хорошенько, господин Костерт, — сказал я. — Я предлагаю вам следующее: вы садитесь в такси, едете на вокзал, берете мне билет до Бонна в мягком вагоне... покупаете бутылку водки, приезжаете сюда в гостиницу, оплачиваете мой счет, включая чаевые, и оставляете в конверте ровно столько денег, сколько потребуется мне на такси до вокзала; кроме того, вы обязуетесь перед своей христианской совестью отослать мой багаж в Бонн за ваш счет. Ну как, согласны?

Он что-то подсчитал и откашлялся.

— Но я ведь хотел заплатить вам пятьдесят марок.

— Хорошо, — ответил я, — тогда садитесь на трамвай, и вам это обойдется еще дешевле, согласны?

Он снова что-то подсчитал:

— А не могли бы вы взять багаж в такси?

— Нет, — сказал я, — я повредил ногу, и мне не под силу возиться с багажом.

Видно, христианская совесть наконец зашевелилась в нем.

— Господин Шнир, — сказал он мягко, — сожалею, но я...

— Полноте, господин Костерт, — сказал я, — я бесконечно рад, что могу сэкономить для Протестантской церкви пятьдесят четыре, а то и пятьдесят шесть марок.

Я нажал на рычаг, но трубку положил рядом с аппаратом. Он из того типа людей, которые способны позвонить снова и еще долго молоть вздор. Пусть лучше покопается на досуге в своей совести. Мне было очень худо. Да, я забыл упомянуть, что природа наделила меня не только меланхолией и головными болями, но и еще одним почти мистическим даром: я различаю по телефону запахи, а от Костерта приторно пахло ароматными пастилками «Фиалка». Пришлось встать и почистить зубы. Затем я прополоскал рот последним глотком водки, с большим трудом снял грим, снова лег в кровать и начал думать о Марии, о протестантах, о католиках и о будущем. Я думал также о канаве, в которой со временем буду валяться. Когда клоун приближается к пятидесяти годам, для него существуют только две возможности: либо канава, либо дворец. Во дворец я не попаду, а до пятидесяти мне еще надо кое-как протянуть года двадцать два с хвостиком. То, что Кобленц и Майнц отказали мне в ангажементе — Цонерер расценил бы это как «сигнал тревоги номер 1», — вполне соответствовало еще одной особенности моего характера, о которой я забыл упомянуть: безразличию ко всему.

В конце концов и в Бонне есть канавы, да и кто может заставить меня ждать до пятидесяти?

Я вспоминал Марию, ее голос и грудь, ее руки и волосы, ее движения и все то, что мы делали с нею вдвоем. И еще я вспоминал Цюпфнера, за которого она хотела выйти замуж. Мальчишками мы были довольно хорошо знакомы, настолько хорошо, что, встретившись взрослыми, не знали, как обращаться друг к другу — на «ты» или на «вы», и то и другое приводило нас в смущение, и всякий раз при встрече мы так и не могли преодолеть этого смущения. Я не понимаю, почему Мария переметнулась как раз к нему, но, быть может, я вообще не «понимаю» Марию.

Костерт прервал мои размышления — снова тот же Костерт, — и я пришел в ярость. Он, как собака, скребся в дверь.

— Господин Шнир. Выслушайте меня. Не позвать ли вам врача?

— Оставьте меня в покое! — крикнул я. — Суньте под дверь конверт с деньгами и отправляйтесь восвояси.

Он сунул конверт, я встал, поднял его, в конверте лежал билет от Бохума до Бонна в жестком вагоне и деньги на такси; он все точно подсчитал: шесть марок пятьдесят пфеннигов. А я-то надеялся, что он округлит эту сумму, даст десять марок, и уже прикинул, сколько мне останется, если я обменяю в кассе, пусть с потерей, билет в мягком вагоне на билет в жестком. Эдак я наскреб бы еще марок пять.

— Все в порядке? — крикнул он за дверью.

— Да, — сказал я, — убирайтесь, вы, мелкая протестантская букашка.

— Позвольте... — сказал он.

Я взревел:

— Вон!

Минуту длилась тишина, потом я услышал, как он спускается по лестнице. Люди земные не только умнее, но они человечнее и великодушнее братьев во Христе. На вокзал я поехал трамваем, чтобы сберечь немного денег на водку и сигареты. Хозяйка взяла с меня еще за телеграмму, которую я послал накануне вечером в Бонн Монике Зильвс, — Костерт не пожелал за нее платить.

Так что на такси мне все равно не хватило бы; телеграмму я отправил до того, как узнал, что Кобленц отказался от моего выступления. Им удалось меня опередить, и это тоже несколько отравляло мне жизнь. Лучше, если бы я отказал им сам по телеграфу: «Вследствие тяжелого повреждения колена выступление невозможно». Хорошо еще, что я дал телеграмму Монике: «Приготовьте пожалуйста квартиру на завтра Сердечный привет Ганс».

2

В Бонне все идет не так, как повсюду: в этом городе я никогда не выступал, здесь я живу, и такси, которое я подзываю, привозит меня не в гостиницу, а домой. Правильней было бы сказать — привозит нас: Марию и меня. В доме нет портье, которого можно спутать с контролером на вокзале, и все же этот дом, где я провожу всего три-четыре недели в году, кажется мне еще более чужим, чем любая гостиница. У выхода с вокзала мне пришлось удержать себя, чтобы не подозвать такси: этот жест я разучил так досконально, что чуть было не попал впросак. Ведь в кармане у меня была одна-единственная марка. Остановившись на лестнице, я проверил, со мной ли ключи: ключ от парадного, от квартиры и от письменного стола, где в свою очередь лежит ключ от велосипеда. Я уже давно подумываю о пантомиме «Ключи»: в руках у меня целая связка ключей изо льда, которые во время выступления постепенно тают.

Денег на такси не было, а как раз сейчас, впервые в жизни, такси мне было по-настоящему необходимо: колено распухло; хромая, я с трудом перешел через привокзальную площадь и свернул на Постштрассе; от вокзала до нашего дома всего две минуты ходу, но они показались мне вечностью. Прислонившись к табачному автомату, я бросил взгляд на дом, в котором дед подарил мне квартиру: сплошные анфилады, как принято в шикарных домах, и балконы окрашены в пастельные тона; в доме пять этажей и на каждом этаже балконы имеют свой цвет; на пятом этаже, где я живу, балконы цвета ржавчины.

Может, это и есть моя новая пантомима? Я вставляю ключ в замок парадного, ничуть не удивляясь, что он не тает, открываю дверцу лифта, нажимаю на кнопку «пять», с мягким шелестом подымаюсь вверх, смотрю через узкие оконца лифта в очередной лестничный пролет, а потом, миновав его, различаю сквозь окно на площадке залитые солнцем спину памятника, площадь, церковь, затем перед глазами снова темный пролет, бетонное перекрытие, и вот уже в слегка сдвинутом ракурсе я опять вижу залитые солнцем спину памятника, площадь, церковь; все это повторяется трижды, в четвертый раз передо мною — только площадь и церковь. Потом я вставляю ключ в замок своей квартиры и ничуть не поражаюсь, что он исправно поворачивается.

В моей квартире все — цвета ржавчины: и двери, и облицовка на кухне, и встроенные шкафы; к этой квартире как нельзя лучше подошла бы женщина в пеньюаре цвета ржавчины на черной тахте; наверное, мне следовало бы обзавестись

17

такой женщиной. Однако я страдаю не только меланхолией, головными болями, безразличием и мистической способностью распознавать по телефону запахи; мой самый тяжкий недуг — врожденная склонность к моногамии; на свете есть только одна женщина, с которой я могу делать то, что мужчина делает с женщиной, — Мария; с того дня, когда она ушла от меня, я живу так, как надлежало бы жить монахам, а ведь я не монах.

Я даже подумал — не отправиться ли мне за город в свою старую школу и не спросить ли совета у одного из священников, но все эти патеры считают человека существом, склонным к полигамии (по этой причине они и ратуют с таким рвением за единобрачие), я покажусь им сущим кретином, и их добрый совет будет не чем иным, как завуалированным предложением обратиться в те обители, где любовь, по их мнению, можно купить за деньги. Протестанты еще в силах меня чем-нибудь удивить: Костерту, например, и впрямь удалось ввергнуть меня в изумление, зато католикам я давно перестал поражаться. Я относился к этой религии с большой симпатией, я симпатизировал католикам даже в те дни, года четыре назад, когда Мария впервые привела меня в «кружок прогрессивных католиков»; для нее было очень важно познакомить меня с интеллигентными католиками, и делала она это, конечно, не без задней мысли — авось в один прекрасный день я обращусь в католичество (у всех католиков есть такая задняя мысль). Но первые же несколько минут, проведенные в этом «кружке», показались мне невыносимыми. В то время я переживал очень трудный период, мне еще не было двадцати двух, и я работал день и ночь, готовясь стать клоуном. Этому вечеру я заранее радовался, хоть и валился с ног от усталости; я ожидал встретить веселую компанию, надеялся выпить хорошего вина, вкусно поесть и, если можно, потанцевать (жилось нам тогда отвратительно, мы не позволяли себе даже такую роскошь, как бутылка вина или вкусная еда); но вино там оказалось мерзкое, и вообще все проходило так, как должны проходить, по-моему, семинары по вопросам социологии у скучнейшего профессора; это было не просто утомительно, это было никчемно и неестественно утомительно. Вначале они все вместе произнесли молитву, а я в это время не знал, куда девать руки и глаза: по-моему, неверующих нельзя подвергать таким испытаниям. Добро бы еще они произносили обычные молитвы «Отче наш» или «Ave Maria» (для меня и это было бы достаточно мучительным; воспитанный в протестантской семье, я привык молиться в одиночку, где и когда мне вздумается), так нет же, они повторяли вслух один из сочиненных Кинкелем молитвенных текстов, так сказать, программного характера, что-то вроде «и мы просим Тебя даровать нам силу, дабы воздать должное как всему унаследованному, так и нарождающемуся» и так далее, и только после этого они перешли к «теме» встречи: «Проблема бедности в современном обществе». Это был один из самых неприятных вечеров в моей жизни. Не могу понять, почему разговоры на религиозную тему должны быть такими утомительными. Я знаю: быть верующим трудно. Воскресение из мертвых, вечное блаженство... Мария часто читала мне из Библии. Трудно, должно быть, верить во все это. Позже я взялся за

19

Кьеркегора (весьма полезное чтение для начинающего клоуна), и это тоже было трудно, но не так утомительно. Не знаю, возможно, есть люди, которые вышивают салфетки по рисункам Пикассо или Клее; мне в тот вечер казалось, что прогрессивные католики вяжут набедренные повязки из текстов Фомы Аквинского, Франциска Ассизского, Бонавентуры и Папы Льва XIII, но повязки, увы, не могут прикрыть их наготу, ибо все присутствующие (исключая меня) зарабатывали не менее тысячи пятисот марок чистоганом в месяц. Им самим было так тягостно, что под конец они стали отпускать циничные и снобистские шуточки, все, кроме Цюпфнера, который так страдал, что попросил у меня закурить. Это была первая в его жизни сигарета, он неумело пускал дым, и я обратил внимание, как он радуется, что в клубах дыма не видно его лица. Я переживал за Марию, она сидела бледная и дрожащая, а Кинкель принялся рассказывать анекдот про одного типа, который получал пятьсот марок в месяц и вполне обходился этой суммой, потом он стал зарабатывать тысячу и заметил, что жить стало трудновато, но хуже всего пришлось бедняжке после того, как его жалованье возросло до двух тысяч марок; наконец он стал получать три тысячи, и дело опять пошло на лад. Свой опыт этот типчик вложил в афоризм: «С пятьюстами марками и меньше кое-как перебиваешься, но когда получаешь от пятисот до трех тысяч — потуже затягивай пояс». Кинкель даже не понял, что он натворил. Он продолжал болтать, посасывая толстенную сигару, то и дело поднося ко рту бокал с вином и заглатывая одну сырную палочку за другой, — и все это с поистине олимпийским спокойствием; в конце концов даже прелат Зоммервильд — духовный наставник «кружка» — встревожился и подсунул Кинкелю другую тему для разговора. Насколько я помню, он произнес сакраментальное слово «реакция», и Кинкель сразу попался на удочку. Он тут же клюнул, пришел в ярость и прервал на половине фразы свою речь о том, что автомобиль за двенадцать тысяч марок обходится дешевле, чем за четыре тысячи пятьсот; тут даже жена Кинкеля, восторгавшаяся им с прискорбной некритичностью, вздохнула свободно.

3

Сегодня я впервые почувствовал себя в этой квартире до некоторой степени приятно — здесь было тепло и чисто, и, когда я вешал в передней пальто и ставил в угол гитару, я подумал, что собственная квартира, быть может, нечто большее, чем самообман. По натуре я бродяга, я никогда не стану человеком оседлым, а Мария тем более, и все-таки она, кажется, решила осесть окончательно. А ведь раньше она начинала нервничать, если я выступал в одном городе больше недели.

Моника Зильвс и на сей раз все очень мило устроила, как и всегда, впрочем, когда мы отправляли ей телеграмму: она взяла ключи у управляющего, убрала квартиру, поставила в столовой цветы и накупила полный холодильник продуктов. В кухне на столе стояла баночка с молотым кофе, а рядом — бутылка коньяку. В столовой я обнаружил сигареты и обожженную свечу возле вазы с цветами. Моника умеет быть необыкновенно сердечной, но иногда это переходит в слащавость и Монике изменяет вкус: свеча, которую она поставила на стол, была с искусственными слезками, уверен, что «Католический союз в защиту хорошего вкуса» осудил бы Монику, впрочем, в спешке она, наверное, не нашла ничего лучшего или же у нее не хватило денег на дорогую красивую свечу, но я почувствовал, что именно от этой безвкусной свечи моя нежность к Монике Зильвс приближается к той грани, преступить которую мне не дает злосчастная склонность к моногамии. Остальные члены католического кружка Моники ни за что в мире не рискнули бы обнаружить дурной вкус или слащавость. Да, они ни в чем не дали бы маху, а если уж промахнулись, то скорее в вопросе морали, нежели в вопросе хорошего вкуса. Квартира еще пахла духами Моники, излишне терпкими и чересчур модными, по-моему, эта адская смесь зовется «Тайгой».

Я прикурил от свечи Моники сигарету Моники, принес из кухни коньяк, а из передней телефонную книгу и снял трубку. Благодаря Монике с телефоном тоже все оказалось в порядке. Он был включен. Я услышал отчетливые гудки, будто где-то вдали билось необъятное сердце, гудки говорили мне в эту минуту больше, чем шум прибоя, дыхание бури или львиный рык. В них было заключено все: голос Марии, голос Лео, голос Моники. Я медленно положил трубку. Теперь это было мое единственное оружие, и скоро я к нему прибегну. Закатав правую штанину, я осмотрел разбитое колено, ссадины оказались неглубокими, опухоль сравнительно безобидной, тогда я налил себе большую рюмку коньяку, выпил половину, а остальное плеснул на больное колено, потом заковылял на кухню и поставил коньяк в холодильник. Только тут я вспомнил, что Костерт так и не принес мне бутылку водки, которую я выговорил. Он, наверное, решил, что из педагогических соображений мне не следует давать водки, и одновременно сэкономил семь с половиной марок Протестантской церкви. Я еще позвоню ему и потребую, чтобы он перечислил по почте эту сумму; нельзя допустить, чтобы подлец Костерт так легко отделался, кроме того, мне действительно нужны деньги. Пять лет я зарабатывал гораздо больше, чем мне полагалось тратить, и все же деньги уплыли. Конечно, я мог бы побыть в разряде тех, кто получает «тридцать-пятьдесят-марок-за-выход», пусть только как следует заживет колено, сам по себе разряд меня не смущает, в дрянных балаганах публика куда приятней, чем в варьете. Все дело в том, что меня не устраивают тридцать—пятьдесят марок в день; номера в дешевых гостиницах слишком тесные, и когда репетируешь, то натыкаешься на столы и на шкафы; я считаю также, что ванна — не предмет роскоши, а такси — не мотовство, особенно если таскаешь с собой пять чемоданов.

Я снова вынул коньяк из холодильника и отпил глоток прямо из горлышка. Нет, я не пьяница. Но с тех пор как ушла Мария, спиртное успокаивает меня; кроме того, я успел отвыкнуть от денежных затруднений, и то обстоятельство, что у меня осталась всего-навсего одна марка и что я не вижу никаких возможностей значительно увеличить эту сумму в ближайшем будущем, явно тревожило меня. Единственное, что я мог продать, — это велосипед, но, если я решусь стать бродячим фокусником, велосипед мне очень пригодится, он заменит и такси и поезда. В дарственной на квартиру было заранее оговорено, что я не имею права ни продать, ни сдать ее внаем. Так всегда бывает, когда подарки делают богатые люди. В их подарках обязательно какая-нибудь закавычка. Мне удалось пересилить себя — я не стал больше пить, — пошел в столовую и раскрыл телефонную книгу.

4

В Бонне я родился, знаю здесь каждую собаку; в этом городе живут мои родственники, знакомые, товарищи по школе. В Бонне у меня родители и брат Лео, который при горячем участии Цюпфнера обратился в католичество и изучает сейчас богословие. Родителей мне придется повидать, это совершенно необходимо, хотя бы для того, чтобы уладить с ними денежные дела. Возможно, впрочем, что я поручу это адвокату. Я еще сам пока не решил. С тех пор как умерла моя сестра Генриэтта, родители для меня больше не существуют. Со дня ее смерти прошло уже семнадцать лет. Ей было тогда шестнадцать, война кончалась, Генриэтта была красивой девушкой с белокурыми волосами, она слыла лучшей теннисисткой от Бонна до Ремагена. Но тогда считалось, что молоденькие девушки должны добровольно вступать в зенитные войска, и Генриэтта вступила; шел февраль 1945 года.

Все свершилось настолько быстро и гладко, что я так ничего и не понял. Я возвращался из школы и, переходя через Кёльнерштрассе, увидел Генриэтту в трамвае, который только что отошел по направлению к городу. Генриэтта помахала мне и улыбнулась, я улыбнулся ей в ответ. За спиной у нее болтался маленький рюкзак, на ней была изящная темно-синяя шляпка и теплое зимнее пальто, синее, с меховым воротником. Я никогда не видел ее в шляпке, она не носила их. В шляпке она выглядела совсем иначе. Ни дать ни взять — молодая дама. Я подумал, что она едет со школой на экскурсию, хотя для экскурсий время было явно неподходящее. Но от школ тогда можно было всего ожидать. Даже в бомбоубежище нам пытались втолковать тройное правило арифметики, хотя вдали уже слышалась артиллерийская канонада. Учитель Брюль разучивал с нами благочестивые и патриотические песни — к ним он относил «Дом, овеянный славой» и «На Востоке заря занялась». Ночью в те полчаса, когда наконец-то стихала пальба, мы слышали топот марширующих ног; шли военнопленные-итальянцы (в школе нам объяснили, почему итальянцы перестали быть нашими союзниками и превратились в военнопленных, работающих на нас, но я и по сей день во всем этом не разобрался), шли русские военнопленные, пленные женщины и немецкие солдаты; топот слышался всю ночь напролет. И ни один человек не знал в точности, что происходит.

Мне и в самом деле показалось, что Генриэтта отправилась со школой на экскурсию. От них можно было всего ожидать. В те редкие промежутки между воздушными налетами, когда мы сидели в классе, через открытые окна вдруг доносились винтовочные выстрелы, мы в страхе поворачивали головы, и учитель Брюль спрашивал, понимаем ли мы, что это значит. Да, мы понимали: в лесу снова расстреливали дезертира.

— Так поступят с каждым, — говорил Брюль, — кто откажется защищать нашу священную немецкую землю от пархатых янки. (Не так давно я снова встретил Брюля; теперь он седовласый старец, профессор педагогической академии, его считают человеком с «безупречным политическим прошлым», потому что он никогда не был в нацистской партии.)

Я еще раз помахал вслед трамваю, который увозил Генриэтту, и прошел через наш парк домой; родители и Лео уже сидели за столом. На первое подали суп из крапивы, на второе — картофель с соусом, а на десерт — по одному яблоку. Только за десертом я спросил мать, в какое место Генриэтта отправилась на экскурсию.

Посмеиваясь, мать сказала:

— Экскурсия! Какой вздор. Она поехала в Бонн, чтобы вступить в зенитные войска. Так не чистят яблоко, ты срезаешь слишком много. Смотри, сынок. — Она и впрямь взяла с моей тарелки кожуру, поковыряла ее немножко и отправила в рот несколько тончайших ломтиков яблока, продемонстрировав результаты своей бережливости. Я взглянул на отца. Он не поднял глаз от тарелки и не сказал ни слова. Лео тоже молчал, я еще раз посмотрел на мать, и тогда она произнесла своим сладким голосом: — Надеюсь, ты понимаешь, что каждый обязан сделать все возможное, чтобы прогнать с нашей священной немецкой земли пархатых янки.

Она так взглянула на меня, что мне стало не по себе, потом перевела взгляд на Лео, и на секунду мне показалось, что она намерена послать и нас сражаться против «пархатых янки». «Наша священная немецкая земля, — сказала она, а потом добавила: — Они проникли в самое сердце Эйфеля». Я был готов расхохотаться, но вместо этого залился слезами, бросил фруктовый ножик и убежал к себе в комнату. Я испытывал страх, знал даже причину страха, но не смог бы выразить ее словами, а вспомнив об этих проклятых яблочных очистках, пришел в бешенство. Я смотрел на наш парк, спускавшийся к Рейну, на немецкую землю, покрытую грязным снегом, на плакучие ивы, на холмы Семигорья, и весь этот спектакль показался мне предельно глупым. Как-то я уже видел «пархатых янки», их везли на грузовике с Венусберга в Бонн на сборный пункт, они замерзли, были напуганы и казались очень юными; если слово «пархатый» и вызывает в моей голове какие-то ассоциации, то уж скорее с итальянцами — те были еще более замерзшими, чем американцы, и такими усталыми, что, как видно, не испытывали даже страха.

Я толкнул ногой стул, который стоял возле кровати, он не упал, тогда я пнул его еще раз. Наконец стул повалился и разбил вдребезги стекло на ночном столике... Генриэтта в синей шляпке с рюкзаком за спиной. Она так и не вернулась, и мы по сей день не знаем, где она похоронена. Когда война кончилась, к нам пришел какой-то

человек и сообщил, что она «убита под Леверку-
зеном».

Эта неусыпная забота о «священной немецкой
земле» кажется мне особенно смешной, когда я
вспоминаю, что изрядная доля акций компаний по
добыче бурого угля находится в руках нашей семьи...
Семь десятков лет два поколения Шниров нажи-
ваются на том, что кромсают «священную немецкую
землю», и ее долготерпению нет конца, деревни,
леса и замки падают под натиском землечерпалок,
как стены Иерихона...

Только несколько дней спустя я узнал, кому следует выдать патент на термин «пархатые янки», —
Герберту Калику, четырнадцатилетнему мальчишке,
моему «фюреру» в юнгфольке. Мать великодушно
предоставила в его полное распоряжение наш парк,
где нас обучали бросать противотанковые гранаты.
Мой брат Лео — восьми лет от роду — также
занимался с нами; я видел, как он вышагивал по
теннисному корту с учебной гранатой на плече; лицо
у него было такое важное, какое бывает только у
маленьких детей. Я остановил его и сказал:

— Что ты здесь делаешь?

Он ответил с убийственной серьезностью:

— Готовлюсь вступить в «вервольфы», а ты
разве нет?

— Конечно, — сказал я и пошел с ним через
теннисные корты к тиру, где Герберт Калик рассказывал в это время о мальчике, которого уже в
десять лет наградили Железным крестом первой
степени; этот мальчик из далекой Силезии уничто-
жил три русских танка ручными гранатами. Один
из слушателей спросил, как звали героя, и тут у
меня вырвалось:

— Рюбецаль[1].

Герберт Калик пожелтел и рявкнул:

— Грязный пораженец.

Я нагнулся и бросил ему в лицо пригоршню песка. Тогда все мальчишки кинулись на меня, только Лео сохранял нейтралитет, он плакал, но не заступился за меня; с перепугу я крикнул Герберту:

— Нацистская свинья!

Я прочел эти слова на шлагбауме у железнодорожного переезда. Я не совсем точно понимал, что они означают, но все же чувствовал, что сказал их к месту. Герберт Калик тут же прекратил драку и повел себя как должностное лицо: он арестовал меня и запер в тир, где валялись мишени и указки, потом он созвал моих родителей, учителя Брюля и еще одного человека — представителя нацистской партии. Я ревел от злости, топтал ногами мишени и, не умолкая ни на минуту, ругал «нацистскими свиньями» мальчишек, которые, стоя за дверью, сторожили меня. Через час меня поволокли в дом на допрос. Учитель Брюль прямо-таки рвался в бой. Он беспрестанно повторял:

— Изничтожить огнем и мечом, огнем и мечом изничтожить.

Я до сих пор не знаю, что он под этим подразумевал, — мое физическое уничтожение или, так сказать, моральное. Как-нибудь напишу ему письмо на адрес педагогической академии и попрошу разъяснений по этому вопросу — в интересах исторической истины. Нацист Лёвених,

---

[1] Популярный герой немецких сказок. — *Здесь и далее примеч. пер.*

29

исполнявший обязанности ортсгруппенлейтера, держался весьма разумно: он все время напоминал:

— Учтите, что мальчику еще не исполнилось одиннадцати.

Он настолько успокаивающе подействовал на меня, что я даже ответил на его вопрос. Он спросил, откуда я узнал это чудовищное ругательство.

— Прочел на шлагбауме на Аннабергерштрассе.

— А может, тебя кто-нибудь подучил? — продолжал он. — Я хочу сказать, не слышал ли ты его от кого-нибудь?

— Нет, — ответил я.

— Мальчик сам не знает, что он говорит, — заметил отец и положил мне руку на плечо.

Брюль бросил на отца сердитый взгляд, а потом с испугом оглянулся на Герберта Калика. Вероятно, жест отца был расценен как слишком явное выражение симпатии ко мне. Мать, всхлипывая, произнесла своим дурацким сладким голосом:

— Он сам не ведает, что творит; нет, не ведает, иначе мне пришлось бы от него отречься.

— Ну и отрекайся, пожалуйста, — сказал я.

Вся эта сцена разыгралась в нашей громадной столовой, где стоит помпезная мебель из темного мореного дуба и громоздкие книжные шкафы с зеркальными стеклами, где по стенам тянутся широкие дубовые панели, на которых выставлены бокалы и охотничьи трофеи деда. Я слышал, как на Эйфеле, в каких-нибудь двадцати километрах от нас, гремели орудия, а по временам различал даже треск пулемета. Герберт Калик, исполнявший роль прокурора, бледный, белобрысый, с лицом фанатика, беспрерывно стучал костяшками пальцев по буфету и требовал:

— Твердость, твердость, непреклонная твердость.

Меня приговорили к рытью противотанковой траншеи под надзором Герберта; в тот же день, следуя традиции семьи Шниров, я начал кромсать немецкую землю, я кромсал ее, впрочем, собственноручно, что уже противоречило традиции Шниров. Свою траншею я вел по любимой клумбе дедушки, на которой он сажал розы, прямехонько к тому месту, где стояла копия Аполлона Бельведерского, и с радостью предвкушал минуту, когда мраморный Аполлон падет жертвой моего рвения; но радость эта была преждевременна: статуя Аполлона пала жертвой веснушчатого мальчугана по имени Георг; Георг погубил и себя и Аполлона, нечаянно взорвав противотанковую гранату. Комментарии Герберта Калика к этой прискорбной истории были предельно краткими:

— К счастью, Георг был сиротой.

5

Я выписал из телефонной книжки номера всех, с кем мне придется говорить; слева я записал столбиком имена знакомых, у которых можно перехватить денег: Карл Эмондс, Генрих Белен — с обоими я учился в школе, первый был когда-то студентом богословия, теперь он — учитель гимназии, второй — капеллан; далее шла Бела Брозен — любовница отца; справа был другой столбик, с именами людей, у кого я буду просить денег только в случае крайней необходимости: мои родители, Лео (у Лео можно просить денег, но у него их никогда не бывает, он все раздает); члены католического кружка — Кинкель, Фредебейль, Блотхерт, Зоммервильд; между этими двумя столбиками я вписал Монику Зильвс и обвел ее имя красивой рамочкой, Карлу Эмондсу придется послать телеграмму с просьбой позвонить мне. У него нет телефона. Я с радостью позвонил бы Монике первой, но позвоню ей последней: в той стадии, в какую вступили наши отношения, пренебречь Моникой значило бы оскорбить ее как физически, так и метафизически. В этом вопросе я вообще попал в ужасное положение: с тех пор как Мария убежала от меня, «убоявшись за свою душу», так она говорила, я из-за склонности к моногамии жил как монах, хоть и поневоле, но сообразно своей природе. Если говорить всерьез, то в Бохуме я поскользнулся и упал на колено в какой-то степени намеренно, чтобы прервать турне и получить возможность приехать в Бонн. С каждым днем я все больше страдал от того, что в богословских трудах, которые читала Мария, ошибочно именовалось «вожделением плоти». Я слишком любил Монику, чтобы утолить с ней «вожделение» к другой. Если бы в богословских трактатах говорилось о вожделении к женщине, то и это звучало бы достаточно грубо, но все же намного лучше, чем просто «вожделение плоти». Не знаю, что можно назвать «плотью», разве что туши в мясных лавках, но даже туши не только «плоть». Стоит мне представить себе, что Мария делает с Цюпфнером «то самое», что она должна делать только со мной, и моя меланхолия перерастает в отчаяние.

Я долго колебался, но потом все же отыскал телефон Цюпфнера и записал его в тот столбец, где значились люди, у которых я не собирался одалживать деньги. Мария дала бы мне денег не раздумывая, все до пфеннига, она пришла и помогла бы мне, особенно если бы знала, что все это время меня преследуют неудачи, но она пришла бы не одна. Шесть лет — долгий срок; нет, ей не место у Цюпфнера в доме, она не должна завтракать с ним за одним столом, лежать с ним в одной постели. За Марию я даже готов бороться, хотя слово «борьба» связано у меня с чисто физическими представлениями и кажется поэтому смешным, — смешно драться с Цюпфнером. Мария еще не умерла для меня, как, в сущности, умерла моя мать. Я верю, что живые могут быть мертвыми, а мертвые живыми, но совсем в ином смысле, чем в это верят протестанты и католики. Для меня Георг, подорвавшийся на противотанковой гранате, куда более живой, чем собственная мать. Я вижу этого веснушчатого неуклюжего мальчугана на лужайке возле мраморного Аполлона. «Не так, не так...» — орет Герберт, потом слышу взрыв и крик, не очень громкий, слышу, как Калик изрекает: «К счастью, Георг был сиротой...» Проходит полчаса, мы ужинаем за тем же самым столом, за которым состоялся суд надо мной, и мать говорит Лео:

— Надеюсь, сынок, ты справишься с этим лучше, чем тот глупый мальчик, ведь правда?

Лео утвердительно кивает, отец бросает на меня взгляд и не находит утешения в глазах десятилетнего сына.

За это время мать успела сделаться бессменной председательницей Центрального бюро организации «Смягчим расовые противоречия»; она совершает поездки в дом Анны Франк и при случае даже за океан и произносит в американских женских клубах речи о раскаянии немецкой молодежи, произносит их тем же сладким, мягким голосом, каким сказала, наверное, прощаясь с Генриэттой: «Будь молодцом, детка». Ее голос я могу услышать по телефону в любое время, но голос Генриэтты уже не услышу. У Генриэтты голос был на удивление глуховатый, а смех звонкий. Как-то раз, играя в теннис, она вдруг выронила ракетку, остановилась и, задумавшись, поглядела на небо; в другой раз за столом она уронила ложку в тарелку с супом; мать вскрикнула и стала причитать из-за пятен на платье и на скатерти; Генриэтта ее не слушала, а потом, придя в себя, как ни в чем не бывало вынула ложку из супа, обтерла ее салфеткой и снова принялась за еду; в третий раз на нее нашло, когда мы играли в карты у горящего камина; мать разозлилась не на шутку и закричала:

— Очнись же! Вечно ты спишь!

Генриэтта взглянула на нее и спокойно сказала:

— В чем дело? Мне просто не хочется больше играть. — С этими словами она бросила карты, которые все еще держала в руке, прямо в камин.

Мать благополучно выудила карты из огня, хотя и обожгла себе пальцы, ей удалось спасти всю колоду, кроме семерки червей, которая успела обгореть; с тех пор, играя в карты, мы не могли не вспоминать Генриэтту, хотя мать и пыталась делать вид, будто «ничего не произошло». Мать вовсе не злая, она просто непостижимо глупа и бережлива. Она не разрешила купить новые карты, и мне думается, что обгоревшая семерка червей все еще в игре, но, когда мать, раскладывая пасьянс, натыкается на нее, она ни о ком не вспоминает. Мне бы очень хотелось поговорить по телефону с Генриэттой, жаль, что богословы не изобрели еще аппаратов для таких разговоров. Я разыскал в телефонной книге номер родителей, постоянно забываю его: «Шнир, Альфонс, почетн. д-р, ген. директор». Почетный доктор — это была для меня новость. Набирая номер, я мысленно шел домой — спустился по Кобленцерштрассе, вышел на Эберталлее, свернул налево к Рейну. До нас примерно час ходьбы. Горничная уже сняла трубку:

— Квартира доктора Шнира.

— Позовите, пожалуйста, госпожу Шнир, — сказал я.

— Кто говорит?

— Шнир, — ответил я, — Ганс, родной сын вышеупомянутой дамы.

Горничная поперхнулась, подумала секунду, и я через шестикилометровый телефонный кабель почувствовал, что она в растерянности. Впрочем, пахло от нее довольно-таки приятно — мылом и чуть-чуть свежим лаком для ногтей. Очевидно, она знала о моем существовании, но не получила твердых инструкций на мой счет. А слухи ходили самые темные: отщепенец... смутьян.

— Кто мне поручится, что это не розыгрыш? — спросила она наконец.

— Ручаюсь, — ответил я, — в случае надобности могу перечислить особые приметы моей матушки: родинка слева, чуть пониже губы, бородавка...

— Ладно,— сказала она, рассмеявшись, и подключила телефон матери. В нашем доме целый телефонный узел. Только у отца стоят три аппарата: красный — для разговоров о буром угле, черный — для связи с биржей и белый — для частных разговоров. У матери всего два аппарата: черный — для Центрального бюро организации «Смягчим расовые противоречия» и белый — для частных разговоров.

Несмотря на то что на личном банковском счете моей матери в графе «сальдо» записана шестизначная цифра — все ее счета за телефон (и, конечно же, расходы на поездки в Амстердам и другие города) оплачивает Центральное бюро. Горничная подключила не тот телефон, и мать, сняв трубку с черного аппарата, произнесла сугубо официальным тоном:

— Говорит Центральное бюро организации «Смягчим расовые противоречия».

Я остолбенел. Если бы она сказала: «Алло, у телефона госпожа Шнир», я бы, наверное, ответил: «Это я, Ганс, как поживаешь, мама?» Вместо этого я сказал:

— Говорит находящийся проездом в Бонне уполномоченный Центрального бюро по делам пархатых янки. Будьте добры, соедините меня с вашей дочерью.

Я сам испугался того, что сказал. Мать вскрикнула, а потом испустила вздох, и по этому вздоху я понял, как она постарела.

— Ты этого никогда не забудешь? Да? — спросила она.

Я сам с трудом удерживался от слез.

— Забыть? Разве это надо забыть, мама? — спросил я тихо.

Она молчала, и я опять услышал этот ее старушечий плач, который пугал меня больше всего. Я не видел мать пять лет, должно быть, ей уже за шестьдесят. Какую-то долю секунды я и впрямь верил, что она может переключить телефон и соединить меня с Генриэттой. Ведь говорит же она постоянно, что при желании может позвонить самому Господу Богу. Конечно, это только шутка, все деятели говорят сейчас в таком тоне о своих связях: у меня, мол, прямой провод с ХДС, с университетом, с телецентром и с министерством внутренних дел.

Как мне хотелось услышать голос Генриэтты! Пусть бы она сказала хоть что-нибудь: «ничего» или даже «дерьмо». В ее устах это слово не прозвучало бы грубо, ничуть. Раньше стоило только Шницлеру завести речь о «мистическом трансе», в который она впадает, как Генриэтта сразу же выпаливала: «дерьмо», и это слово было такое же милое, как слово «дерево» (Шницлер писатель, один из тех паразитов, которые жили у нас во время войны; когда на Генриэтту «находило», он всегда начинал болтать о «мистическом трансе», и в ответ она коротко бросала — «дерьмо»). Конечно, она может сказать и что-нибудь другое, например: «Я сегодня опять обыграла этого дурня Фоленаха» или какую-нибудь французскую фразу: «La condition du Monsieur le Comte est parfaite»[1]. Иногда она помогала мне готовить уроки, и мы

---

[1] Состояние господина графа превосходно (фр.).

смеялись над тем, что она сильна в чужих уроках и слаба в своих.

Но вместо всего этого я слышал старушечий плач матери.

— Как поживает папа? — спросил я.

— Ах, — сказала она, — он стал совсем стариком, мудрым стариком.

— А Лео?

— Лео старателен, очень старателен, ему прочат большую будущность как богослову.

— Боже мой! — сказал я, — надо же, чтобы будущность Лео, именно Лео, была связана с католическим богословием.

— Нам было нелегко, когда он перешел в католичество, — сказала мать, — но что поделаешь, пути Господни неисповедимы.

Она снова полностью владела своим голосом, и на секунду у меня появилось искушение спросить ее о Шницлере, который по-прежнему свой человек у нас в доме. Шницлер — упитанный, холеный господин; тогда он прямо бредил «европейской идеей» и «величием истых германцев». Из любопытства я прочел позднее один из его романов — «Любовь француза», роман оказался куда скучнее, чем я ожидал, судя по заглавию. Вся поразительная оригинальность этого произведения исчерпывалась тем, что герой его, пленный французский лейтенант, был блондином, а героиня, немочка с берегов Мозеля, — брюнеткой. Шницлер вздрагивал каждый раз, когда Генриэтта произносила слово «дерьмо» — в общей сложности это случилось, по-моему, раза два, — однако утверждал, будто «мистический транс» часто вызывает «неодолимую потребность изрыгать

38

бранные слова» (хотя Генриэтта не испытывала никакой «неодолимой потребности» и вовсе не «изрыгала» слово «дерьмо», она произносила его очень просто). Чтобы доказать это, он притаскивал пятитомную «Христианскую мистику» Гёрреса. В романе Шницлера было, разумеется, полно изысков, в нем, например, говорилось, что «названия французских вин звучат так же поэтично, как звон хрустальных бокалов, из которых влюбленные пьют за здоровье друг друга». Кончался роман тайным браком героя и героини, вот этот-то брак и навлек на Шницлера немилость имперской писательской палаты: примерно месяцев десять ему не разрешали печататься. Американцы обласкали Шницлера, как «борца Сопротивления», и взяли на работу в свой офис по вопросам культуры; сейчас он носится по всему Бонну и при каждом удобном случае рассказывает, что во времена нацистов ему было запрещено печататься. Такому лицемеру и врать не приходится, так или иначе он устраивает свои делишки. А ведь не кто иной, как Шницлер, настоял на том, чтобы мать послала нас к нацистам — меня в юнгфольк, а Генриэтту — в «Союз немецких девушек».

— В этот час, сударыня, мы должны стоять плечом к плечу, вместе бороться, вместе страдать.

Как сейчас вижу его: он греется у камина, покуривая сигару из отцовских запасов.

— ...Тот факт, что я стал жертвой несправедливости, не может бросить тень на мое отношение к событиям, ясное и объективное, я знаю... — тут в голосе его слышалась непритворная дрожь, —

я знаю, что фюрер уже держит в руке ключ от нашей победы.

Это было сказано примерно за сутки до того, как американцы заняли Бонн.

— Ну а как дела у Шницлера? — спросил я мать.

— Блестяще, — ответила она, — министерство иностранных дел не может ступить без него ни шагу.

Она все, конечно, забыла, еще удивительно, что выражение «бархатные янки» вызвало у нее какие-то ассоциации. И я перестал раскаиваться, что вначале говорил с ней таким тоном.

— А что поделывает дедушка? — спросил я.

— Поразительно, — сказала она. — Его ничто не берет. Скоро собирается отпраздновать свое девяностолетие. Для меня загадка, как он держится.

— Очень просто, — сказал я, — этих старых бодрячков ничто не тревожит — ни совесть, ни воспоминания. Он дома?

— Нет, — сказала она, — уехал на шесть недель в Искью.

Мы немного помолчали, голос мне все еще не повиновался, зато мать снова великолепно владела собою. Наконец она сказала:

— А теперь поговорим об истинной цели твоего звонка... Я слышала, тебе опять приходится туго... Неприятности по службе... Так, кажется?

— Ах вот что! — сказал я. — Ты, значит, боишься, что я буду клянчить у вас деньги. Тебе нечего бояться, мама. Я знаю, вы мне ничего не дадите. Эти дела мы уладим через суд, деньги мне действительно нужны, я хочу уехать в Америку. Люди помогут мне сделать там карьеру. Правда, эти люди — «пархатые янки», но ты не беспокойся, я приложу все усилия, чтобы смягчить расовые противоречия.

Теперь она и не думала плакать. В ту секунду, когда я вешал трубку, она рассуждала о принципах. Впрочем, от матери, как всегда, ничем не пахло, она — женщина без запаха. Один из ее принципов гласит: «Дама из общества не должна распространять никакого запаха». Оттого, видно, отец и завел себе такую красотку любовницу; его любовница, конечно, тоже «не распространяет» запаха, но всем кажется, будто она благоухает.

6

Я подложил под спину все подушки, какие только оказались под рукой, устроил больную ногу повыше и пододвинул к себе телефон; я никак не мог решить, надо ли пойти на кухню, открыть холодильник и переправить в комнату бутылку коньяку.

Когда мать упомянула о «неприятностях по службе», ее голос прозвучал особенно злорадно и она даже не пыталась скрыть свое торжество. А я-то предполагал, что в Бонне еще не знают о моем провале. Какая наивность! Мать в курсе, и отец, значит, тоже, а раз отец, то и Лео, и уже через него Цюпфнер и весь их «кружок», включая Марию. Ей это будет очень больно, больнее, чем мне. Если я перестану пить, то скоро опять достигну уровня, который мой импресарио Цонерер обозначает как «в достаточной степени выше среднего». На этом уровне я могу спокойно прожить двадцать два года, еще отделяющие меня от кончины в канаве. Единственное, что ценит во мне Цонерер, это мои «большие познания в ремесле», в искусстве мой импресарио не понимает ровным счетом ничего, о нем он судит почти с гениальной наивностью, в зависимости от успеха у публики. Зато в ремесле Цонерер разбирается неплохо, он прекрасно знает, что я еще лет двадцать могу продержаться в разряде клоунов «тридцать-марок-за-выход». Мария смотрит на это иначе. Она будет огорчена и тем, что я «творчески деградирую», и тем, что попал в тяжелое положение, которое, впрочем, не представляется мне таким уж тяжелым. Человек со стороны (каждый человек находится в этой позиции по отношению ко всем остальным) судит о положении другого иначе, чем тот, кого это непосредственно касается, — либо слишком мрачно, либо чересчур оптимистически, и так во всех случаях: будь то счастье или несчастье, любовная трагедия или творческая деградация. Мне ничего не стоит и впредь выступать в обшарпанных залах перед домашними хозяйками — католичками или медсестрами из евангелических больниц с хорошей клоунадой, а то и просто с грошовыми фокусами. К сожалению, все церковные союзы имеют совершенно превратное представление о гонорарах. Добродетельная председательница такого рода союза уверена, что пятьдесят марок за выход — приличная сумма и что человек, которому выдают ее раз двадцать в месяц, вполне может сводить концы с концами. Если даже я покажу ей счета за грим и объясню, что для репетиций мне необходим номер в гостинице куда больше, чем два двадцать на три, она все равно решит, что моя любовница расточительна, как сама царица Савская. А если я еще расскажу ей, что почти ничего не ем, кроме яиц всмятку, бульона, рубленых котлет и помидоров, она осенит себя крестным знамением и подумает, что я морю себя голодом, ведь, по ее мнению, хоть раз в день надо «прилично поесть». И наконец, если я поведаю ей, что мои единственные пороки — это вечерние газеты, сигареты и рич-рач, она сочтет меня, вероятно, первейшим мошенником. Я уже давно перестал говорить с людьми о деньгах и об искусстве. Там, где эти категории сталкиваются друг с другом, добра не жди: за искусство либо не доплачивают, либо переплачивают. Однажды я встретил в английском бродячем цирке клоуна, который как профессионал был раз в двадцать выше меня, а как художник раз в десять; этот клоун получал меньше десяти марок за вечер. Звали его Джеймс Эллис, ему было уже под пятьдесят, я пригласил его поужинать — нам подали омлет с ветчиной, салат и яблочные пончики, и Эллису стало нехорошо. За десять лет он еще ни разу так плотно не ел за ужином. С тех пор как я познакомился с Джеймсом, я больше не говорю ни о деньгах, ни об искусстве.

Я беру жизнь такой, какая она есть, и никогда не забываю о канаве. Мария думает совсем иначе, она без конца твердит о «миссии», все у нее «миссия», даже то, что я делаю: ведь я «так светел душой, так чист, так благочестив по-своему» и тому подобное. В голове у католиков страшный ералаш. Даже выпить рюмочку хорошего вина они не могут просто — им обязательно надо при этом выпендриваться; во что бы то ни стало они должны «осознать», почему и отчего это вино хорошее. В смысле «осознавания» они недалеко ушли от некоторых марксистов. Мария ужаснулась, когда несколько месяцев назад я купил гитару и сказал, что хочу петь под гитару песенки собственного сочинения. Она заявила, что это будет ниже «моих возможностей»; на это я ответил ей, что ниже канавы бывают только каналы; она ничего не поняла, а я ненавижу разъяснять поэтические образы. Либо меня понимают сразу, либо нет. Толковать тексты не моя специальность.

...Зрителям, наверное, казалось, что я марионетка с оборванными нитями. Но все было не так! Нити я крепко держал в руке и понимал, что лежу в Бохуме на сцене, с разбитым коленом, слышал, как в зале сочувственно перешептывались, и обзывал себя подонком. Я не заслуживал сострадания, лучше бы они свистели, и хромал я сильнее, чем следовало при таком ушибе, хотя я действительно ушибся. Я хотел, чтобы Мария опять была со мною, и начал по-своему бороться за то, что в ее богословских трактатах именуется «вожделением плоти».

7

Мне было двадцать один, а ей девятнадцать, и вот однажды вечером я просто вошел к ней в комнату, чтобы сделать то, что делает мужчина с женщиной. Днем я видел ее с Цюпфнером; взявшись за руки, они выходили из Дома молодых католиков, на их лицах играла улыбка, и это было последним толчком. Нечего ей делать с Цюпфнером, от их дурацкого держания за ручки я почувствовал себя больным. Цюпфнера у нас в городе все знали, прежде всего из-за отца, которого прогнали нацисты, он был учителем; после войны он отказался пойти в ту же школу директором. Кто-то даже хотел сделать его министром. Но он рассвирепел и сказал:

— Я учитель и хочу опять стать учителем.

Это был высокий тихий человек, как учитель он показался мне скучноватым. Однажды он заменял у нас в классе учителя немецкого языка и прочел вслух стихотворение — про прекрасную молодую фею.

Вообще говоря, мое мнение о школьных делах нельзя принимать в расчет. Было явной ошибкой держать меня в школе дольше, чем положено по закону. Я с трудом тянул лямку даже то время, какое предписано законом. Но я никогда ни в чем не винил учителей — виноваты были мои родители. Прописной истиной «надо же ему получить аттестат» должно когда-нибудь заняться Центральное бюро организации «Смягчим расовые противоречия». Это в самом деле расовый вопрос: юноша с аттестатом, юноша без аттестата, учитель, старший учитель, человек с дипломом, человек без диплома — разве это не те же расы? Прочитав нам стихотворение, отец Цюпфнера помолчал немного, а потом с улыбкой спросил:

— Кто хочет высказаться?

Я сразу вскочил и отбарабанил:

— Я считаю, что стихотворение замечательное!

Весь класс покатился со смеху, только отец Цюпфнера не смеялся. Он улыбался, но не как-нибудь там надменно. Мне он показался славным малым, правда немного суховатым. Его сына я знал не так уж хорошо, но все же лучше, чем отца. Однажды я проходил мимо стадиона, где Цюпфнер-сын и другие молодые католики играли в футбол; я остановился и стал смотреть на игру, тогда он крикнул:

— Иди к нам, хочешь?

Я сказал «хочу» и встал левым полузащитником в ту команду, которая играла против команды Цюпфнера, Когда игра кончилась, он сказал:

— Хочешь, пойдем с нами?

— Куда? — спросил я.

— На нашу встречу.

Я сказал:

— Но я не католик.

Он рассмеялся, и другие мальчики тоже.

— Мы будем петь... ты ведь любишь петь, — сказал Цюпфнер.

— Да, — ответил я, — но вашими встречами я сыт по горло: ведь я два года протрубил в интернате.

Он засмеялся, хотя его задели мои слова, и сказал:

— Если появится охота, приходи все же играть с нами в футбол.

Я несколько раз играл с ними в футбол и ходил есть мороженое, но он не приглашал меня больше на их вечера. Мне было известно, что Мария ходит в тот же Дом молодых католиков на вечера своей группы, ее я хорошо знал, даже очень хорошо, потому что проводил много времени с ее отцом; а когда она играла со своими девушками в мяч, я, бывало, заходил на стадион и смотрел на них. Вернее сказать, смотрел на нее, да и она махнет мне иногда рукой посреди игры, улыбнется, и я махну ей в ответ и тоже улыбнусь. Я ее очень хорошо знал. Я часто бывал у ее отца, и, случалось, она сидела с нами и слушала, как он пытается растолковать мне Гегеля или Маркса, но дома она мне никогда не улыбалась. В этот день я увидел, что они с Цюпфнером, взявшись за руки, выходят из Дома молодых католиков, и это дало мне последний толчок.

Я оказался в тот год в глупейшем положении: школу я бросил, в двадцать один год ушел из шестого класса гимназии; мои интернатские патеры вели себя вполне прилично — они даже устроили прощальный вечер в мою честь с пивом, бутербродами и сигаретами, некурящих они угощали шоколадом; а я показал ребятам свои пантомимы: «Католическую проповедь», «Лютеранскую проповедь», «Рабочие в день получки», а потом фокусы и еще подражание Чаплину. Я произнес даже прощальную речь на тему: «Ложная посылка о том, что аттестат зрелости — необходимое условие райского блаженства». Прощание вышло на славу, но домашние сердились и горько сетовали. Мать вела себя просто непозволительно. Она советовала отцу послать меня углекопом в шахту, а отец ежеминутно спрашивал, кем я собираюсь стать. Я заявил:

— Клоуном.

— Ты имеешь в виду актером? — сказал он. — Хорошо... возможно, я смогу определить тебя в соответствующее училище.

— Нет, — возразил я, — не актером, а клоуном, и училища не идут мне впрок.

— Скажи тогда, как ты себе это представляешь? — спросил он.

— Никак, — ответил я, — никак. Скоро я смоюсь.

Я провел два ужасных месяца, потому что не имел сил смыться; и каждый проглоченный мною кусок мать сопровождала таким взглядом, словно я был преступником. При этом она годами кормила всяких приблудных паразитов, этих своих «художников» и «поэтов» — и халтурщика Шницлера и Грубера, который, впрочем, был не такой уж противный. «Лирик» Грубер — жирный, молчаливый и грязный субъект, прожил у нас полгода и не написал за это время ни строчки. Но когда по утрам он сходил к завтраку, мать каждый раз смотрела ему в лицо, будто хотела обнаружить на нем следы ночных битв с демоном-искусителем. Она взирала на него такими глазами, что это казалось уже почти неприличным. В один прекрасный день он бесследно исчез, и мы, дети, с удивлением и страхом обнаружили в его комнате целую кипу зачитанных до дыр детективных романов, а на письменном столе несколько клочков бумаги, на которых было написано всего одно слово: «Ничто»; на одном клочке это слово повторялось дважды: «Ничто, ничто». Ради таких людей мать была готова даже на то, чтобы спуститься в погреб и принести лишний кусок ветчины. По-моему, если бы я начал скупать мольберты гигантских размеров и малевать на гигантских холстах нечто невообразимое, она бы примирилась с моим существованием. Ведь тогда она могла бы сказать:

— Наш Ганс художник, он еще найдет свою дорогу. А пока он в поисках.

Но так я был для нее ничем, всего лишь великовозрастным гимназистом, недоучкой, о котором она знала только, что «он умеет смешно представлять». Разумеется, я не желал показывать образцы своего искусства в благодарность за их поганую жратву. Полдня я проводил у отца Марии, старого Деркума; я немножко помогал ему в лавке, а он снабжал меня сигаретами, хотя дела его шли не так уж хорошо. В таком состоянии я прожил дома всего два месяца, но мне показалось, что они тянутся вечно, еще дольше, чем война. Марию я видел редко, она готовилась к выпускным экзаменам и пропадала у школьных подруг. Иногда старый Деркум ловил меня на том, что, совершенно выключившись из разговора, я пристально смотрю на кухонную дверь; качая головой, он говорил:

— Сегодня она придет поздно.

И я заливался краской.

Была пятница, а я знал, что по пятницам старый Деркум ходит вечером в кино, не знал я только, будет ли Мария дома или отправится зубрить к кому-нибудь из подруг. Я ни о чем не думал и в то же время почти обо всем подумал, даже о том, сможет ли Мария сдавать «после этого» экзамены; я уже тогда понимал, что будут говорить люди, и оказался прав: полгорода, возмущаясь «совратителем», добавляло: «И надо же, как раз перед самыми экзаменами». Я подумал даже о девушках из ее группы, которые почувствуют разочарование. А потом меня терзал страх перед тем, что один молодчик из нашего интерната называл «физиологическими подробностями», и еще меня мучил вопрос — мужчина ли я. Но самое поразительное заключалось в том, что я ни на секунду не ощутил «вожделения плоти». Я думал также, что с моей стороны нехорошо воспользоваться ключом, который мне дал отец Марии, но другой возможности проникнуть в дом и в ее комнату у меня просто не было. Единственное окно в комнате Марии глядело на оживленную улицу, до двух часов ночи по ней сновали люди; меня бы просто поволокли в полицию... А ведь я должен был увидеть Марию именно сегодня. Я даже пошел в аптеку и купил на одолженные у Лео деньги какое-то снадобье, про которое у нас в интернате рассказывали, что оно укрепляет мужскую силу. В аптеке я покраснел до ушей, к счастью, за прилавком стоял мужчина, но я говорил так тихо, что он заорал на меня и потребовал «отчетливо и громко произнести название препарата», и я повторил название, взял лекарство и заплатил жене аптекаря; она посмотрела на меня, качая головой. Аптекарша, конечно, знала, кто я такой, и, когда на следующее утро ей обо всем доложили, стала, наверное, строить всякие предположения, весьма, впрочем, далекие от истины, потому что, пройдя два квартала, я открыл коробочку и выбросил все таблетки в сточную канаву.

Часов в семь, когда в кино начались вечерние сеансы, я отправился на Гуденауггассе; ключ я держал наготове, но дверь лавки оказалась еще незапертой, я вошел, и Мария крикнула сверху, высунув голову на площадку:

— Эй, кто там?

— Я, — крикнул я, — это я.

Я вбежал по лестнице и начал медленно теснить Марию в комнату, не дотрагиваясь до нее, а она смотрела на меня изумленно. Мы никогда подолгу не разговаривали, только глядели друг на друга и улыбались, и я тоже не знал, как к ней обращаться — на «ты» или на «вы». На Марии был поношенный серый купальный халат, доставшийся ей еще от матери, темные волосы перехвачены сзади зеленым шнурком; потом, развязывая шнурок, я сообразил, что она оторвала его от отцовской удочки. Мария была так напугана, что мне ничего не пришлось объяснять, она все поняла сама.

— Уходи, — сказала она, но сказала просто так, механически, я знал, что она должна это сказать, и мы оба знали, что это было сказано серьезно и в то же время просто так, механически; и в тот миг, когда она сказала «уходи», а не «уходите», все уже было решено. В этом коротеньком слове было столько нежности, что мне казалось: ее хватит на всю жизнь, — и я чуть не расплакался; она произнесла его так, что я понял: Мария знала, что я приду, во всяком случае, это не было для нее громом среди ясного неба.

— Нет, нет, — ответил я, — я не уйду... да и куда мне уходить?

Она покачала головой.

— Ты хочешь, чтобы я одолжил двадцать марок и поехал в Кельн... а уж потом женился на тебе?

— Нет, — сказала она, — не надо тебе ехать в Кельн.

Я посмотрел на нее, и мой страх почти пропал.

Я уже больше не был мальчишкой, да и она была взрослой женщиной; я взглянул на ее руки, которыми она придерживала халат, взглянул на стол у окна — хорошо, что на нем лежали не школьные тетради, а шитье и выкройки. Потом я побежал вниз, запер лавку и положил ключ в то место, куда его прятали уже лет пятьдесят: между банкой с леденцами и школьными прописями. А потом опять поднялся к ней, она сидела на кровати вся в слезах. Я тоже сел на кровать, только на другой конец, закурил сигарету и протянул ее Марии, и она закурила первый раз в жизни, очень неумело; мы невольно расхохотались: выпуская дым, она смешно складывала губы бантиком, казалось, она кокетничает, а когда дым случайно вышел у нее из носа, я опять засмеялся: очень уж это залихватски выглядело. Потом мы начали разговаривать, мы говорили обо всем на свете. Мария сказала, что думает о тех женщинах в Кельне, которые делают «то самое» за деньги и уверены, что за «это» надо платить, хотя за «это» нельзя платить; получается, что честные женщины, чьи мужья ходят к «тем», — перед ними в долгу, а она не хочет быть ни перед кем в долгу. И я тоже много говорил. Все, что я читал о так называемой физической любви и об иной любви, сказал я ей, кажется мне сущим вздором. Невозможно отделить одно от другого; а потом она спросила, нахожу ли я ее красивой и люблю ли, и я ответил, что она единственная девушка, с которой я хотел бы делать «то самое», я всегда думал только о ней, когда думал об «этом», даже в интернате, только о ней. Потом Мария встала и пошла в ванную, а я продолжал сидеть на кровати, курил и вспоминал мерзкие таблетки, которые выбросил в канаву. Мне снова стало страшно, я подошел к ванной и постучал в дверь; Мария немного помедлила, а потом сказала «войди», я вошел, и стоило мне увидеть ее, как мой страх снова как рукой сняло. По лицу у нее текли слезы, и она втирала в голову какую-то жидкость для волос, а потом начала пудриться. Я спросил:

— Что ты делаешь?

Она ответила:

— Навожу красоту.

Слезы прорыли тонкие бороздки в пудре, которую она положила слишком густо.

— Может, ты все же уйдешь? — спросила она.

— Нет, — ответил я.

Она побрызгала себя кельнской водой, а я, присев на край ванны, размышлял, хватит ли нам двух часов; больше получаса мы уже проболтали. В интернате у нас были специалисты по вопросу о том, «как трудно сделать девушку женщиной», и я все время думал о Гунтере, который послал Зигфрида к Брунгильде, перед тем как пойти самому, и вспомнил дикую резню Нибелунгов, начавшуюся из-за этого; в школе, когда мы проходили «Песнь о Нибелунгах», я как-то раз встал и сказал патеру Вунибальду:

— Ведь Брунгильда и на самом деле была женой Зигфрида?

Он усмехнулся и ответил:

— Но женат Зигфрид был на Кримгильде, мальчик.

Я рассвирепел и заявил, что считаю такое толкование «поповским». Патер Вунибальд в свою очередь рассвирепел, постучал пальцем по кафедре и, сославшись на свой авторитет, запретил «оскорблять» его подобного рода выражениями.

Я поднялся и сказал Марии:

— Ну не плачь.

Она перестала плакать и еще раз провела пуховкой по лицу, чтобы замазать бороздки слез. Прежде чем войти в ее комнату, мы постояли еще в коридоре у окна и поглядели на улицу: был январь, мы увидели мокрую мостовую, желтые фонари, асфальт и зеленые буквы над лавкой напротив: «Эмиль Шмиц». Шмица я знал, не предполагал только, что его зовут Эмиль, и мне показалось, что имя Эмиль не подходит к фамилии Шмиц. Стоя на пороге ее комнаты, я сперва приоткрыл немного дверь и погасил свет.

Когда отец Марии вернулся домой, мы еще не спали; было уже около одиннадцати, мы слышали, как он вошел в лавку, чтобы взять сигареты, а потом поднялся по лестнице. Мы думали, он сразу что-нибудь заметит, ведь произошло нечто небывалое. Но он ничего не заметил, постоял секунду у двери, прислушался и пошел к себе наверх. Нам было слышно, как он снял башмаки и бросил их на пол, потом мы слышали, как он кашлял во сне. Я старался представить себе, как он отнесется к этой истории. Деркум порвал с религией и давно не имел дел с Католической церковью; в разговорах со мной он обрушивался на «буржуазное общество с его лживым отношением к проблемам пола» и возмущался тем, что «попы превратили брак в чистое жульничество». И все же я боялся, что мой поступок с Марией вызовет его гнев. Я очень любил его, и он любил меня; несколько раз среди ночи я уже готов был встать, пойти к нему в комнату и во всем сознаться, но потом подумал, что я уже взрослый — мне исполнилось двадцать один, а она тоже взрослая — ей уже девятнадцать; и еще я подумал, что откровенность между мужчинами в иных случаях неприятней, чем игра в молчанку, да и кроме того, я решил, что происшедшее обеспокоит его меньше, чем я думаю. Не мог же я пойти к нему еще днем и сказать: «Господин Деркум, этой ночью я хочу спать с вашей дочкой...» Ну а то, что произошло, он узнает и без моей помощи.

Немного погодя Мария поднялась, в темноте поцеловала меня и стащила с кровати простыни. В комнате было хоть глаза выколи, с улицы свет не проходил совсем, потому что мы спустили плотные шторы; я удивился, откуда она знает, что сейчас надо делать: почему снимает простыни и открывает окно.

— Я пойду в ванную, а ты помойся здесь, — шепнула она, потянув меня за руку; я встал, и она в темноте повела меня в тот угол, где был умывальник; а потом помогла нащупать кувшин с водой, мыльницу и таз. Сама она вышла с простынями под мышкой. Я помылся и снова лег в кровать, мне было непонятно, куда пропала Мария, отчего не несет чистое белье. Я смертельно устал и в то же время радовался, что могу думать о проклятом Гунтере, не испытывая страха, а потом мне опять стало страшно, как бы с Марией не случилось худого. В интернате у нас рассказывали бог знает какие ужасы. Лежать без простыни на одном матраце, к тому же старом и продавленном, было не так-то приятно, тем более что на мне была только нижняя рубашка и я продрог. Я снова начал думать об отце Марии. Старого Деркума считали у нас коммунистом, правда, после войны, когда его собирались выдвинуть в бургомистры, красные этого не пожелали. Но он приходил в бешенство, если я сваливал в одну кучу нацистов и коммунистов.

— Громадная разница, дорогой мой, умирает ли человек на войне, развязанной фирмой жидкого мыла, или же гибнет за идею, в которую стоит верить.

Я до сих пор не могу понять, кем он был на самом деле, но, когда Кинкель как-то в моем присутствии назвал его «гениальным сектантом», мне захотелось плюнуть Кинкелю в лицо. Старый Деркум — один из немногих людей, которые внушали мне уважение. Он был худой, желчный человек и выглядел гораздо старше своих лет; курил он одну сигарету за другой, и от этого в груди у него всегда что-то клокотало. Ожидая Марию, я слышал, как он надсадно кашлял у себя в спальне, и казался себе подлецом, хотя знал, что это не так. Однажды Деркум сказал мне:

— Знаешь ли ты, почему в домах богачей, в таких, как ваш, комнаты для прислуги всегда помещают рядом с комнатами подрастающих сыновей? Я тебе это разъясню: богачи издревле спекулируют на человеческой природе и на чувстве сострадания.

Я хотел, чтобы он спустился вниз и застал меня в кровати Марии, но сам я не мог пойти к нему и, так сказать, «доложить» о случившемся.

На улице почти рассвело. Мне было холодно, убогая обстановка комнаты удручала меня. Деркумы уже давно считались людьми, катившимися по наклонной плоскости, и приписывалось это «политическому фанатизму» отца Марии. Раньше у них была своя маленькая типография, карликовое издательство и книжный магазин, но сейчас от всего этого осталась только писчебумажная лавчонка, в которой Деркум продавал школьникам всякую всячину, даже сладости. Как-то отец сказал мне:

— Видишь, до чего может довести фанатизм, а ведь после войны Деркум, как человек, преследовавшийся нацистами, имел все шансы издавать собственную газету.

Как ни странно, я никогда не считал Деркума фанатиком, возможно, мой отец просто путал фанатизм с верностью самому себе. Отец Марии не хотел даже торговать молитвенниками, хотя на молитвенниках он мог бы немного подработать, особенно перед церковными праздниками.

В комнате Марии стало совсем светло, и я понял, до чего они на самом деле бедны, — в шкафу у нее висело всего три платья: темно-зеленое, мне казалось, что она носит его уже сто лет, светло-желтое, и это платье вконец истрепалось, и чудной темно-синий костюм, который она всегда надевала во время церковных процессий. Кроме того, у нее было еще старое зимнее пальто бутылочного цвета и всего три пары туфель. На секунду у меня возникло желание встать и выдвинуть ящики шкафа, чтобы бросить взгляд на ее белье, но потом я отказался от этой мысли. Наверное, я не смог бы ни при каких обстоятельствах рыться в белье женщины, даже если бы она считалась моей наизаконнейшей супругой. Ее отец уже давно перестал кашлять. Когда Мария наконец-то появилась, было уже начало седьмого. И я опять порадовался, что сделал с ней то, что всегда хотел сделать; я поцеловал ее и почувствовал себя счастливым, потому что она улыбалась. Она положила мне руки на шею, они были холодные, как ледышки.

— Что ты делала в ванной? — спросил я шепотом.

— Что я могла делать? Постирала белье. Я с удовольствием принесла бы тебе чистые простыни, но у нас только две смены белья, одна лежит на кроватях, а другая в стирке.

Я притянул ее к себе, укрыл одеялом и положил ее холодные как лед руки себе под мышку, и Мария сказала, что теперь ее рукам тепло и уютно, как птицам в гнезде.

— Не могла же я отнести белье Хуберше, которая нам стирает, — сказала Мария. — От нее весь город узнал бы, что мы с тобой сделали, а бросить это белье совсем я тоже не хотела. Я уже подумала было — не бросить ли его, но потом мне стало жалко.

— Разве у вас нет горячей воды? — спросил я.

— Нет, — ответила она, — колонка уже давным-давно сломана.

И тут вдруг она заплакала, я спросил ее, почему она плачет, и она прошептала:

— О боже, я ведь католичка, ты же знаешь...
Но я сказал, что каждая девушка на ее месте — и лютеранка, и вовсе неверующая — тоже,

наверное, заплакала бы, и я даже знаю почему. Тогда Мария вопросительно посмотрела на меня, и я опять заговорил:

— Да потому, что на свете и впрямь существует то, что люди называют невинностью.

Она все еще плакала, но я ее больше ни о чем не спрашивал. Я сам знал, в чем дело: она уже несколько лет вела эту католическую группу, всегда участвовала в церковных процессиях и наверняка много раз подолгу беседовала с девушками о Деве Марии, сейчас она казалась себе обманщицей и предательницей. Я понимал, как ей тяжело. Ей правда было очень тяжело, но я не мог ждать дольше. Я сказал, что поговорю с девушками, и она привскочила от испуга и пробормотала:

— Что?.. С кем?

— С девушками из твоей группы, — сказал я. — Для тебя это действительно тяжело, а когда тебе придется совсем плохо, можешь, если хочешь, объявить, что я тебя изнасиловал.

Она засмеялась:

— Какая ерунда, а что ты, собственно, намерен сказать девушкам?

— Я им ничего не скажу, просто выйду, разыграю несколько сценок и покажу какую-нибудь пантомиму; тогда они подумают: «Это, стало быть, и есть Шнир, который натворил „то самое“ с Марией»; так будет куда лучше, не надо, чтобы они шушукались по углам.

Она немного помолчала, опять засмеялась и тихо сказала:

— А ты не так уж глупо рассуждаешь, — но потом вдруг опять заплакала и проговорила: — Как я теперь покажусь людям на глаза?

— А что? — спросил я.

Но она только плакала, качая головой.

Ее руки у меня под мышкой совсем согрелись, и чем теплее они становились, тем больше меня клонило ко сну. А потом стало казаться, что ее руки согревают меня, и, когда она опять спросила, люблю ли я ее и нахожу ли красивой, я сказал, что это вполне естественно, но она возразила, что такие вполне естественные слова ей все равно приятно слушать, и я сквозь сон пробормотал, что, мол, да, конечно, нахожу ее красивой и люблю.

Проснулся я оттого, что Мария встала, начала мыться и одеваться. Она теперь не стеснялась меня, и для меня было вполне естественным смотреть на нее. Она завязывала тесемки и застегивала пуговицы, и мне стало еще яснее, как бедно она одета; я подумал о множестве красивых вещей, которые купил бы ей, будь у меня деньги. Уже давно, стоя перед витринами дорогих магазинов и рассматривая юбки и кофточки, туфли и сумки, я представлял себе, как бы она выглядела, имея их. Но у отца Марии были такие строгие понятия о деньгах, что я не осмелился бы сделать ей подарок. Как-то раз он сказал мне:

— Ужасно быть бедняком; худо также, когда тебя засасывает бедность, а ведь это случается с большинством людей.

— А быть богатым? — спросил я. — Быть богатым хорошо? — Я покраснел. Он зорко взглянул на меня и тоже покраснел.

— Дорогой мой, плохо тебе придется в жизни, если ты не перестанешь мыслить. Будь у меня достаточно мужества и веры в то, что на земле

60

еще можно кое-что исправить... знаешь, как бы я поступил?

— Нет, — сказал я, — не знаю.

— Я основал бы, — ответил он и снова покраснел, — какую-нибудь специальную организацию для защиты подростков из богатых семей. А наши олухи считают, что категория «деклассированный элемент» непременно связана с бедностью.

Обо многом я успел передумать, наблюдая за одевающейся Марией. Она была сама естественность, и это радовало меня и в то же время печалило. В те времена, когда мы с ней кочевали по гостиницам, я утром всегда оставался в постели: мне хотелось видеть, как Мария моется, как она одевается, и, если ванная комната была неудачно расположена, так, что, лежа в кровати, я не видел, что там происходит, я влезал в ванну. В то первое утро мне вовсе не хотелось вставать, я лежал бы так до скончания века и смотрел, как она одевается. Она тщательно вымыла шею, руки, грудь, на совесть почистила зубы. Сам я уклоняюсь, как могу, от умывания по утрам, а чистить зубы для меня до сих пор сущее наказание. Куда лучше принять ванну, но мне всегда нравилось смотреть, как все это проделывала Мария, она была такой чистюлей, и все выходило у нее так естественно, даже чуть заметное движение руки, когда она завинчивала крышку на тюбике с зубной пастой. Я вспомнил своего брата Лео, очень набожного, добросовестного, аккуратного и всегда подчеркивающего, что он «верит в меня». Он тоже сдавал выпускные экзамены и, пожалуй, немного стыдился, что сдает их в положенные девятнадцать лет, в то время как я в двадцать один все еще торчу в шестом классе и воюю с лживым толкованием «Песни о Нибелунгах». Кстати, Лео был знаком с Марией — они встречались в каких-то своих кружках, где молодые католики и молодые протестанты проводили дискуссии о демократии и о веротерпимости. В ту пору и мне и Лео наши родители все еще казались дружными супругами, стоявшими, так сказать, во главе рода. Когда Лео узнал, что у отца уже лет десять — любовница, он пережил ужасное потрясение. Для меня это тоже было потрясением, но отнюдь не моральным, я уже понимал, как тяжко быть женатым на моей матери с ее фальшивым сладким голосом, с ее бесконечными «и» и «е». Мать почти никогда не произносила слов, в которых встречались бы звуки «а», «о» или «у», даже имя «Лео» она переделала в «Ле», и в этом была вся она. У нее было два излюбленных выражения: первое — «Мы по-разному смотрим на вещи», и второе — «В принципе я права, но готова уточнить некоторые детали». То обстоятельство, что у отца была возлюбленная, потрясло меня скорее в плане эстетическом: с его обликом это никак не вязалось. Отец мой не отличается ни страстностью натуры, ни особым жизнелюбием, и если отказаться от мысли, что та дама является чем-то вроде сиделки при нем или же банщицы для омовения души (что явно не согласуется с патетическим словом возлюбленная), то вся нелепость заключается как раз в том, что отцу вообще не идет любовница. На самом деле его любовница была приятная, красивая, но не обремененная особым интеллектом певичка, которой он даже не решался протежировать ни в получении выгодных контрактов, ни в устройстве концертов. Для этого он был чересчур правильным человеком. Вся эта история казалась мне изрядно запутанной, а Лео между тем страдал. Его идеалы были поколеблены; мать не нашла ничего лучшего, как охарактеризовать состояние Лео словами: «Ле переживает кризис», а когда он вскоре написал контрольную работу на «неудовлетворительно», она решила свести его к психиатру. Мне удалось помешать этому: во-первых, я рассказал Лео все, что знал о взаимоотношениях женщины с мужчиной, во-вторых, так усердно принялся учить с ним уроки, что следующие контрольные он опять стал писать на «удовлетворительно» и на «хорошо», — и тут мать сочла, что можно обойтись без психиатра.

Мария надела темно-зеленое платье, и, хотя она никак не могла справиться с молнией, я не встал, чтобы ей помочь: было так славно смотреть, как она шарила рукой по спине, любоваться ее белой кожей, темными волосами и зеленым платьем; и потом мне было приятно, что она ничуть не злится; в конце концов она все же подошла ко мне, я привстал с кровати и застегнул молнию. Я спросил ее, почему она подымается ни свет ни заря, она объяснила, что ее отец засыпает крепко только под утро и спит до девяти, а ей приходится принимать газеты и отпирать лавку; школьники иногда заходят перед мессой, покупают тетради, карандаши и конфеты.

— Ну а кроме того, — сказала она, — лучше тебе уйти в половине восьмого. Сейчас я сварю кофе, а ты тихо спускайся минут через пять на кухню.

В кухне я показался себе почти что женатым человеком; Мария налила мне кофе и сделала бутерброд. Качая головой, она сказала:

— Неумытый, непричесанный... ты всегда завтракаешь в таком виде?

— Да, — сказал я, — даже в интернате меня не смогли приучить каждый день умываться в такую рань.

— Как же так? — спросила она. — Ведь надо освежиться.

— Я обтираюсь кельнской водой, — сказал я.

— Это довольно-таки дорогое удовольствие, — заметила Мария и залилась краской.

— Да, — сказал я, — но один мой дядюшка всегда дарит мне большой флакон кельнской воды, он генеральный представитель этой фирмы.

В сильном смущении я оглядел кухню, так хорошо знакомую мне; это был просто тесный темный закуток позади лавки; в углу стояла плита, в которой Мария сохраняла жар на ночь тем же способом, каким это делают все хозяйки: с вечера она заворачивала тлеющие угли в мокрые газеты, а утром ворошила их, подкладывала дрова и свежие брикеты и раздувала огонь. Я ненавижу запах тлеющего угля, который по утрам нависает над городом; в то утро он заполнил всю эту душную крохотную кухоньку. В кухне было так тесно, что Марии приходилось каждый раз вставать и отодвигать стул, чтобы снять с плиты кофейник, и, наверное, в точности то же самое делали мать Марии и ее бабушка. В то утро кухня Деркумов, которую я изучил до мельчайших подробностей, в первый раз показалась мне будничной. Быть может, впервые я пережил то, что называется буднями: необходимость подчиняться не своим желаниям, а чему-то иному. У меня не было ни малейшего желания покидать этот тесный дом и за его стенами взваливать на себя груз забот: отвечать за то, что я сделал с Марией, объясняться с подругами Марии, с Лео и со всеми остальными, ведь даже мои родители и те в конце концов все узнают без меня. Куда лучше остаться здесь и до конца своих дней продавать конфеты и тетради с прописями, а по вечерам ложиться в кровать с Марией и спать, по-настоящему спать, так, как я спал в последние часы этой ночи, и чтобы ее руки лежали у меня под мышкой. Будни — кофейник на плите, бутерброды и застиранный белый с голубым фартук Марии поверх темно-зеленого платья — потрясали меня своей убогостью и своим великолепием; и еще я подумал, что только женщины, созданные для будней, могут быть такими естественными, как их тело. Я гордился тем, что Мария стала моей женой, и боялся, что я недостаточно взрослый, чтобы поступать отныне по-взрослому.

Я поднялся, обошел вокруг стола, обнял Марию и сказал:

— Помнишь, как ты встала ночью и принялась стирать простыни?

Она кивнула.

— А я никогда не забуду, — сказала она, — как ты грел мои руки у себя под мышкой... Тебе пора идти, уже почти половина восьмого, вот-вот явятся дети.

Я помог ей принести с улицы и развязать кипы газет. Как раз в это время к дому напротив подъехал автофургончик с овощами — Шмиц вернулся с рынка. Я юркнул в дверь, надеясь, что он меня не заметит, но он уже успел увидеть меня. Даже от дьявола можно скрыться, но от соседей не скроешься. Я стоял в лавке и просматривал свежие газеты — большинство мужчин накидываются на них с такой жадностью. Меня газеты занимают только по вечерам или когда я лежу в ванне, но, когда я лежу в ванне, самые серьезные утренние выпуски кажутся мне такими же несерьезными, как и вечерние. В это утро газеты возвещали: «Штраус — последовательный политик!» Мне кажется, если бы кибернетические машины сочиняли газетные передовые и броские заголовки, было бы все же лучше. Даже у тупоумия есть свои границы, которые нельзя переступать.

Колокольчик на двери задребезжал, и в лавку вошла девочка лет восьми-девяти — черноволосая, с румянцем во всю щеку, только что умытая, с молитвенником под мышкой.

— Дайте мне подушечек на десять пфеннигов, — сказала она.

Интересно, сколько подушечек идет на десять пфеннигов? Я открыл банку, отсчитал двадцать конфет и насыпал их в кулек; в первый раз я устыдился своих не очень-то чистых пальцев; за толстым стеклом банки они были как под лупой. Девочка с удивлением посмотрела на меня, увидев, что я кладу в кулек двадцать конфет.

Но я сказал:

— Все в порядке, иди, — взял десятипфенниговую монетку с прилавка и бросил в ящик кассы.

Когда пришла Мария, я с гордостью показал ей десять пфеннигов, и она засмеялась.

— Теперь тебе пора идти, — сказала она.

— Почему, собственно? — спросил я. — Разве мне нельзя подождать, пока в лавку спустится твой папа?

— Он спустится в девять, и тогда ты опять должен быть здесь. Иди, — сказала она, — тебе надо обо всем рассказать Лео, а то он узнает от чужих людей.

— Да, — согласился я, — ты права... а ты, — я опять покраснел, — разве тебе не пора в школу?

— Сегодня не пойду, — сказала она, — я больше никогда не пойду в школу. Возвращайся поскорей.

Мне было трудно уйти от нее, она проводила меня до порога лавки, и я поцеловал ее перед распахнутой дверью, чтобы это увидели Шмиц и его половина. Они смотрели на нас, вытаращив глаза, как рыбы, которые нежданно-негаданно обнаружили, что они уже давно попались на крючок.

Я ушел и ни разу не обернулся. Мне стало холодно, я поднял воротник пиджака, закурил сигарету и решил сделать небольшой крюк, пройдя через рынок; потом я спустился по Францисканерштрассе и на углу Кобленцерштрассе вскочил на ходу в автобус: кондукторша открыла мне дверь, но, когда я остановился возле нее, чтобы взять билет, погрозила пальцем и, качая головой, показала на мою сигарету. Я погасил ее, сунул окурок в карман пиджака и прошел в середину автобуса. Я стоял, смотрел в окно на Кобленцерштрассе и думал о Марии. Но что-то во мне, видимо, привело в крайнее раздражение человека, рядом с которым я встал. Он даже опустил газету, пожертвовав на время своим «Штраусом —

последовательным политиком»; потом сдвинул очки на нос, посмотрел на меня поверх них и, качая головой, пробормотал: «Нечто невероятное». Женщина, сидевшая за ним, — она поставила в проходе большой мешок моркови, так, что я чуть не споткнулся о него, — кивком одобрила замечание мужчины в очках, в свою очередь затрясла головой и беззвучно зашевелила губами.

В это утро я причесался — что со мной не так уж часто случалось, — причесался перед зеркалом Марии ее гребешком; на мне был серый, чистый, ничем не примечательный пиджак, и борода у меня растет не так быстро, чтобы, день не побрившись, я мог превратиться в «нечто невероятное». Я не пожарная каланча и не карлик, и нос у меня не таких размеров, чтоб его надо было специально отмечать в графе «Особые приметы». В этой графе у меня стоит «нет». Я не был грязен и не был пьян, и все же женщина с мешком моркови разволновалась еще пуще, чем ее сосед, который, в последний раз отчаянно покачав головой, наконец водворил очки на место и углубился в своего «последовательного Штрауса». Женщина беззвучно бранилась и беспокойно вертела головой, дабы внушить другим пассажирам то, что она не могла произнести вслух. По сию пору я не ведаю, как должны выглядеть «пархатые», иначе я знал бы, не приняли ли они меня за такового. Думаю, впрочем, что дело было не в моей внешности, а скорее в выражении моего лица, когда я смотрел из окна на улицу и думал о Марии. От этой безмолвной вражды у меня разгулялись нервы, и я сошел на остановку раньше, пешком прошел по Эберталлее и свернул к Рейну.

Стволы буков у нас в парке были черные, еще влажные, теннисные корты, по которым только что прошлись катками, — красные; на Рейне гудели баржи, и когда я вошел в переднюю, то услышал, что Анна вполголоса ворчит на кухне. До меня донеслись только обрывки фраз: «...плохо кончит... кончит... плохо». Я крикнул в открытую дверь кухни:

— Я не буду завтракать, Анна, — быстро прошел дальше, в столовую, и остановился. Дубовые панели и широкие карнизы с бокалами и охотничьими трофеями деда еще никогда не казались мне такими мрачными. В музыкальном салоне за стеной Лео играл мазурку Шопена. В тот год он решил посвятить себя музыке и вставал в половине шестого, чтобы поиграть немного перед началом занятий в школе. Вначале мне показалось, что уже наступил вечер, а потом я вообще забыл, что Шопена играл Лео. Лео и музыка Шопена не подходят друг к другу, но он играл так хорошо, что я не думал об этом. Из старых композиторов Шопен и Шуберт — мои самые любимые. Я знаю, наш школьный учитель музыки прав, когда говорит, что Моцарт — божественный, Бетховен — гениальный, Глюк — неповторимый, а Бах — величественный. Да, это так, Бах всегда ассоциируется у меня с тридцатитомным богословским трактатом, совершенно огорошивающим человека. Но Шуберт и Шопен такие же земные, как я. И их я больше всего люблю.

В парке, спускающемся к Рейну, на фоне плакучих ив зашевелились мишени в дедушкином тире. Очевидно, Фурману было приказано смазать их. Время от времени дед собирал у себя «старых хрычей», и тогда на площадке перед домом выстраивалось пятнадцать огромных лимузинов, а между изгородью и деревьями пятнадцать озябших шоферов маялись в ожидании или же, разбившись на группки, резались в скат на каменных садовых скамьях; если кто-нибудь из «старых хрычей» попадал в яблочко, сразу же хлопали пробки от шампанского. Иногда дедушка призывал меня к себе и велел показать «старым хрычам» мое искусство: я представлял им Аденауэра и Эрхарда, что было поразительно легко, или же разыгрывал небольшие сценки, например «Антрепренер в вагоне-ресторане». И сколько бы злости я ни вкладывал в эти номера, «хрычи» хохотали до упаду и говорили, что они «замечательно повеселились», а когда после я обходил их с пустой коробкой из-под патронов или с подносом, они бросали обычно крупные деньги. Мы с этими циничными старыми разбойниками совсем неплохо понимали друг друга; мне ведь не приходилось иметь с ними дела, думаю, что и с китайскими мандаринами я также нашел бы общий язык; некоторые «хрычи» пытались даже прокомментировать мои выступления, они говорили: «Грандиозно!», «Великолепно!» Были и такие, кто высказывался более пространно, например: «В мальчике что-то есть!» или же: «Он еще себя покажет!»

Слушая Шопена, я в первый раз подумал о том, что мне надо искать ангажемент и подзаработать немного денег. По протекции деда я мог бы выступать перед собраниями крупных промышленников или увеселять главарей концернов после заседаний наблюдательных советов. Я даже разучил пантомиму «Наблюдательный совет».

Лео вошел в комнату, и Шопена сразу не стало; Лео очень высокий, белокурый юноша, он носит очки без оправы и по внешности ни дать ни взять суперинтендант церковного округа или шведский иезуит. Тщательно отутюженные складки на темных брюках Лео окончательно изгнали Шопена. Его белый джемпер и отутюженные брюки, равно как и выпущенный поверх джемпера воротник красной рубахи, резали глаз. Когда я вижу, что люди безуспешно подделываются под размагниченных стиляг, то впадаю в глубокое уныние, это действует на меня так же, как претенциозные имена наподобие Этельберта или Герентруды. Я опять подумал, как Лео похож на Генриэтту и в то же время так непохож: у Лео такой же вздернутый нос, такие же голубые глаза, такие же волосы, но рот у него совсем другой; и все то, что делало Генриэтту красивой и живой, кажется у него жалким и застывшим. По нему никогда не скажешь, что он лучший физкультурник в классе, он выглядит так, как выглядят мальчики, освобожденные от физкультуры. А ведь над кроватью Лео висят штук пять спортивных грамот.

Он быстро шел ко мне, а потом вдруг остановился в нескольких шагах, слегка отставив руки, висевшие как плети, и сказал:

— Ганс, что с тобой? — Он посмотрел мне в глаза, потом перевел взгляд чуть ниже, будто заметил пятно; только тут я понял, что плачу. Я всегда плачу, когда слушаю Шопена или Шуберта. Пальцем правой руки я смахнул слезы и сказал:

— Я не знал, что ты так хорошо играешь Шопена. Сыграй мазурку еще раз.

— Не могу, — ответил он, — мне пора в школу, на первом уроке нам скажут темы сочинений на выпускных экзаменах.

— Я отвезу тебя на маминой машине, — предложил я.

— Не люблю я ездить на этой дурацкой машине, — сказал он, — ты же знаешь, как я это ненавижу.

Мать тогда перекупила у одной из своих приятельниц спортивную машину, разумеется «просто за бесценок»; а Лео был страшно чувствителен ко всему, что выглядело как пускание пыли в глаза. В дикую ярость его могло привести только одно: если кто-нибудь из знакомых дразнил нас нашими богатыми родителями или же заискивал перед нами по той же причине — тут он багровел и лез в драку.

— Пусть это будет в виде исключения, — сказал я. — Садись за рояль и сыграй. Тебе совсем неинтересно знать, где я ночевал?

Он покраснел, опустил глаза и сказал:

— Нет, неинтересно.

— Я ночевал у одной девушки, — сказал я, — у одной женщины... у моей жены.

— Да? — спросил он, не подымая глаз. — Когда же была свадьба? — Он все еще не знал, куда девать свои висевшие как плети руки, потом вдруг сделал попытку пройти мимо меня, все так же опустив голову, но я удержал его за рукав.

— Я ночевал у Марии Деркум, — сказал я тихо.

Он высвободил руку, отступил на шаг и сказал:

— Бог ты мой, не может быть. — Он сердито посмотрел на меня и пробормотал что-то невнятное.

— Что? — спросил я. — Что ты сказал?

— Я сказал, что мне теперь все равно придется ехать на машине... Ты меня довезешь?

Я ответил «да», положил ему руку на плечо и бок о бок с ним прошел через столовую. Я хотел избавить его от необходимости глядеть мне в лицо.

— Иди за ключами, — сказал я, — тебе она даст... и не забудь захватить права. Кстати, Лео, мне нужны деньги... у тебя еще есть деньги?

— На книжке, — сказал он, — можешь взять их сам?

— Не знаю, — ответил я, — лучше пошли мне.

— Послать? — спросил он. — Разве ты намерен уйти из дому?

— Да, — сказал я.

Он кивнул и начал подниматься по лестнице. Только в ту минуту, когда он спросил меня, я понял, что решил уйти из дому. Я пошел на кухню, где Анна встретила меня ворчанием.

— А я думала, что ты не будешь завтракать, — сердито сказала она.

— Завтракать не буду, — отметил я, — а вот кофе выпью.

Я сел за чисто выскобленный стол и начал смотреть, как Анна снимает с кофейника на плите фильтр и кладет его на чашку, чтобы процедить кофе. Мы с Лео всегда завтракали вместе с прислугой на кухне, сидеть по утрам в столовой за парадно накрытым столом было слишком скучно. В то утро на кухне возилась только Анна. Наша вторая прислуга, Норетта, поднялась в спальню к матери; она подавала ей завтрак и обсуждала с ней туалетно-косметические проблемы. Наверное, мать перемалывала сейчас своими безукоризненными зубами зерна пшеницы, лицо у нее было густо намазано какой-нибудь кашицей, изготовленной на плаценте, Норетта же тем временем читала ей вслух газеты. А может быть, они еще только произносили свою утреннюю молитву — смесь цитат из Гёте и Лютера, иногда с добавлением на тему: «Моральное вооружение христиан», или же Норетта зачитывала матери рекламные проспекты слабительных. Мать имела специальную папку, набитую проспектами различных лекарств, проспекты располагались строго по разделам: «Пищеварение», «Сердце», «Нервы»; а когда матери удавалось заполучить какого-нибудь медика, она выуживала из него сведения о всех «новинках», не тратясь на гонорар за врачебную консультацию, и, если врач посылал ей лекарство на пробу, она была на верху блаженства.

Анна стояла ко мне спиной, и я чувствовал, что она боится той минуты, когда ей надо будет повернуться ко мне, посмотреть в лицо и заговорить со мной. Мы с Анной любили друг друга, хотя она никак не могла совладать со своей докучливой страстью перевоспитывать меня. Она жила у нас в доме вот уже пятнадцать лет, перешла к нам от двоюродного брата матери, пастора. Анна родом из Потсдама, и уже то обстоятельство, что мы хоть и лютеране, слава богу, но говорим на рейнском диалекте, приводило ее в ужас, казалось чем-то почти противоестественным. Я думаю, лютеранин, говорящий на баварском диалекте, был бы для нее все равно что нечистый дух. К Рейнской области она уже малость привыкла. Анна — высокая, худощавая женщина и гордится тем, что походка у нее, как у «настоящей дамы». Ее папаша был казначеем и служил в каком-то таинственном месте, которое Анна именовала «Девятым пехотным». Нет никакого смысла доказывать Анне, что наш дом — не «Девятый пехотный»; все вопросы воспитания молодежи исчерпываются для Анны сентенцией: «В „Девятом пехотном“ таких глупостей не позволяли». Я так толком и не понял, что это за «Девятый пехотный», зато твердо усвоил, что в сем таинственном воспитательном заведении мне не доверили бы даже убирать клозеты. Мой метод умывания по утрам заставлял Анну произносить свои пехотно-полковые заклинания, а моя «дикая привычка валяться в кровати до самой последней минуты» вызывала у нее такое отвращение, словно я был прокаженный. Наконец она обернулась и подошла к столу с кофейником, но глаза у нее были опущены долу, как у монашки, вынужденной прислуживать епископу с сомнительной репутацией. Я жалел ее, как жалел девушек из группы Марии. Анна своим инстинктом монахини сразу почувствовала, откуда я пришел, зато мать наверняка ничего не почувствовала бы, проживи я хоть три года в тайном браке. Я взял у Анны кофейник, налил себе кофе и, крепко схватив ее за руку, заставил посмотреть на меня; когда я увидел ее водянистые голубые глаза и подрагивающие веки, то понял, что она и в самом деле плачет.

— Черт возьми, Анна, — сказал я, — посмотри на меня. Наверное, в «Девятом пехотном» люди тоже по-мужски смотрели друг другу в глаза.

— Я не мужчина, — сказала она плаксиво.

Я отпустил ее; она опять повернулась к плите и начала бормотать что-то о грехе и позоре, о Содоме и Гоморре.

— Да бог с тобой, Анна, — сказал я, — подумай только, чем они там действительно занимались, в Содоме и Гоморре.

Она стряхнула с плеча мою руку, и я вышел, так и не сказав ей, что решил уйти из дому. А ведь она была единственным человеком, с которым я иногда вспоминал Генриэтту.

Лео уже стоял у гаража и с опаской поглядывал на свои часы.

— Мама заметила, что я не ночевал дома? — спросил я.

— Нет, — сказал он и протянул мне ключи от машины, а потом придержал ворота.

Я сел в машину, выехал из гаража и подождал, пока сядет Лео. Он пристально рассматривал свои ногти.

— Книжка со мной, — сказал он, — я возьму деньги на перемене. Куда их послать?

— На адрес старого Деркума, — сказал я.

— Почему ты не едешь, я опаздываю.

Мы быстро проехали парк, миновали ворота, но нам пришлось задержаться у остановки, у той самой, где Генриэтта села когда-то в трамвай, отправляясь в зенитную часть. В трамвай садилось несколько девушек, им было столько же лет, сколько тогда Генриэтте. Когда мы обгоняли трамвай, я увидел еще много девушек того же возраста, они смеялись точно так, как смеялась она, и были в синих шляпках и в пальто с меховыми воротниками. Если опять начнется война, родители девушек пошлют их в зенитные части, как мои родители послали когда-то Генриэтту; сунут им немного денег на карманные расходы, дадут на дорогу бутерброды, похлопают по плечу и скажут: «Будь молодцом!»

Мне хотелось помахать девушкам, но я не стал этого делать. Ведь люди толкуют все превратно. А когда едешь в такой пижонской машине, уж вовсе нельзя махать девушкам. Как-то раз в Дворцовом парке я дал мальчугану полплитки шоколада и убрал с грязного лба его светлые волосенки; он плакал, размазывая слезы по всему лицу, я хотел утешить его. Но тут две женщины устроили мне безобразную сцену и чуть было не позвали полицию; после перебранки с ними я и впрямь почувствовал себя чудовищем; одна из женщин не переставая орала: «Вы — грязный тип, грязный тип!» Это было ужасно, сама сцена показалась мне такой растленно-чудовищной, как и то чудовище, за какое они меня принимали.

Мчась с недозволенной скоростью по Кобленцерштрассе, я поглядывал по сторонам, не покажется ли какой-нибудь министерский лимузин, который я мог бы слегка покорежить. В спортивном автомобиле матери ступицы колес выпирают наружу, и ими легко поцарапать лак на любой машине. Но в такую рань господа министры не разъезжают по улицам. Я спросил Лео:

— Ты собираешься идти в армию? Это правда?

Он покраснел и кивнул.

— Мы обсуждали этот вопрос у себя в группе, — сказал он, — и пришли к заключению, что это служит делу демократии.

— Прекрасно, — сказал я, — иди в бунде-свер, помогай их идиотской возне, иногда я жалею, что не подлежу призыву.

Лео вопросительно взглянул на меня, но, только я захотел встретиться с ним глазами, он тут же отвернулся.

— Почему? — спросил он.

— Да потому, — сказал я, — что мне невтер-пеж встретиться с тем майором, которого поселили к нам во время войны и который собирался рас-стрелять мамашу Винекен. Теперь он наверняка полковник, а то и генерал.

Я остановил машину перед Бетховенской гим-назией, но Лео не захотел выйти, покачал головой и сказал:

— Поставь машину подальше, справа от се-минарского интерната.

Я проехал еще немного, остановился, быстро по-жал Лео руку, но он не уходил; с вымученной улыб-кой он все еще протягивал мне руку. В мыслях я уже был далеко и не понимал, чего он от меня хочет, и потом меня раздражало, что он все время с опас-кой поглядывает на часы. Было всего только без пяти восемь, и у него оставалась еще уйма времени.

— Неужели ты действительно пойдешь в бун-десвер? — спросил я.

— А что в этом такого, — сказал он серди-то. — Дай мне ключи от машины.

Я передал ему ключи от машины, кивнул и пошел. Не переставая, я думал о Генриэтте и на-ходил, что со стороны Лео — безумие стать сол-датом. Я прошел низом через Дворцовый парк, миновав университет, и вышел к рынку. Мне было холодно и хотелось видеть Марию.

Когда я вошел в лавку, там было полно детей. Они сами вынимали из ящиков конфеты, грифели и резинки и клали деньги на прилавок, за которым стоял старый Деркум. Я протиснулся через лавку к двери кухни, но он даже не взглянул на меня. Подойдя к плите, я начал греть руки о кофейник; я ждал, что Мария вот-вот появится. У меня не осталось ни одной сигареты; и я раздумывал, как поступить, когда Мария принесет их: взять просто так или заплатить. Я налил себе кофе, и мне бросилось в глаза, что на столе стоят три чашки. В лавке стало тихо, и я отодвинул свою чашку. Мне хотелось, чтобы Мария была со мной. Потом я помыл лицо и руки в тазу у плиты, пригладил волосы щеткой для ногтей, лежавшей в мыльнице, поправил воротник рубашки, подтянул галстук и для верности еще раз бросил взгляд на свои ногти — они были чистые. Я вдруг понял, что мне придется делать все это, чего я раньше никогда не делал.

В ту минуту, когда вошел ее отец, я только что успел сесть, но тут же вскочил опять. И он тоже был смущен, и он тоже не мог справиться со своим замешательством, но мне показалось, что он не сердится, просто у него было очень серьезное лицо. Он протянул руку к кофейнику, и я вздрогнул, не очень сильно, но заметно. Покачав головой, он налил себе кофе и пододвинул мне кофейник, я сказал «спасибо», но он по-прежнему избегал моего взгляда. Ночью, в комнате Марии, раздумывая обо всем случившемся, я чувствовал себя вполне уверенно. Я с удовольствием закурил бы, но не решался взять его сигарету, хотя пачка лежала на столе. В любое другое время я бы это, конечно, сделал. Деркум стоял, склонившись над столом, и я видел его большую лысину и венчик седых растрепанных волос, — он показался мне сейчас совсем стариком. Я тихо сказал:

— Господин Деркум, вы вправе...

Он стукнул рукой по столу, наконец посмотрел на меня поверх очков и сказал:

— Черт возьми, неужели это было так необходимо... и к тому же сразу посвящать во все соседей?

Я обрадовался, что он не стал говорить, как разочаровался во мне, и еще о чести.

— Неужели это было так необходимо... Ты ведь знаешь, мы разбились в лепешку, чтобы она могла сдать свои проклятые экзамены, и вот сейчас, — он сжал руку в кулак и снова раскрыл ладонь, будто выпустил птицу на волю, — сейчас мы опять у разбитого корыта.

— Где Мария? — спросил я.

— Уехала, — сказал он, — уехала в Кельн.

— Где она? — закричал я. — Где?

— Только не кричи, — сказал он. — Узнаешь в свое время. Полагаю, что теперь ты начнешь говорить о любви, женитьбе и тому подобном... Излишний труд... ну, иди. Хотелось бы мне знать, что из тебя получится. Иди.

Я боялся пройти мимо него.

— А адрес? — спросил я.

— Вот он. — Деркум протянул мне через стол клочок бумаги. Я сунул его в карман. — Ну, что еще? — крикнул он. — Что еще? Чего ты, собственно, ждешь?

— Мне нужны деньги, — сказал я и обрадовался, потому что он вдруг засмеялся: то был странный смех — злой и невеселый, при мне он так смеялся только раз, когда мы заговорили о моем отце.

— Деньги, — сказал он, — ты, видно, шутишь, но все равно идем. — Он потянул меня за рукав пиджака в лавку, прошел за прилавок, рывком выдвинул ящик кассы и, захватив в две пригоршни мелочь, швырнул мне; по газетам и тетрадям рассыпались пфенниги, пятипфенниговые и десятипфенниговые монетки; секунду я колебался, а потом начал медленно собирать их; меня подмывало разом сгрести всю эту мелочь, но я преодолел искушение и стал складывать пфенниг к пфеннигу, а когда набиралась марка, опускал их в карман.

Деркум не сводил с меня глаз, кивнув, он вынул бумажник и протянул мне пятимарковую бумажку. Оба мы покраснели.

— Извини меня, — сказал он тихо, — извини, боже мой... извини.

Он считал, что я оскорблен, но я его очень хорошо понимал.

— Дайте мне еще пачку сигарет, — сказал я. Он, не глядя, протянул руку назад к полкам и дал мне две пачки. По лицу у него текли слезы. Я перегнулся через прилавок и поцеловал его в щеку. Он — единственный мужчина, которого я за всю жизнь поцеловал.

8

Мысль о том, что Цюпфнер может беспрепятственно смотреть на Марию, когда она одевается, завинчивает крышку на тюбике с зубной пастой, ввергала меня в глубокое уныние. Нога опять разболелась, и я снова засомневался, смогу ли я удержаться на уровне «тридцать-пятьдесят-марок-за-выход». И еще меня мучила мысль о том, что Цюпфнер с совершенным равнодушием отнесется к возможности смотреть на Марию, когда она завинчивает крышку на тюбике с зубной пастой; согласно моему непросвещенному мнению у католиков нет ни малейшего вкуса к мелочам. Телефон Цюпфнера уже был выписан у меня на листке, но пока я еще не собрался с духом, чтобы позвонить ему. Разве можно знать, на что решится человек под влиянием своих убеждений? А вдруг Мария действительно вышла замуж за Цюпфнера, и мне придется услышать, как ее голос произнесет в трубку: «Квартира Цюпфнеров»... Этого я не перенес бы. Чтобы позвонить Лео, мне пришлось перелистать телефонную книгу на букву «Д» — духовные семинарии; ничего подходящего я не нашел, хотя точно знал, что в городе существуют два таких заведения — Леонинум и Альбертинум. Наконец я решился поднять трубку и набрать номер справочного бюро; против всякого ожидания там не было «занято», и мне ответила девушка на чистом рейнском диалекте. Иногда я так остро тоскую по рейнскому говору, что звоню из какой-нибудь гостиницы на боннскую телефонную станцию, чтоб услышать эту чуждую всякой воинственности речь, без раскатистого «р», как раз без того звука, на котором в основном держится казарменная дисциплина.

Мне, как водится, сказали: «Подождите, пожалуйста», но всего раз пять, а потом к телефону подошла другая девушка, и я спросил у нее насчет «заведений, где готовят католических священников»; я сказал, что искал их на «Д», под рубрикой «духовные семинарии», но ничего путного не обнаружил; девушка засмеялась и ответила, что эти «заведения» — она очень мило подчеркнула кавычки — называются, мол, конвиктами, и дала мне телефон обоих. Голос девушки из справочной несколько утешил меня. Он звучал естественно, без всякого жеманства и кокетства, и очень на рейнский лад. Потом мне, как ни странно, удалось быстро соединиться с телеграфом и послать телеграмму Карлу Эмондсу.

Я никогда не мог понять, почему каждый человек, мнящий себя интеллигентом, считает своим долгом расписаться в ненависти к Бонну. У Бонна есть своя прелесть, прелесть сонного болота; ведь существуют женщины, чья сонная грация кажется привлекательной. Конечно, Бонну противопоказаны всякие преувеличения, а сейчас этот город преувеличен во всех смыслах. Город, который не выносит утрировки, невозможно изображать на сцене, и уже одно это — редкое качество. Даже дети знают, что боннский климат как бы специально создан для старичков рантье: здесь будто бы существует какая-то связь между давлением воздуха и кровяным давлением. Но что уже совершенно не подходит к Бонну, так это раздражительность и оборонительная поза. У нас дома я имел предостаточную возможность встречаться с крупными чиновниками, парламентариями и генералами (моя мамаша обожает приемы), и все они находились в состоянии раздражения и постоянно в чем-то слезливо оправдывались. При этом они с вымученной иронией прохаживались насчет Бонна. Не понимаю я этого вида кокетства. Если женщина, привлекательная своей сонной грацией, вдруг вскочит как безумная и пойдет отплясывать канкан, можно предположить только одно — эту женщину опоили каким-то зельем, но нельзя целый город опоить наркотиками. Добрая тетушка может научить тебя вязать кофты, вышивать салфетки или объяснить, какие рюмки годятся для хереса, но странно было бы требовать от старушки, чтобы она прочла логичный, брызжущий остроумием двухчасовой доклад о гомосексуализме или же вдруг начала шпарить на жаргоне шлюх, который в Бонне, ко всеобщему сожалению, мало распространен.

Ложные надежды, ложный стыд, ложные спекуляции на противоестественном. Я не удивлюсь, если легаты Папы Римского начнут жаловаться на нехватку шлюх. Во время одного из маминых приемов я познакомился с партийным бонзой, который заседал в каком-то комитете по борьбе с проституцией и шепотом сокрушался, что шлюхи в Бонне так дефицитны.

В прежние годы Бонн был на самом деле не так уж плох: узкие улочки, на каждом шагу книжные магазинчики, студенческие корпорации, маленькие кондитерские, в задней комнате которых можно было выпить чашку кофе.

Перед тем как позвонить Лео, я проковылял на балкон и бросил взгляд на свой родной город. Бонн красив, этого от него не отнимешь. Я увидел кафедральный собор, крыши старого дворца курфюрста, памятник Бетховену, маленький рынок и Дворцовый парк. В судьбу Бонна никто не верит — такова его судьба. Стоя на балконе, я полной грудью вдыхал боннский воздух, который против ожидания подействовал на меня живительно; если человеку надо переменить климат — Бонн творит чудеса, хоть и ненадолго.

Я ушел с балкона в комнату и уже без всяких колебаний набрал номер того заведения, в котором обучается Лео. Мне было не по себе. С тех пор как Лео стал католиком, я его ни разу не видел. О своем обращении он сообщил мне, как обычно, с детской старательностью. Вот что он писал: «Дорогой брат, сим письмом извещаю, что по зрелому размышлению я решил перейти в лоно Католической церкви, а затем принять сан священнослужителя. Надеюсь, мы скоро получим возможность лично переговорить об этой коренной перемене в моей жизни. Любящий тебя брат Лео».

Старомодная манера, с какой Лео судорожно пытается избежать местоимения «я» в начале письма, заменяя слова «я сообщаю тебе» вычурным оборотом «сим письмом», — в этом весь Лео. Где тот блеск, с каким он играет на рояле? Способность Лео улаживать свои дела, соблюдая все формальности, усугубляет мою меланхолию. Если он будет продолжать в том же духе, то обязательно станет когда-нибудь почтенным седовласым прелатом. В письмах Лео и отец похожи друг на друга, они оба не владеют пером; о чем бы они ни писали, кажется, что речь идет о буром угле.

Пока в заведении Лео соблаговолили подойти к телефону, прошла целая вечность; я уже начал было поносить «поповскую расхлябанность» соответствующими моему настроению бранными словесами, пробормотал даже: «Сукины дети!» — как вдруг кто-то снял трубку и произнес на редкость сиплым голосом:

— Слушаю.

Какое разочарование. А я-то думал услышать медоточивый голос монашенки и почувствовать запах жидкого кофе и черствой сдобы; вместо этого со мной заговорил какой-то хрипун, от которого так сильно несло свининой и капустой, что я закашлялся.

— Извините, — с трудом произнес я, — не могли бы вы позвать к телефону студента богословия Лео Шнира?

— Кто это говорит?

— Шнир, — ответил я. Наверное, это было выше его разумения. Он долго молчал, я опять закашлялся, подавил кашель и сказал: — Говорю по буквам: школа, небеса, Ида, Рихард.

— Что это означает? — спросил он после долгой паузы, и в его голосе мне послышалось то же отчаяние, какое испытывал я. Может быть, они приставили к телефону добродушного старичка профессора с трубкой в зубах?

Я быстро наскреб в памяти несколько латинских слов и смиренно сказал:

— Sum frater Leonis[1].

Я подумал, что поступаю некрасиво: ведь многие люди, которые, видимо, испытывают потребность поговорить с кем-либо из питомцев этого заведения, не знают ни слова по-латыни.

Как ни странно, мой собеседник захихикал и сказал:

---

[1] Я брат Льва (лат.).

— Frater tuus est in refectorio[1], он ест, — повторил старик громче, — господа сейчас ужинают, а во время еды их нельзя беспокоить.

— Дело очень срочное, — сказал я.

— Смертельный случай? — спросил он.

— Нет, — ответил я, — почти смертельный.

— Стало быть, тяжелые увечья?

— Нет, — сказал я, — внутренние увечья.

— Вот оно что, — заметил он, и его голос смягчился, — внутреннее кровоизлияние.

— Нет, — сказал я, — душевная травма. Чисто душевная.

По-видимому, слово «душевная» было ему незнакомо: наступило ледяное молчание.

— Боже мой, — начал я снова. — Что тут непонятного? Ведь человек состоит из тела и души.

Он что-то пробурчал, казалось выражая сомнение в правильности этого тезиса, а потом между двумя затяжками просипел:

— Августин... Бонавентура... Кузанус — вы вступили на ложный путь.

— Душа, — сказал я упрямо, — передайте, пожалуйста, господину Шниру, что душа его брата в опасности и пусть он сразу же после еды позвонит ему.

— Душа, брат, опасность, — повторил он безучастно. С тем же успехом он мог бы сказать: мусор, моча, молоко. Вся эта история начала меня забавлять: как-никак в этой семинарии готовили людей, призванных врачевать души; хоть раз он должен был услышать слово «душа».

----

[1] Твой брат пребывает в трапезной (*лат.*).

— Дело очень, очень срочное, — сказал я.

Он ничего не ответил, кроме «гм», «гм»; казалось, ему было совершенно невдомек, каким образом дело, связанное с душой, может быть срочным.

— Я передам, — сказал он. — Что вы там говорили о школе?

— Ничего, — ответил я, — ровным счетом ничего. Школа здесь совершенно ни при чем. Я употребил это слово, чтобы разобрать по буквам свою фамилию.

— Вы думаете, в школах теперь разбирают слова по буквам? Вы правда так думаете? — Он очень оживился, видимо, я наступил на его любимую мозоль. — Сейчас слишком миндальничают, — закричал он, — слишком миндальничают!

— Конечно, — заметил я, — в школах надо почаще пороть.

— Не правда ли? — воскликнул он.

— Безусловно, — сказал я, — особенно учителей надо пороть чаще. Вы еще не раздумали передать брату, что я звонил?

— Все уже записано — срочное душевное дело. Школьная история. А теперь, юный друг, позвольте мне на правах старшего дать вам добрый совет.

— Пожалуйста, — согласился я.

— Отриньте Августина: искусно преподанный субъективизм — это еще далеко не богословие; он приносит вред молодым умам. Поверхностная болтовня с примесью диалектики. Вы не обижаетесь на мои советы?

— Да нет же, — сказал я, — не медля ни секунды я брошу в огонь своего Августина.

— Правильно, — сказал он, ликуя. — В огонь его! Да благословит вас Господь.

Я хотел было сказать «спасибо», но «спасибо» здесь казалось мне не к месту, поэтому я просто положил трубку и вытер пот. Я очень чувствителен ко всяким запахам; бьющий в нос запах капусты напряг до предела мою вегетативную нервную систему. Я стал думать о нравах церковников: очень мило, конечно, что в их заведении такой вот старикан может чувствовать себя полезным, но нельзя же, в самом деле, сажать у телефона — именно у телефона — глухого и вздорного хрипуна. Запах капусты запомнился мне еще с интернатских времен. Один из патеров объяснил нам как-то, что капуста считается пищей, обуздывающей чувственность. Самая мысль о том, что мою чувственность или чувственность любого другого человека будут специально обуздывать, кажется мне отвратительной. Как видно, в этих семинариях день и ночь только и думают, что о «вожделении плоти»; где-нибудь на кухне у них, наверное, сидит монашка, которая составляет меню, а после обсуждает его с ректором; оба они усаживаются друг против друга и, старательно избегая в разговоре слова «чувственность», при каждом записанном на бумажке блюде прикидывают: это блюдо обуздывает чувственность, это — возбуждает. Для меня такая сцена — верх непристойности, так же, впрочем, как и проклятый многочасовой футбол в интернате; все мы прекрасно знали, что игра в футбол должна утомить нас, чтобы мы не думали о девушках, из-за этого футбол стал мне противен, а когда я думаю, что мой брат Лео обязан есть капусту, дабы обуздывать свою чувственность, то испытываю острое желание отправиться в сие заведение и облить всю их капусту соляной кислотой. Этим юношам достаточно трудно и без капусты; нелегко, наверное, изо дня в день провозглашать нечто непонятное — воскресение из мертвых и вечное блаженство. Нелегко, наверное, усердно обрабатывать виноградники Господа Бога и убеждаться, что там чертовски мало всходит. Мне объяснил это Генрих Белен, который так участливо отнесся к нам, когда у Марии был выкидыш. В разговоре со мной он называл себя «простым чернорабочим в виноградниках Господа Бога, как по моральному состоянию, так и по заработкам».

Мы выбрались с ним из больницы только в пять утра, и я довел его до дома; мы шли пешком, потому что у нас не было денег на трамвай; когда он стоял у себя в дверях и вытаскивал из кармана ключи, он был точь-в-точь рабочий, вернувшийся из ночной смены, — усталый и небритый; я понимал, как тяжело ему будет сейчас служить мессу, со всеми теми таинствами, о которых мне постоянно рассказывала Мария. Генрих отпер дверь — в передней его поджидала экономка, угрюмая старуха в шлепанцах, кожа на ее голых икрах показалась мне совсем желтой; а ведь эта женщина не была ни монашкой, ни его матерью, ни родной сестрой.

— Что это такое? Что это такое? — прошипела она.

Будь проклят убогий, бесприютный холостяцкий быт, нет ничего удивительного, что многие католики боятся посылать своих молоденьких дочек на квартиру к священнику, и нет ничего удивительного, что бедолаги священники совершают иногда глупости.

Я чуть было не позвонил опять в семинарию Лео глухому старикану с прокуренным голосом: мне вдруг захотелось поговорить с ним о «вожделении плоти». Звонить кому-нибудь из знакомых было боязно — чужой человек, наверное, поймет меня лучше. Я с удовольствием спросил бы у него, правильно ли я понимаю католицизм. На всем свете для меня существуют только четыре католика: Папа Иоанн, Джеймс Эллис, Мария и Грегори — пожилой негр-боксер; когда-то он чуть было не стал чемпионом мира по боксу, а сейчас с грехом пополам выступает во всяких варьете с силовыми номерами. Время от времени судьба сталкивала нас. Он был очень набожный, по-настоящему верующий человек и всегда носил на своей непомерно широкой груди атлета монашескую пелерину. Многие считали его слабоумным, потому что он почти постоянно молчал и питался одним хлебом с огурцами; и все же он был такой сильный, что носил по комнате меня и Марию на вытянутых руках, как кукол. Существует еще несколько людей, которых, по всей вероятности, можно считать католиками: это — Карл Эмондс и Генрих Белен, а также Цюпфнер. Насчет Марии я уже стал сомневаться, ее «страх за свою душу» меня ни в чем не убеждает; если она и впрямь покинула меня и делает с Цюпфнером то, что мы делали с ней, значит, она совершила поступок, который в ее книгах недвусмысленно именуется «нарушением супружеской верности» и «блудом». Ее «страх за свою душу» возник только из-за моего нежелания сочетаться

91

с ней законным браком и воспитывать наших будущих детей в лоне Католической церкви.

Детей у нас не было, но мы без конца обсуждали, как будем их одевать, о чем будем с ними разговаривать и как воспитывать; по всем вопросам мы придерживались одного мнения, кроме воспитания в лоне Церкви. Я согласился окрестить детей. Но тогда Мария сказала, что я должен заявить об этом в письменном виде, иначе, мол, церковь не обвенчает нас. Когда же я согласился на венчание, оказалось, что мы должны еще сочетаться браком у светских властей... И тут я потерял терпение и предложил ей немного повременить, ведь сейчас какой-нибудь годик не играет для нас существенной роли; Мария заплакала и сказала, что я совершенно не понимаю, каково ей жить в этом состоянии, без всякой надежды на то, что наши дети будут воспитаны как христиане. Это было скверно, — оказывается, все эти пять лет мы говорили с ней на разных языках. Я на самом деле не знал, что перед венчанием в церкви надо обязательно зарегистрировать брак. Конечно, мне об этом следовало знать, поскольку я был человеком совершеннолетним и «правомочным лицом мужского пола», но я этого попросту не знал, так же как я до последнего времени не ведал, что белое вино подают к столу охлажденным, а красное подогретым. Разумеется, я знал, что есть официальные учреждения, где совершаются церемонии бракосочетаний и выдаются соответствующие свидетельства, но я думал, что все это существует для неверующих или же для тех верующих, которые, так сказать, хотят доставить маленькое удовольствие государству. Я рассердился не на шутку, услыхав, что идти туда обязательно, если хочешь сочетаться церковным браком, а когда Мария заговорила вдобавок о необходимости выдать письменное обязательство воспитывать детей в католическом духе, между нами разгорелась ссора. Мне это показалось домогательством и не понравилось, что Мария так уж безоговорочно соглашается с требованием выдавать обязательства в письменном виде. Кто мешает ей крестить своих детей и воспитывать их в том духе, в каком она считает нужным?

В этот вечер ей нездоровилось, она была бледной и усталой и говорила со мной в повышенных тонах, а когда я сказал ей потом, что, мол, хорошо, я на все согласен, согласен даже подписать эту бумажонку, она разозлилась:

— Ты поступаешь так исключительно из лени, а не потому, что веришь в необходимость высших принципов правопорядка.

И я признал, что действительно поступаю так из лени и еще потому, что хочу прожить с ней всю жизнь и что готов даже вступить в лоно Католической церкви, чтобы удержать ее. Я впал в патетический тон, заявив, что слова «высшие принципы правопорядка» напоминают мне камеру пыток. Но Мария восприняла как оскорбление мою готовность стать католиком ради того, чтобы удержать ее. А я-то думал, что польстил ей, и даже грубо польстил. Она же утверждала, будто дело вовсе не в ней и не во мне, а в «правопорядке».

Все это происходило вечером в ганноверской гостинице, в эдакой фешенебельной гостинице, где тебе никогда не нальют чашку кофе доверху, а только на три четверти. В дорогих гостиницах все такие аристократы, что полная чашка кофе кажется им плебейской, и кельнеры гораздо лучше разбираются в господских правилах хорошего тона, чем господа-постояльцы, которые там останавливаются. Когда я живу в подобных гостиницах, у меня всегда такое чувство, будто я ненароком попал в особенно дорогой и в особенно скучный интернат; вдобавок тогда я валился с ног от усталости — три выступления подряд. Утром — перед акционерами-сталелитейщиками, днем — перед соискателями учительских должностей, а вечером — в варьете, и в варьете меня проводили такими жидкими аплодисментами, что в их всплеске мне уже почудился будущий провал. Я заказал себе в номер пиво, и метрдотель этой дурацкой гостиницы ответил мне по телефону таким ледяным голосом: «Хорошо, сударь», будто я заказал навозную жижу; в довершение всего они принесли пиво в серебряном бокале. Я устал, мне хотелось выпить пива, поиграть немного в рич-рач, принять ванну, почитать вечерние газеты и заснуть рядом с Марией, положив правую руку к ней на грудь и придвинув лицо так близко к ее лицу, чтобы и во сне ощущать запах ее волос. В ушах у меня все еще звучали жидкие аплодисменты. Было бы, пожалуй, гуманней, если бы зрители просто опустили большой палец книзу. Это пресыщенно-высокомерное презрение к моей особе показалось мне таким же безвкусным, как пиво в идиотском серебряном бокале. Я был просто не в состоянии вести разговоры на возвышенные темы.

— Речь идет о том самом, Ганс, — сказала Мария чуть потише; она даже не заметила, что сказала «то самое» — слова, которые мы употребляли в особом смысле. Неужели она все забыла? Она, словно маятник, ходила у изножия широкой кровати, так резко взмахивая сигаретой, что казалось, маленькие облачка дыма — это точки, которые она ставит после каждого слова. За эти годы она приучилась курить. На ней был светло-зеленый джемпер, и она казалась мне очень красивой; лицо — белое-белое, а волосы темнее, чем прежде, в первый раз я заметил жилки у нее на шее.

— Пожалей меня, — сказал я, — дай мне выспаться, а утром за завтраком мы еще раз обо всем поговорим, и главное, о «том самом».

Но она опять ничего не поняла, повернулась ко мне и встала у кровати; по выражению ее губ я вдруг почувствовал, что эта сцена вызвана какими-то причинами, в которых она сама себе не хочет сознаться. Она затянулась, и в уголках ее губ я заметил несколько морщинок, которых раньше не видел. Потом она посмотрела на меня, покачав головой, вздохнула, снова повернулась и опять начала ходить, как маятник.

— Я что-то плохо соображаю, — сказал я устало, — сперва мы поссорились из-за подписи под этим вымогательским документом... потом из-за регистрации брака. Теперь я на все согласен, а ты сердишься пуще прежнего.

— Да, — ответила она, — твое решение кажется мне слишком поспешным, я чувствую, ты просто-напросто боишься объяснений. Чего ты, собственно, хочешь?

— Тебя, — ответил я; не знаю, можно ли сказать женщине что-нибудь более приятное. — Иди, ляг рядом со мной и прихвати пепельницу, так нам будет гораздо удобнее разговаривать.

Больше я уже не мог произнести в ее присутствии слова «то самое». Мария покачала головой, поставила мне на кровать пепельницу, подошла к окну и поглядела на улицу. Мне стало страшно.

— Что-то в нашем разговоре мне не нравится... ты говоришь как будто с чужого голоса.

— Чей же это голос? — тихо спросила она, и меня обманул ее тон — он вдруг опять стал совсем мягким.

— От твоих слов попахивает Бонном, — сказал я, — католическим кружком, Зоммервильдом, Цюпфнером... и как их там зовут.

— Возможно, тебе теперь слышится то, что ты раньше видел, — сказала она, не оборачиваясь.

— Ничего не понимаю, — заметил я устало, — о чем ты сейчас говоришь?

— О боже, — сказала она, — будто ты не знаешь, что тут проходит съезд католиков.

— Я видел плакаты, — сказал я.

— И тебе не пришло в голову, что здесь могли оказаться Хериберт и прелат Зоммервильд?

Я не знал, что Цюпфнера зовут Хериберт. Но когда она произнесла это имя, понял, что речь идет именно о нем. И я опять вспомнил, как они шли, взявшись за руки. Мне самому бросилось в глаза, что в Ганновере было гораздо больше священников и монахинь, чем этому городу полагалось по штату, но я не подумал, что Мария может здесь с кем-нибудь встретиться. Ну, а если даже и так... ведь когда у меня выдавались свободные дни, мы, бывало, ездили в Бонн, и она могла сколько ее душе угодно наслаждаться общением с «кружком».

— Здесь в гостинице? — спросил я устало.

— Да, — ответила она.

— Почему же ты мне ничего не сказала? Мы бы встретились.

— Ты почти не бывал в городе, — начала она, — вся неделя прошла в разъездах... Брауншвейг, Гильдесхейм, Целле...

— Но теперь я свободен, — сказал я, — позвони им, мы с ними выпьем внизу в баре.

— Их уже нет, они уехали сегодня после обеда.

— Очень рад, — сказал я, — что ты могла вволю надышаться католическим воздухом, хотя и импортированным. — Это было не мое выражение, а ее. Время от времени она говорила, что ей хочется подышать «католическим воздухом».

— Почему ты сердишься? — спросила она. Она все еще стояла лицом к окну и опять курила, и эти ее судорожные затяжки казались мне чужими, так же как и ее манера разговаривать со мной. В эту минуту она была для меня чужой женщиной — красивой, но не слишком интеллигентной, ищущей предлог, чтобы уйти.

— Я не сержусь, — сказал я, — и ты это знаешь. Скажи мне, что ты это знаешь.

Она промолчала, но кивнула, я увидел только краешек ее лица и все же понял, что она с трудом удерживается от слез. Зачем? Лучше бы она заплакала — бурно, навзрыд. Тогда я мог бы встать, обнять ее и поцеловать. Но я не встал. Мне этого не хотелось, а поцеловать ее просто так, по привычке или из чувства долга — я был не в состоянии. Я по-прежнему лежал и думал о Цюпфнере и Зоммервильде, о том, что три дня она здесь хороводилась с ними и ни слова мне не сказала.

Наверное, они говорили обо мне. Цюпфнер возглавляет это их Федеральное объединение католических деятелей-мирян. Я слишком долго медлил, минуту или полминуты, а может, целых две, не помню. Но когда я наконец встал и подошел к Марии, она отрицательно покачала головой, движением плеч стряхнула мои руки и снова начала говорить о страхе за свою душу и о принципах правопорядка, и мне показалось, что мы уже лет двадцать женаты. В голосе Марии появилось что-то менторское; я слишком устал, чтобы вслушиваться в ее аргументы, и пропускал их мимо ушей. Потом я прервал ее и рассказал о своей неудаче в варьете, первой за все эти три года. Мы стояли рядышком и смотрели в окно — к нашей гостинице вереницей подъезжали такси и увозили на вокзал католических бонз: монахинь, патеров и деятелей-мирян, у которых были очень серьезные лица. В толпе я увидел Шницлера, он придерживал дверцу машины, в которую садилась старая монахиня с чрезвычайно благородной внешностью. Когда он жил у нас, то был евангелистом. Теперь он, видимо, перешел в католичество или же явился сюда в качестве евангелического наблюдателя. От него можно было всего ожидать. На улице без конца тащили чемоданы, и католики совали чаевые в руки портье. От усталости и душевного смятения все плыло у меня перед глазами: такси и монахини, огни и чемоданы, а в ушах не переставая звучали убийственно-жидкие аплодисменты. Мария давно прекратила свой монолог о принципах правопорядка, и она уже больше не курила; когда я отошел от окна, она пошла вслед за мной, положила мне руку на плечо и поцеловала в глаза.

— Ты такой хороший, — сказала она, — такой хороший и такой усталый.

Но когда я хотел ее обнять, она тихо пробормотала:

— Не надо, не надо, прошу тебя.

И я ее отпустил, хотя этого не следовало делать. Я бросился на кровать, как был в одежде, и в ту же секунду заснул, а утром, когда проснулся и обнаружил, что Марии нет, не очень-то удивился. На столе лежала записка: «Я должна идти той дорогой, которой должна идти». Она дожила почти до двадцати пяти и могла бы придумать что-нибудь получше. Я на нее не обиделся, но все же мне показалось, что этого маловато. Я тут же сел за стол и написал ей длинное письмо, после завтрака я снова сел писать, я писал ей ежедневно и посылал свои письма в Бонн на адрес Фредебейля, но она мне так и не ответила.

9

И у Фредебейля долго не подходили к телефону; бесконечные гудки действовали мне на нервы; я представил себе, что жена Фредебейля спит, но вот звонок разбудил ее, затем она снова заснула и опять вскочила; мысленно я испытал все те муки, какие претерпела она от этого назойливого звона. Я уже собрался повесить трубку, но, поскольку мое положение можно было рассматривать как катастрофическое, решил звонить дальше. Если бы я поднял среди ночи самого Фредебейля, меня бы это ни капельки не огорчило;

этот тип не заслуживает спокойного сна. Он болезненно честолюбив и, наверное, даже во сне не расстается с телефоном: вдруг приспичит позвонить или же вдруг ему самому позвонит какой-нибудь сановник из министерства, редактор газеты или крупная шишка из этих федеральных объединений католиков, а то из самой ХДС. Но его жену я люблю. Она была еще гимназисткой, когда он в первый раз привел ее в их католический кружок; ее поза и то, как она смотрела своими красивыми глазами на этих людей, болтавших на богословско-социологические темы, ранили меня в самое сердце. Видно было, что она куда охотней пошла бы на танцы или в кино. Зоммервильд, на квартире которого состоялось это сборище, все время спрашивал меня:

— Вам, должно быть, очень жарко, Шнир?

Я отвечал, что мне не жарко, хотя пот градом катился у меня по лбу и щекам. В конце концов, не выдержав этого переливания из пустого в порожнее, я вышел на зоммервильдский балкон. Девушка сама была виновницей их словоизвержения: вдруг она совершенно невпопад — разговор шел о размерах и границах провинциализма — заявила, что у Бенна[1] есть очень «неплохие рассказики». Фредебейль, чьей невестой она числилась, покраснел как рак, оттого что Кинкель бросил на него свой пресловутый выразительный взгляд, который обозначал: «Неужто ты все еще не вправил ей мозги?» После чего сам начал вправлять невесте Фредебейля мозги, используя в качестве хирурги-

_____

[1] Готфрид Бенн (1886—1956) — известный немецкий писатель-декадент, некоторое время был близок к нацистам.

ческого инструмента весь «абендлянд». Бедная девушка была стерта в порошок; я разозлился на этого труса Фредебейля, который не вмешивался потому, что они с Кинкелем «единомышленники» — принадлежат к одному идеологическому направлению. Я давно потерял надежду понять, что это за направление: левое или правое; но, как бы то ни было, у них есть свое направление, и Кинкель чувствовал себя морально обязанным обратить невесту Фредебейля на путь истинный. Зоммервильд также пальцем не пошевелил в ее защиту, хотя он представляет совсем другое направление, опять-таки не знаю какое. Если предположить, что Кинкель и Фредебейль — левые, то Зоммервильд — правый, а может, и наоборот. Мария тоже слегка побледнела, но ей импонируют интеллектуалы — от этого я так и не смог ее отучить; интеллект Кинкеля импонировал также будущей госпоже Фредебейль: словесную обработку, которой ее подвергли, она сопровождала вздохами, на мой взгляд почти неприличными. Поистине на бедняжку обрушился целый интеллектуальный смерч, в ход было пущено все — от отцов Церкви до Брехта, и, когда я, отдышавшись немного, пришел с балкона, они впали в состояние полной прострации и пили крюшон... и все это только потому, что бедная простушка похвалила «неплохие рассказики» Бенна.

Сейчас у нее уже двое детей от Фредебейля, хотя ей еще нет двадцати двух; телефонные звонки все еще раздавались в их квартире, и я представил себе, что в эту минуту она возится с молочными бутылочками, детскими присыпками, пеленками и вазелином, донельзя беспомощная и сконфуженная, и еще я подумал о ворохе грязного детского белья и о груде жирной немытой посуды на кухне. Однажды, когда они доконали меня своими разговорами, я вызвался помочь ей по хозяйству — подсушивать хлеб, делать бутерброды и варить кофе; исполнять такую работу мне куда менее противно, чем участвовать в беседах определенного свойства.

Мне ответил очень робкий голос:

— Да, слушаю. — И по голосу я понял, что на кухне, в ванной и в спальне все находится в еще более безнадежном состоянии, чем обычно. Запаха я, впрочем, никакого не ощутил, если не считать запаха сигареты, которую она, видимо, держала в руке.

— Говорит Шнир, — сказал я, ожидая услышать в ответ радостный возглас: «Неужели вы в Бонне... вот это мило» или что-нибудь в этом роде, так она всегда встречает мой звонок, но на этот раз она смущенно молчала, а потом тихо пискнула:

— Очень приятно.

Я не знал, что сказать. Раньше она всегда просила меня приехать к ним и показать «что-нибудь новенькое». Теперь она молчала. Мне стало неловко, но не за себя, а главным образом за нее, за себя было просто неприятно, а за нее — мучительно неловко.

— Что с письмами, — спросил я наконец с трудом, — что с письмами, которые я посылал Марии на ваш адрес?

— Они лежат у нас, — сказала она, — пришли обратно нераспечатанными.

— По какому же адресу вы их отправляли?

— Не знаю, — сказала она, — это делал муж.

102

— Но ведь письма приходили обратно и на конвертах был адрес, по которому их посылали.

— Это что — допрос?

— Да нет же, — сказал я мягко, — отнюдь нет, но по простоте душевной я полагал, что имею право узнать, какова судьба моих собственных писем.

— Которые вы, не спросив нас, посылали к нам на квартиру.

— Милая госпожа Фредебейль, — сказал я, — проявите хоть каплю человечности.

Она засмеялась тихонько, но так, что я все же услышал, и ничего не сказала.

— Мне кажется, — продолжал я, — что в некоторых вопросах люди все же проявляют человечность, хотя бы из идеологических соображений.

— Вы хотите сказать, что я отнеслась к вам бесчеловечно?

— Да, — согласился я.

Она засмеялась, опять очень тихо, но все же различимо.

— Меня страшно огорчает эта история, — произнесла она наконец, — но больше я вам ничего не могу сказать. Дело в том, что вы нас очень сильно разочаровали.

— Как клоун? — спросил я.

— И это тоже, — ответила она, — но не только.

— Вашего мужа, видимо, нет дома?

— Да, — сказала она. — муж приедет только через несколько дней. Он совершает предвыборную поездку по Эйфелю.

— Что? — вскричал я; это действительно была новость. — Неужели он выступает от ХДС?

— Что тут странного, — сказала госпожа Фредебейль, и по ее голосу я понял, что она с удовольствием повесила бы трубку.

— Ладно, — сказал я, — надеюсь, я могу попросить вас переправить эти письма мне.

— Куда?

— В Бонн... на мой боннский адрес.

— Вы в Бонне? — спросила она, и мне показалось, что она вот-вот воскликнет: «Какой ужас!»

— До свидания, — сказал я, — и благодарю вас за вашу гуманность.

Жаль, что пришлось разговаривать с ней таким тоном, но мои силы иссякли. Я пошел на кухню, вынул из холодильника коньяк и отпил большой глоток. Это не помогло, тогда я отпил еще глоток, но и это не помогло. Меньше всего я ожидал, что меня отошьет госпожа Фредебейль. Я думал, она разразится длинной проповедью на тему о браке и начнет упрекать меня за отношение к Марии: иногда и она вела себя как упрямый ортодокс, но у нее это получалось по-женски мило; однако, когда я приезжал в Бонн и звонил ей, она обычно в шутку требовала, чтобы я снова помог ей на кухне и в детской. Должно быть, я в ней ошибся или же она опять была беременна и плохо себя чувствовала. У меня не хватило духу позвонить ей еще раз и постараться выведать, что с ней. Она была всегда так приветлива со мною. Скорее всего Фредебейль оставил ей «точные инструкции», как меня отшить. Я часто размышлял над тем, что жены в своей преданности мужьям доходят порой до полного идиотизма. Госпожа Фредебейль была еще слишком молода, чтобы почувствовать, как сильно уязвила меня ее подчеркнутая холодность;

и уж во всяком случае она не способна понять, что ее супруг просто-напросто приспособленец и болтун, который любой ценой делает себе карьеру, и что он «устранит» даже свою родную бабушку, если она будет стоять у него на дороге. Наверное, он сказал ей: «От Шнира надо отделаться», и она без колебаний отделалась от меня. Она подчинялась ему во всем; раньше, когда он считал, что я могу быть ему как-то полезен, она была со мной мила, что соответствовало ее натуре, теперь ей пришлось нагрубить мне, хотя это и претило ее натуре. Может быть, конечно, я был несправедлив к ним обоим, и они поступали, как им велела совесть. Если Мария и в самом деле вышла за Цюпфнера, то, помогая мне установить с ней связь, они бы совершили греховный поступок... а то, что Цюпфнер являлся именно тем человеком в Федеральном объединении, который мог пригодиться Фредебейлю, не обременяло их совесть. Ведь они обязаны поступать правильно и праведно даже тогда, когда это им самим идет на пользу. Сам Фредебейль поразил меня куда меньше, чем его жена. На его счет я никогда не питал иллюзий, и даже тот факт, что он теперь агитировал за ХДС, не мог меня удивить.

Я опять поставил коньяк в холодильник, на этот раз окончательно.

Теперь я, пожалуй, начну звонить им всем подряд, чтобы уж покончить с этими католическими деятелями. Почему-то я вдруг взбодрился и по дороге из кухни в комнату даже перестал хромать.

Встроенный шкаф и дверь чулана в передней и те были цвета ржавчины.

На звонок к Кинкелю я возлагал меньше всего надежд... и все же набрал его номер. Кинкель всегда изображал себя восторженным поклонником моего таланта, а каждый, кто знаком с нашим ремеслом, понимает, что даже скромная похвала последнего рабочего сцены наполняет грудь актера непомерным ликованием. Мне очень хотелось нарушить покой доброго христианина Кинкеля, и еще у меня была задняя мысль: может быть, Кинкель проболтается, и я узнаю, где теперь Мария. Он был главой их «кружка»; когда-то он изучал богословие, но отказался от духовной карьеры из-за красивой женщины и стал юристом; у него семеро детей, и он считается «одним из самых способных специалистов по социальным вопросам». Возможно, он и является таковым, не мне об этом судить. Еще до моего знакомства с Кинкелем Мария дала мне прочесть его брошюру «Путь к новому порядку»; изучив сей опус, который мне, кстати, понравился, я решил, что автор его — высокий блондин несколько болезненного вида; потом меня познакомили с ним, и я увидел грузного господина небольшого росточка с густой черной шевелюрой, просто-таки «пышущего здоровьем», и я никак не мог поверить, что это и есть тот самый Кинкель. Может быть, я так несправедлив к нему именно потому, что он выглядит совсем иначе, чем я его представлял.

Когда Мария восторгалась Кинкелем в присутствии отца, старый Деркум, бывало, говорил о «Кинкель-коктейле», уверяя, что состав его часто меняется: то это смесь Маркса с Гвардини, то Блуа с Толстым. При первом же нашем визите к нему начались страшные мучения. Пришли мы чересчур рано и услышали, как где-то в глубине квартиры ссорятся кинкелевские дети из-за того, кто будет убирать после ужина со стола; они громко шипели, и их унимали тоже шипением. Потом вышел улыбающийся Кинкель, дожевывая что-то на ходу; сделав судорожную гримасу, он подавил раздражение, вызванное нашим чересчур ранним приходом. После него появился Зоммервильд, он ничего не жевал, а только посмеивался и потирал руки. Дети Кинкеля злобно визжали в глубине квартиры, и их визг находился в вопиющем противоречии с улыбкой Кинкеля и усмешкой Зоммервильда; мы слышали сухой треск пощечин, затем двери плотно закрыли, но мне было ясно, что визг стал громче прежнего. Я сидел рядом с Марией и от волнения курил сигарету за сигаретой, совершенно выведенный из равновесия какофонией в глубине квартиры, а Зоммервильд болтал с Марией, улыбаясь своей неизменной «всепрощающей и снисходительной улыбкой». Мы приехали в Бонн в первый раз после своего побега. Мария побледнела от волнения, а также от благоговения и гордости; я ее хорошо понимал. Для нее было очень важно «примириться с Церковью», и Зоммервильд был с ней так любезен, а на Кинкеля и Зоммервильда она взирала с благоговением. Мария представила нас с Зоммервильдом друг другу, и, когда мы снова сели, Зоммервильд сказал:

— Вы случайно не в родстве с теми Шнирами из концерна бурого угля?

Меня это разозлило. Он ведь прекрасно знал, с кем именно я в родстве. Каждому ребенку в Бонне было известно, что Мария Деркум «перед самыми экзаменами сбежала с молодым Шниром из концерна бурого угля, хотя была такой набожной». Я не счел нужным отвечать на этот вопрос. Зоммервильд засмеялся и сказал:

— С вашим дедушкой мы ездим иногда на охоту, а вашего батюшку я время от времени встречаю в боннском Благородном собрании, где мы играем в скат.

Я опять разозлился. Не такой уж' он дурак, чтобы предположить, будто вся эта дребедень с охотой и Собранием может мне импонировать, и непохоже было, что он болтает чепуху от смущения. В конце концов я тоже заговорил:

— Вы ездите на охоту? А я-то думал, что католическим священникам запрещено охотиться.

Наступило неловкое молчание: Мария покраснела, Кинкель в смущении забегал по комнате — он искал штопор; его жена, которая только что вошла, начала сыпать соленый миндаль на блюдо, где уже лежали маслины. Даже Зоммервильд покраснел, что совершенно не шло к нему, так как он был и без того красен. Он ответил мне не повышая голоса, но все же немного раздраженно:

— Для протестанта такая осведомленность удивительна.

— Я не протестант, — сказал я, — все эти вопросы интересуют меня постольку, поскольку они интересуют Марию.

Пока Кинкель наливал вино, Зоммервильд разъяснял мне:

— Нет правил без исключений, господин Шнир. В нашей семье из поколения в поколение передается профессия старшего лесничего.

Если бы он сказал просто «лесничего», я понял бы его, но он сказал «старшего лесничего», и это опять раздосадовало меня, впрочем, я ничего не ответил, только поморщился. И тут они начали свой разговор глазами. Госпожа Кинкель взглядом сказала Зоммервильду: «Оставьте его, он еще совсем мальчишка». А Зоммервильд ответил ей тоже взглядом: «Мальчишка, и притом довольно невоспитанный». Кинкель, наливая мне последнему, опять-таки взглядом сказал: «Боже мой, какой вы еще мальчишка». Вслух он произнес, обращаясь к Марии:

— Как поживает отец? Не меняется?

Бедная Мария была такой бледной и смущенной, что смогла только молча кивнуть. И тут Зоммервильд сказал:

— Что стало бы с нашим добрым, старым, столь богобоязненным городом без господина Деркума?

Я снова разозлился, вспомнив, что мне рассказывал старый Деркум: Зоммервильд подговаривал ребятишек из католической школы не покупать у Деркума конфеты и карандаши.

— Без господина Деркума, — сказал я, — наш добрый, старый, столь богобоязненный город стал бы еще более мерзким. Деркум, по крайней мере, не фарисей.

Кинкель с изумлением посмотрел на меня и поднял свою рюмку:

— Благодарю вас, господин Шнир, вы подали мне прекрасную мысль для тоста: давайте выпьем за здоровье Мартина Деркума.

— Хорошо, — сказал я. — За его здоровье я с удовольствием выпью.

Госпожа Кинкель снова сказала мужу взглядом: «Он не просто невоспитанный мальчишка, он еще нахал». Я так и не мог понять, почему Кинкель всегда утверждал впоследствии, что «наша первая встреча была самая приятная».

Вскоре явились Фредебейль, его невеста, Моника Зильвс и некий фон Зеверн, про которого еще до его прихода сообщили, что он «хоть и обратился в католичество, но, как прежде, тесно связан с социал-демократами»; это обстоятельство, по-видимому, считалось сногсшибательной сенсацией. Фредебейля я также увидел впервые в тот вечер, и с ним у меня сложились такие же отношения, как и с остальными. Я был им, несмотря на все, симпатичен, а они мне были, несмотря на все, антипатичны. Это, впрочем, не распространялось на невесту Фредебейля и Монику Зильвс, что касается фон Зеверна, то он не вызвал у меня никаких эмоций. Он нагонял скуку и производил впечатление человека, раз и навсегда почившего на лаврах после своего сенсационного достижения, — ведь он перешел в католическую веру, оставаясь членом СДПГ; фон Зеверн расточал улыбки и был приветлив со всеми, но его глаза навыкате, казалось, говорили: «А ну-ка, гляньте на меня, какой я молодец». По-моему, он был не так уж плох.

Фредебейль был очень внимателен ко мне, почти три четверти часа он рассуждал о Беккете и Ионеско и вообще трещал без умолку обо всем, что он, как я заметил, нахватал из разных источников; когда я имел глупость сознаться, что читал Беккета, его гладко выбритое красивое лицо с чрезмерно большим ртом озарилось благосклонной улыбкой: все, что говорит Фредебейль, кажется мне страшно знакомым, я это где-то явно уже читал. Кинкель сиял, любуясь Фредебейлем, а Зоммервильд все время оглядывался вокруг, как бы возвещая: «Ну что, оказывается, и мы, католики, не лыком шиты». Все это происходило до молитвы. О молитве напомнила госпожа Кинкель.

— Я думаю, Одило, — сказала она, — мы можем приступить к молитве. Хериберт, видимо, сегодня не придет.

...Они разом взглянули на Марию, а потом слишком уж поспешно отвели глаза; тогда я не понял, почему опять наступило тягостное молчание. Только в гостинице в Ганновере я вдруг сообразил, что Херибертом зовут Цюпфнера. Он все-таки появился, но уже после молитвы, когда дебаты по теме вечера были в полном разгаре; и мне очень понравилось, что Мария сразу же, как только он переступил порог, подошла к нему, посмотрела на него и беспомощно пожала плечами; потом он поздоровался со всеми и с улыбкой сел рядом со мной.

Вскоре после этого Зоммервильд рассказал историю о католическом писателе, который долго жил с разведенной женщиной, а когда он на ней женился, один весьма влиятельный прелат заметил: «Дорогой мой Безевиц, неужели вы не могли продолжать внебрачное сожительство?» Все они посмеялись над этой историей, и притом весьма вольно, особенно госпожа Кинкель, чье хихиканье показалось мне прямо-таки скабрезным. Только Цюпфнер не смеялся, и я проникся к нему за это симпатией. Мария также не смеялась. Зоммервильд, видимо, поведал эту историю только потому, что хотел показать мне, каких широких и гуманных взглядов придерживается католическое духовенство, какое оно остроумное и блестящее. Но никто из них не подумал, что мы с Марией тоже пребываем, так сказать, во внебрачном сожительстве. Тогда я рассказал им историю об одном рабочем, нашем близком соседе, по фамилии Фрелинген; этот Фрелинген жил тоже с разведенной женой в своем домишке в пригороде, и к тому же еще был кормильцем троих ее детей. Но вот однажды к Фрелингену явился священник и весьма серьезным и даже угрожающим тоном потребовал «покончить с этой безнравственной связью», и Фрелинген — человек набожный — прогнал свою красивую подругу и трех ее ребятишек. Я рассказал им также, что произошло потом: женщина пошла на панель, чтобы добывать детям пропитание, а Фрелинген запил горькую, потому что он по-настоящему любил ее. Опять воцарилось тягостное молчание, так же, впрочем, как и каждый раз, когда я открывал рот; потом Зоммервильд засмеялся и сказал:

— Помилуйте, господин Шнир, разве можно сравнивать эти два случая?

— А почему бы и нет? — спросил я.

— Вы говорите так только потому, что не знаете, кто такой Безевиц, — сказал он, рассвирепев, — он самый тонко чувствующий писатель из всех, кого мы зовем христианскими писателями.

Я тоже рассвирепел и сказал:

— А знаете ли вы, как тонко умел чувствовать Фрелинген... И христианином он тоже был, даром что рабочий.

Он посмотрел на меня, молча покачал головой и в отчаянии воздел руки к небу. Разговор прервался, было слышно только, как покашливала Моника Зильвс; однако в присутствии Фредебейля хозяин дома может не бояться пауз в разговоре. Фредебейль незамедлительно вклинился в наступившую тишину и вернул нас к теме вечера; примерно часа полтора он разглагольствовал об относительности понятия «бедность», а потом дал возможность Кинкелю рассказать тот самый анекдот о человеке, влачившем нищенскую жизнь, пока его заработок колебался между пятьюстами и тремя тысячами марок; тогда-то Цюпфнер и попросил у меня сигарету, чтобы скрыть краску стыда в облаках табачного дыма.

Когда мы с Марией последним поездом возвращались в Кельн, у меня на душе было так же муторно, как и у нее. Мы с трудом наскребли денег на этот визит к Кинкелю, ведь Мария так много ожидала от него. Физически нам тоже было скверно, мы слишком мало ели и много пили, а к вину мы вовсе не были приучены. Поездка показалась нам нескончаемой, а с Западного вокзала пришлось идти домой пешком через весь Кельн. У нас не осталось ни пфеннига.

В квартире Кинкеля сразу же сняли трубку.

— У телефона Альфред Кинкель, — произнес самоуверенный мальчишеский голос.

— Это Шнир, я бы хотел поговорить с вашим отцом.

— Шнир-богослов или Шнир-клоун?

— Клоун.

— Да ну, — сказал он, — надеюсь, вы это не очень переживаете?

— Переживаю? — спросил я устало. — Что я, собственно, должен, по-вашему, переживать?

— Что? — сказал он. — Разве вы не читали газету?

— Какую именно?

— «Голос Бонна».

— Критика? — спросил я.

— Не совсем, — сказал он, — по-моему, это скорее некролог. Хотите, я принесу газету и прочту вам?

— Нет, спасибо, — сказал я. Все, что он говорил, имело соответствующий подтекст. Этот малый был просто садист.

— Но вам же надо знать, — сказал он, — чтобы извлечь уроки. — Ко всему еще он жаждал читать нравоучения.

— Кто написал? — спросил я.

— Некто Костерт, он выступает как наш корреспондент по Рурской области. По стилю — блеск, но с подленьким душком.

— Это уж как водится, — сказал я, — ведь он тоже добрый христианин.

— А вы разве нет?

— Нет, — сказал я. — Видимо, мне не придется поговорить с вашим отцом?

— Он просил его не беспокоить, но ради вас я с удовольствием побеспокою его.

Впервые садистские наклонности сыграли мне на руку.

— Благодарю вас, — сказал я.

Я услышал, как он кладет на стол трубку, как проходит по комнате, а потом где-то в глубине квартиры снова раздалось это злобное шипение. Казалось, целое семейство рептилий затеяло ссору: две змеи мужского пола и одна — женского. Мучительно, когда ты становишься невольным свидетелем сцен, которые не предназначены для твоих глаз и ушей, да и моя мистическая способность отгадывать по телефону запахи отнюдь не удовольствие, а скорее наказание. В кинкелевской квартире шибал в нос запах мясного бульона, можно было подумать, что они сварили целого быка. Шипение становилось прямо-таки опасным для жизни: вот-вот змея-сын убьет змею-отца или змея-мать уничтожит сына. Я вспомнил Лаокоона; то обстоятельство, что весь этот шум и гам (до меня явственно доносились звуки рукопашной и выкрики: «Мерзкая скотина!», «Грубая свинья!») раздавались в квартире человека, который считался «серым кардиналом»[1] немецкого католицизма, отнюдь не вселяло в меня бодрости. Я вспомнил подлеца Костерта из Бохума; не далее чем вчера вечером он повис на телефоне и продиктовал свою статью в боннскую газету, а сегодня утром скребся у моих дверей, как побитый пес, и разыгрывал из себя доброго самаритянина.

Кинкель, как видно, упирался, в буквальном смысле того слова, ногами и руками, не желая подходить к телефону, а его супруга — постепенно я начал разбираться в значении всех шорохов и шумов в глубине кинкелевской квартиры — еще решительней возражала против его разговора со мной, зато сынок отказывался ответить мне, что он, мол, ошибся и отца нет дома.

_____
[1] Ставшее нарицательным прозвище Франсуа Леклерка дю Трамбле (1577—1638), советника кардинала Ришелье.

Внезапно наступила полная тишина, стало так тихо, словно кто-то истекал кровью; это действительно была тишина, истекающая кровью. Потом раздались грузные шаги и трубку взяли со стола; я решил, что ее сейчас же повесят. Кстати, я точно помнил, где у Кинкелей стоит телефон. Он стоял под одной из трех мадонн в стиле барокко, как раз под той, которую Кинкель всегда называл «самой малоценной». Пусть бы он лучше положил трубку. Мне стало его жаль, ему теперь было ужасно неприятно разговаривать со мной, да и я ничего не ждал от этого разговора — ни денег, ни доброго совета. Если бы я услышал, что он с трудом переводит дух, сострадание во мне взяло бы верх, но он зарокотал так же бодро, как всегда. Кто-то, не помню кто, уверял, что он гремит, как полк трубачей.

— Алло, Шнир, — зарокотал он, — как здорово, что вы позвонили!

— Алло, доктор, — сказал я, — у меня вагон неприятностей.

В моих словах был только один подвох — то, что я назвал его доктором; звание доктора honoris causa он так же, как и мой папаша, только что раздобыл.

— Шнир, — возмутился он, — мы с вами не в таких отношениях, чтобы вы величали меня доктором.

— Понятия не имею, в каких мы с вами отношениях, — сказал я.

Он рассмеялся как-то особенно раскатисто и бодро, в стиле «душа нараспашку» и «весельчак прежних времен».

— Я отношусь к вам с неизменной симпатией.

Трудно было в это поверить. По его мнению, я, наверное, пал так низко, что меня уже не было смысла подталкивать дальше.

— Вы переживаете кризис, — сказал он, — вот и все. Вы еще молоды, возьмите себя в руки, и все опять образуется.

Слова «возьмите себя в руки» напомнили мне Анну и ее «Девятый пехотный».

— Что вы имеете в виду? — спросил я вежливо.

— Как что? — сказал он. — Ваше искусство, вашу карьеру.

— Речь идет не об этом, — возразил я. — Вы знаете, я принципиально не разговариваю об искусстве, а уж о карьере тем более. Я хотел вам сказать совсем другое... Мне нужна... я разыскиваю Марию.

Он издал какой-то неопределенный звук: не то хрюкнул, не то икнул. В глубине квартиры все еще слышалось шипение, но уже стихающее; Кинкель положил трубку на стол и снова взял ее, голос его слегка понизился, стал глуше; он явно сунул в рот сигару.

— Шнир, — сказал он, — забудьте прошлое. Думайте о настоящем, для вас оно — в искусстве.

— Забыть? — спросил я. — А вы попробуйте представить себе, что ваша жена вдруг уходит к другому.

Он молчал, и в этом молчании слышалось, по-моему, что-то вроде: «Ну и пусть!» Потом он, причмокивая, засосал свою сигару и изрек:

— Она не была вашей женой, и у вас с ней нет семерых детей.

117

— Так, — сказал я. — Оказывается, она не была моей женой.

— Да, — сказал он, — не разводите интеллигентской романтики. Будьте мужчиной.

— К черту, — сказал я, — для меня это так тяжело именно потому, что я принадлежу к этому полу... А семеро детей у нас еще могут появиться. Марии всего двадцать пять.

— На мой взгляд, быть мужчиной — значит уметь примиряться с обстоятельствами.

— Это звучит совсем как христианская заповедь, — сказал я.

— Не хватало, чтобы вы говорили мне о заповедях.

— Ну и что же, — сказал я, — насколько я знаю, муж и жена в понимании Католической церкви едины телом и душой.

— Конечно, — сказал он.

— Ну, а если они хоть дважды или трижды вступили в светский и церковный браки, но не едины телом и душой... стало быть, они не муж и жена.

— Гм, — произнес он.

— Послушайте, доктор, — сказал я, — не могли бы вы вынуть сигару изо рта? А то весь разговор звучит так, будто мы обсуждаем курс акций. Ваше чмоканье действует мне почему-то на нервы.

— Это уж слишком! — сказал он, но сигару все же отложил. — Запомните: то, как вы оцениваете эту историю, — ваше личное дело. Фрейлейн Деркум, очевидно, оценивает ее иначе и поступает, как ей велит совесть. Совершенно правильно поступает... на мой взгляд.

— Почему же, в таком случае, никто из вашей католической братии не скажет мне, где она сейчас находится? Вы ее от меня прячете.

— Не делайте из себя посмешищс, Шнир, — сказал он, — мы живем не в средние века.

— Я предпочел бы жить в средние века, — сказал я, — тогда она была бы моей наложницей и вы не стали бы мучить ее, взывая к ее совести. Впрочем, она все равно вернется ко мне.

— На вашем месте, Шнир, я не утверждал бы это столь уверенно, — пророкотал Кинкель. — Жаль, что вы органически не способны к метафизическому мышлению.

— Мария спокойно жила до тех пор, пока она беспокоилась только о моей душе, но вы внушили ей, что она должна побеспокоиться и о своей душе, а сейчас получилось так, что я — человек, органически не способный к метафизическому мышлению, — беспокоюсь за душу Марии. Если она станет женой Цюпфнера, то это действительно будет тяжким грехом, — настолько-то я разбираюсь в вашей метафизике. Она погрязнет в разврате, разрушит брак, и прелат Зоммервильд сыграет во всей этой истории роль сводника.

Ему все же удалось рассмеяться, хотя и не так уж раскатисто.

— Ваши слова звучат особенно комично, если учесть, что Хериберт является, так сказать, светским, а прелат Зоммервильд церковным преосвященством немецкого католицизма.

— А вы являетесь его совестью, — сказал я в ярости, — хотя прекрасно сознаете, что я прав.

119

Некоторое время он, ни слова не говоря, покряхтывал у себя на Венусберге под самой малохудожественной из трех мадонн в стиле барокко.

— Вы поразительно молоды... завидно молоды.

— Оставьте, доктор, — сказал я, — не поражайтесь и не завидуйте мне; если я не верну Марию, то убью вашего самого завлекательного прелата. Я убью его, — повторил я, — мне теперь терять нечего.

Он помолчал немного и опять сунул в рот сигару.

— Понимаю, — сказал я, — сейчас ваша совесть лихорадочно работает. Если я убью Цюпфнера, вас это вполне устроит. С Цюпфнером вы в контрах, и потом он слишком правый для вас, зато прелат Зоммервильд — ваша опора в Риме, где вас почему-то считают чересчур левым, совершенно несправедливо, впрочем, насколько я смею судить.

— Бросьте болтать чепуху, Шнир. Что с вами?

— Католики действуют мне на нервы, — сказал я, — они нечестно играют.

— А протестанты? — спросил он, смеясь.

— Способны уморить, вечно они бередят собственную совесть.

— А атеисты? — Он все еще смеялся.

— Нагоняют скуку, они все время толкуют о Боге.

— А вы-то сами, Шнир, кто вы, собственно?

— Я — клоун, — сказал я, — и в данный момент стою дороже, чем моя клоунская репутация. Запомните. В лоне Католической церкви есть одна душа, которая мне необходима, — Мария. Но как раз ее-то вы у меня отняли.

— Какие глупости, Шнир, — сказал он, — выбейте из головы эту вашу «теорию похищения». Мы живем в двадцатом веке.

— Вот именно, — сказал я, — в тринадцатом я был бы вполне приемлемым придворным шутом и даже кардиналов не беспокоил бы вопрос — женат я на ней или нет. А сейчас каждый католический деятель может ковыряться в ее бедной совести и считает себя вправе толкать ее на путь разврата и супружеской измены, и все из-за дурацкого клочка бумаги. Кстати сказать, доктор, в тринадцатом веке вас за ваших мадонн в стиле барокко отлучили бы от Церкви и предали анафеме. Вы ведь прекрасно знаете, что их украли в церквах Баварии или Тироля... Не мне вам говорить, что ограбление церквей и сейчас еще довольно-таки строго карается законом.

— Послушайте, Шнир, — сказал он, — вы, кажется, переходите на личности. Очень странно с вашей стороны.

— Сами вы уже не первый год вмешиваетесь в мою личную жизнь, а когда я позволил себе сделать небольшое замечание и сказать чистую правду, которая задевает вас лично, вы готовы вцепиться мне в глотку. Ну, смотрите, как только у меня опять заведутся деньжата, я найму частного детектива и он докопается, откуда взялись ваши мадонны.

Кинкель больше не смеялся, только слегка покашливал, но, по-моему, он все еще не понял, что я не шучу.

— Повесьте трубку, Кинкель, — сказал я, — положите трубку, не то я вспомню о прожиточном минимуме. Желаю вам и вашей совести спокойной ночи.

Но он все еще ничего не понимал, и так получилось, что я положил трубку первый.

10

Я очень хорошо знал, что Кинкель отнесся ко мне, сверх всяких ожиданий, мило. Думаю, если бы я попросил, он даже дал бы мне денег. Но его манера, посасывая сигару, болтать о метафизике и внезапная обида, стоило мне только упомянуть о мадоннах, — все это было предельно отвратительно. Я не желал больше иметь с ним дела. Равно как и с госпожой Фредебейль. Довольно! А самому Фредебейлю я при первой же возможности залеплю пощечину. С такими, как он, бессмысленно бороться «духовным оружием». Иногда я жалею, что теперь не приняты дуэли. Мой спор с Цюпфнером из-за Марии мог быть разрешен только дуэлью. Самое отвратительное заключалось в том, что они вмешали в него и принципы правопорядка, и заявления в письменном виде, и многочасовые секретные переговоры в ганноверской гостинице. После второго выкидыша Мария совсем извелась, нервничала, без конца бегала в церковь и раздражалась, когда я в свободные вечера не шел с ней в театр, в концерт или на лекцию. Я предлагал ей, как бывало, сыграть в рич-рач и попить чайку, полеживая на кровати, но от этого она еще больше раздражалась. В сущности, все началось с того, что Мария теперь играла в рич-рач только в виде одолжения, чтобы успокоить меня или показать свое хорошее отношение ко мне. И она больше не ходила в кино на мои любимые картины, на те, что разрешено смотреть детям младшего возраста.

По-моему, на всем свете не найдется человека, который мог бы понять клоуна, клоун и тот не понимает своего товарища; тут всегда замешаны зависть или недоброжелательство. Мария была близка к тому, чтобы понять меня, но до конца и она меня не поняла. Она всегда считала, что как «творческая личность» я должен проявлять «жгучий интерес» ко всякого рода дарам культуры. Какое заблуждение! Конечно, если бы в свободный вечер я узнал, что где-то поблизости играют Беккета, я сразу схватил бы такси; в кино я тоже хожу. Пожалуй, даже часто, но только на те картины, на которые допускают детей младшего возраста. Мария всего этого не могла понять; в основе ее католического воспитания лежали кое-какие сведения по психологии и голый рационализм в мистической упаковке, выражавшийся формулой: «Пусть лучше играют в футбол, не то у них в голове будут девушки». А у меня в голове постоянно были девушки; потом — одна лишь Мария. Иногда я считал себя просто выродком. Я любил ходить на фильмы для детей младшего возраста, потому что в них не рассусоливается вся эта взрослая чушь с изменами и разводами. В фильмах об изменах и разводах непомерно большую роль играет чье-нибудь счастье. «О любимый, дай мне счастье» или: «Неужели ты хочешь помешать моему счастью?» Счастье, которое длится больше секунды или больше двух-трех секунд, для меня пустой звук. Я не имею ничего против настоящих фильмов о потаскухах, но их очень мало. В большинстве случаев они такие претенциозные, что попросту забываешь, о чем в них идет речь. Кроме того, есть женщины, которых не назовешь ни потаскухами, ни добродетельными матронами, — просто сострадательные женщины, — но они в фильмах не в чести. Даже в картинах, на которые допускают детей младшего возраста, и то большей частью полным-полно потаскух. Я никогда не понимал, что думает цензура, выбирая эти фильмы для детей. Женщины в них — проститутки либо по натуре, либо по причине социальных условий, но они почти никогда не бывают просто сострадательными. Ты видишь, как в кафешантанах на Диком Западе обольстительные блондинки отплясывают канкан, а неотесанные ковбои, золотоискатели и звероловы, которые целых два года не видели ничего, кроме вонючих скунсов, не сводят глаз с молоденьких блондинок, пляшущих канкан, но, когда все эти ковбои, золотоискатели и звероловы бегут вслед за девицами и молят впустить к ним в комнату, дверь обычно захлопывается перед самым их носом или же какой-нибудь злобный детина безжалостно нокаутирует их. Таким способом, по-моему, утверждается так называемая добродетель. Но это не что иное, как бесчеловечность там, где единственно человечным было бы проявить сострадание. Нет ничего удивительного, что бедняги ковбои начинают колошматить друг друга и стрелять из пистолетов. Это как игра в футбол у нас в интернате, только здесь речь идет о взрослых людях и поэтому все еще бесчеловечней. Не понимаю я американской морали. Мне кажется, американцы сожгли бы на костре сострадательную женщину, объявив ее ведьмой, — каждую женщину, которая делает «то самое» не ради денег и не по страсти, а только из сострадания к мужской природе.

Но особенно мучительны для меня фильмы по искусству. Фильмы по искусству в большинстве случаев создают люди, которые пожалели бы за картину Ван Гога пачку табаку, они дали бы Ван Гогу только полпачки, да и то горько раскаивались бы, смекнув, что он согласился бы и на щепотку табаку. В фильмах по искусству муки художника, его лишения и борьба с демонами-искусителями всегда переносятся в давно минувшие времена. Ни один живой художник, у которого нет денег, чтобы купить сигареты, а жене пару ботинок, не интересует кинодеятелей, поскольку три поколения пустозвонов еще не успели убедить их в том, что этот художник — гений. Одного поколения пустозвонов им явно недостаточно. «Бурные порывы творческой души!» Даже Мария в это верила. Самое неприятное, что нечто похожее существует на самом деле, только это следовало бы назвать иначе. Ну а клоуну нужен покой, видимость того, что обычные смертные называют «свободным временем». Но обычные смертные не понимают, что видимость свободного времени значит для клоуна забыть искусство; не понимают, ибо они-то приобщаются к так называемому искусству только лишь в свое свободное время, что опять-таки совершенно естественно. Особь статья — люди «околотворческие», которые ни о чем, кроме искусства, не думают, но не нуждаются в досуге, поскольку они не работают. Когда эту шатию возводят в ранг художников, происходят пренеприятные недоразумения. Люди «околотворческие» начинают говорить о творчестве как раз тогда, когда у художника возникает ощущение, будто он наслаждается чем-то вроде свободного времени. Эти люди почти всегда бьют наверняка; в те самые две-три, а то и все пять минут, когда художник забывает об искусстве, они начинают рассуждать о Ван Гоге, Кафке, Чаплине или о Беккете. Мне при этом всегда хочется пустить себе пулю в лоб... Именно в то мгновение, когда я начинаю думать только о «том самом» с Марией, или о пиве, об опадающих осенних листьях, о рич-раче, или просто о какой-то ерунде, о чем-нибудь душещипательном, люди типа Фредебейля или Зоммервильда заводят речь об искусстве. В ту самую секунду, когда я с замирающим от волнения сердцем ощущаю себя абсолютно заурядным человеком, таким же обывателем, как Карл Эмондс, Фредебейль или Зоммервильд начинают болтать о Клоделе или Ионеско. Даже Мария не могла удержаться: в былые времена много реже, потом — чаще. Я заметил это как-то раз, сказав ей, что хочу петь под гитару. В ответ она заявила, что это оскорбляет ее эстетическое чувство. Свободное время для нехудожника то же самое, что рабочее время для клоуна. Все люди, начиная от высокооплачиваемого дельца, кончая простым рабочим, знают, что такое свободное время, вне зависимости от того, как они его проводят — пьют ли пиво или охотятся за медведями на Аляске, собирают ли марки или коллекционируют импрессионистов и экспрессионистов (ясно только одно: человек, который коллекционирует предметы искусства, — не художник)... Их манера закуривать сигарету в часы досуга и то выражение, какое они придают своим лицам, могут довести меня до неистовства; я достаточно знаком с чувством, какое они при этом испытывают, чтобы завидовать им, — ведь у них оно будет продолжаться долго. И у клоуна случаются свободные минуты — он усаживается поудобнее и выкуривает какие-нибудь полсигареты, проникаясь сознанием того, что значит быть свободным. Но так называемый отпуск — смерти подобен, все люди пользуются им три-четыре, а то и целых шесть недель. Мария не раз пыталась приобщить меня к радостям длительного отдыха: мы ездили с ней то на море, то в глубь страны, то на курорты, то в горы; уже на второй день я заболевал; все тело у меня покрывалось волдырями, а на душе становилось черным-черно. По-моему, я заболевал от зависти. Затем у Марии возникла кошмарная идея провести отпуск в таком месте, куда приезжают отдыхать художники. Понятно, там не было никого, кроме людей «околотворческих»; в первый же вечер я сцепился с каким-то кретином, который слывет важной птицей в кино; он вовлек меня в спор о Гроке, Чаплине и о шутах в шекспировских трагедиях и, разумеется, разделал в пух и прах. (Люди, которые ухитряются хорошо зарабатывать, ошиваясь на задворках искусства, никогда не работают и обладают завидным здоровьем.) В довершение всего у меня разыгралась желтуха. Но стоило нам выехать из этой проклятой дыры, как я быстро выздоровел.

Что меня беспокоит, так это моя неспособность к самоограничению или же, как сказал бы мой импресарио Цонерер, неспособность сконцентрироваться. Чего только нет в моих выступлениях — и пантомима, и эстрада, и клоунада, — я был бы неплохим Пьеро, но могу быть также хорошим клоуном; и потом я слишком часто меняю свои номера. Вероятно, я мог бы просуществовать много лет, исполняя такие сценки, как «Католическая проповедь», «Лютеранская проповедь», «Заседание наблюдательного совета», «Уличное движение» и еще несколько других, но, когда я показываю один и тот же номер в десятый или в двадцатый раз, он мне настолько приедается, что на меня нападает — в полном смысле слова — припадок зевоты; с величайшим напряжением приходится сдерживать мускулы рта. Я сам навожу на себя скуку. Стоит мне представить себе, что некоторые клоуны лет тридцать подряд проделывают одни и те же фокусы, как сердце у меня сжимается от страха, словно я обречен съесть мешок муки ложку за ложкой. Все, что я делаю, должно радовать меня самого, иначе я заболеваю. Порой мне вдруг приходит в голову мысль, что я могу работать жонглером или петь на сцене: пустые уловки, чтобы избавиться от ежедневных тренировок. А тренироваться надо не менее четырех часов в день, по возможности шесть, а то и дольше. В последние полтора месяца я относился к этому также спустя рукава, довольствуясь малым: несколько раз в день постою на голове, немного похожу на руках и покувыркаюсь да сделаю гимнастику на резиновом мате, который я всегда таскаю с собой. Теперь у меня появилось прекрасное оправдание — ушибленное колено: можно будет валяться на тахте, покуривать сигареты и упиваться состраданием к самому себе. Моя последняя пантомима «Речь министра» была довольно удачной, и мне было жаль сбиваться на шарж, но выше этого уровня я подняться не мог. Все мои попытки испробовать силы в лирическом жанре терпели провал. Мне еще ни разу не удалось изобразить человеческие чувства, не впав в слезливую сентиментальщину. Мои сценки «Танцующая пара», «В школу и домой» были хоть артистичными и потому сносными... Но когда я попытался показать жизнь человека, то снова сбился на шарж. Мария была права, называя мои попытки петь песенки под гитару «попытками к бегству». Лучше всего мне удается изображать нелепости в обыденной жизни: я наблюдаю, складываю свои наблюдения, возвожу их в степень и извлекаю из них корень, но уже с другими показателями... По утрам на каждый большой вокзал прибывают тысячи людей, работающих в городе, и тысячи людей, работающих за городом, уезжают. Не проще ли было этим людям поменяться рабочими местами? А что делается с машинами в часы «пик» — два сплошных потока идут навстречу друг другу. Но стоит людям поменяться работой и местожительством, как с вонищей от выхлопных газов будет покончено, а также и с судорожной жестикуляцией замотанных полицейских на перекрестках, там станет так тихо, что полицейским впору будет играть в ричрач. На этих наблюдениях построена моя пантомима: в движении находятся только руки и ноги, лицо — белая маска — остается совершенно неподвижным; с помощью моих четырех конечностей мне удается создать впечатление лихорадочной суеты. Моя цель — обходиться с наименьшим количеством реквизита, по возможности совсем без оного. Для сценки «В школу и домой» мне не нужен даже ранец — рукой я как бы придерживаю его, перебегаю через улицу перед самым трамваем, трезвонящим во всю мочь, вскакиваю на ходу в автобусы, соскакиваю, останавливаюсь перед витринами, глазею, пишу мелом на стенах домов, делая бог знает какие орфографические ошибки, и, наконец, предстаю перед грозными очами учителя — опоздал-таки! — снимаю ранец и тихонько прокрадываюсь к своей парте. Мне довольно хорошо удается показать лиризм детского существования: ведь в жизни ребенка все, даже самое банальное, приобретает значимость; ребенок одинок, чурается порядка, он трагичен. И у детей, по сути, никогда нет свободного времени, только после того, как они окончательно усвоят «принципы правопорядка», у них появляется досуг. С фанатическим усердием я регистрирую наступление свободного времени у людей разных профессий: вот рабочий кладет в карман получку и садится на мотоцикл; биржевой маклер окончательно расстается с телефонной трубкой, кладет в ящик записную книжку и запирает его; вот продавщица продовольственного магазина снимает фартук, моет руки, прихорашивается перед зеркалом, берет свою сумочку и уходит. Все это настолько человечно, что по временам я кажусь себе каким-то недочеловеком, потому что свободное время для меня — всего лишь сценка, исполняемая на эстраде. Как-то мы с Марией разговаривали о том, есть ли у животных свободное время: скажем, у коровы, пережевывающей жвачку, или у задремавшего возле забора осла. По мнению Марии, считать, что животные работают и имеют досуг, — кощунство. Сон — это тоже нечто вроде свободного времени, он прекрасен тем, что уравнивает и человека и животное; но свободные часы только тогда становятся часами свободы, когда человек переживает их сознательно. Даже у врачей есть часы, когда их нельзя тревожить, духовных лиц в последнее время тоже щадят. Это меня злит, попы не должны иметь свободных часов, тогда они могли бы по крайней мере понять художника. Им совсем не обязательно понимать искусство, разбираться в творческой миссии, в специфике творчества и в прочей ерундистике, но они обязаны понять душу художника. Мы всегда спорили с Марией, есть ли свободное время у Бога, в которого она верует. Мария утверждала, что есть, брала Ветхий Завет и читала мне из книги Бытия: «И почил в день седьмой от всех дел Своих, которые делал». Я опровергал ее, ссылаясь на Евангелие, и говорил, что, хоть по Ветхому Завету у Бога было свободное время, представить себе праздно фланирующего Христа просто-таки выше моих сил. При этих словах Мария бледнела как полотно и соглашалась с тем, что фланирующий Христос — это кощунство; Он мог быть свободным, но никогда не был праздным.

Сплю я, как спят звери, обычно без сновидений; бывает, я задремлю всего на несколько минут, но мне все равно кажется, будто я отсутствовал целую вечность, — просунул голову сквозь какую-то стену в темную бесконечность, в забвение, в безгранично долгие свободные часы и еще в то, что ощущала Генриэтта, когда она посреди игры неожиданно бросала теннисную ракетку, роняла в суп ложку или быстрым движением кидала карты в огонь, — полную пустоту. Как-то раз я спросил Генриэтту, о чем она думает, когда на нее «находит», и она ответила:

— Ты в самом деле не знаешь?

— Нет, — сказал я.

— Ни о чем, я думаю ни о чем, — повторила она тихо.

Я возразил ей, что так не бывает, но она сказала:

— Почему? Бывает. Вдруг я ощущаю пустоту и притом как бы опьянение, и мне хочется сбросить с себя туфли и платье — освободиться от всего лишнего.

Она сказала мне также, что это такое прекрасное чувство, что она всегда ждет его, но оно никогда не появляется, когда его ждешь, а всегда приходит нежданно-негаданно, и что это чувство, как вечность. Несколько раз на нее «находило» и в школе; мне вспоминаются телефонные переговоры между матерью и классной наставницей Генриэтты, возмущение матери и ее слова:

— Да, да, истерия, вы совершенно правы... накажите ее построже.

Похожее чувство — прекрасное чувство полной пустоты — появляется у меня иногда при игре в рич-рач, если она длится более трех-четырех часов; я ничего не слышу, кроме стука костей, тихого шелеста передвигаемых фигурок и легкого звона, когда фигурку сбивают. Даже Марии, которая больше любит играть в шахматы, я привил страсть к рич-рачу. Для нас это было как наркотик. Иногда мы играли по пять-шесть часов подряд, и на лицах официантов и горничных, которые приносили нам чай или кофе, я видел то же выражение страха и злобы, какое появлялось на лице матери, когда на Генриэтту «находило»; иногда они говорили: «Невероятно!» — то же, что говорили люди в автобусе в тот день, когда я ехал от Марии домой. Мария придумала очень сложную систему записи по очкам, очки насчитывались в зависимости от того, где сбивалась фигурка, твоя или партнера; получалась любопытная таблица, и я купил Марии четырехцветный карандаш, чтобы ей легче было обозначать, как она выражалась, наши «активы и пассивы». Иногда мы играли в рич-рач во время долгих поездок по железной дороге, вызывая удивление всех серьезных пассажиров... И вот я вдруг заметил, что Мария играет со мной только ради моего удовольствия и успокоения, играет, чтобы дать разрядку моей «творческой натуре». Мысли ее витали где-то далеко. Все началось несколько месяцев назад; я отказался поехать в Бонн, хотя в моем распоряжении было пять дней, свободных от выступлений. Не хотел я ехать в Бонн. Я боялся их «кружка», боялся встречи с Лео, но Мария все время твердила, что она должна еще раз подышать «католическим воздухом». Я напомнил ей, как после первого вечера в этом «кружке» мы возвращались из Бонна в Кельн, какие мы были усталые, несчастные и подавленные и как она все время повторяла: «Ты такой хороший, такой хороший!» — а потом заснула, привалившись ко мне на плечо, и только в испуге подскакивала, когда проводник выкликал на перроне названия станций: Зехтем, Вальберберг, Брюль, Кальшейрен; каждый раз она вздрагивала и подскакивала, и я опять клал ее голову к себе на плечо. А потом мы вышли на Западном вокзале в Кельне и она сказала: «Лучше бы мы сходили в кино». Я напомнил ей все это, когда она заговорила о «католическом воздухе», которым ей надо подышать, и предложил пойти в кино или на танцы, а не то поиграть в рич-рач, но она покачала головой и собралась в Бонн одна. Слова «католический воздух» ничего не говорят мне. В конце концов, мы ведь тогда жили в Оснабрюке и воздух там не мог быть таким уж некатолическим.

11

Я пошел в ванную, открыл кран с горячей водой и бросил в воду немного тех ароматических экстрактов, которые приготовила для меня Моника Зильвс. Принимать ванну почти так же хорошо, как спать, а спать почти так же хорошо, как делать «то самое». Так это называла Мария, и мысленно я всегда употребляю ее выражение. У меня не укладывается в голове, что она будет делать «то самое» с Цюпфнером, я так устроен, что просто не в силах вообразить себе ничего подобного, так же как когда-то не в силах был рыться в белье Марии. Моей фантазии хватает только на то, чтобы представить себе, как Мария будет играть с Цюпфнером в рич-рач, но и это приводит меня в бешенство. Не вправе она делать с ним ничего такого, что мы делали с ней; иначе она покажется себе предательницей или потаскухой. Она не может даже намазывать ему масло на хлеб. Я почти теряю рассудок, когда представляю себе, что она берет из пепельницы его сигарету и докуривает ее; и даже то обстоятельство, что Цюпфнер некурящий и что она станет играть с ним скорее в шахматы, — для меня слабое утешение. Что-то ведь они должны делать — танцевать или играть в карты, читать друг другу по очереди вслух или разговаривать о погоде и о деньгах. Строго говоря, единственное, что она вправе делать, не думая безотвязно обо мне, — это готовить ему еду; мне она стряпала так редко, что не обязательно должна чувствовать себя при этом предательницей или потаскухой.

Хорошо бы позвонить Зоммервильду, но для этого было еще слишком рано: я намеревался поднять его из постели эдак в половине третьего ночи и вволю побеседовать с ним об искусстве. А восемь часов — детское время, нет смысла звонить ему в восемь, чтобы спросить, сколько принципов правопорядка он уже запихнул в глотку Марии и какие комиссионные собирается получить от Цюпфнера: аббатский крест тринадцатого века или же среднерейнскую мадонну четырнадцатого века. Подумал я и о том, каким образом убью Зоммервильда. Убивать эстетов, понятно, лучше всего дорогими предметами искусства, чтобы, испуская дух, они возмущались таким святотатством. Статуя мадонны для этой цели недостаточно ценное художественное произведение, кроме того, она слишком прочная, эстет умрет, утешаясь мыслью, что мадонну удалось спасти; картина тоже не годится — она не очень тяжелая, в лучшем случае эстета прикончит рама, и тогда он опять-таки утешится мыслью, что картина осталась целехонька.

По-видимому, мне следует соскрести краску с какого-нибудь особо ценного произведения живопи-
си и задушить или удавить Зоммервильда холс-
том. Не самый лучший способ убийства, зато
самый лучший способ эстетоубийства. Вообще говоря, не так-то легко отправить в потусторонний
мир такого здоровяка, как Зоммервильд; Зоммервильд высок и строен, он весьма «представитель-
ный мужчина» с серебристой сединой и вдобавок
«существо добродушное», он альпинист, гордится
тем, что участвовал в двух мировых войнах и
получил серебряный спортивный значок. Вынос-
ливый, хорошо натренированный противник. Обязательно раздобуду себе какое-нибудь ценное произведение искусства из металла — из бронзы или
из золота, на худой конец из мрамора; в крайнем
случае придется съездить в Рим и спереть что-
нибудь в Ватикане.

Пока ванна наполнялась водой, я вспомнил
Блотхерта, одного из столпов «кружка», с которым
я встречался всего раза два. Он был чем-то вроде
«правого антипода» Кинкеля: так же как и Кинкель, он занимался политикой, но отличался от
того иными «закулисными связями» и тем, что
являлся «выходцем из другого круга»; для Блотхерта Цюпфнер то же, что для Кинкеля — Фредебейль, своего рода сподручный и к тому же
«духовный наследник»; однако звонить Блотхерту
имело еще меньше смысла, чем взывать о помощи
к стенам моей комнаты. Кинкелевские мадонны в
стиле барокко — единственное, что вызывало в
нем какие-то проблески жизни. Он сравнивал их
со своими скульптурами, и по его тону можно
было понять, как безмерно они с Кинкелем нена-

видят друг друга. Блотхерт занимал какой-то председательский пост, на который метил Кинкель, они были на «ты», так как вместе учились. Я встретился с ним дважды, и дважды он нагонял на меня страх. Блотхерт — белесый блондин среднего роста, на вид ему можно дать лет двадцать пять; когда на него ненароком взглядывали, он ухмылялся, а перед тем как заговорить, с полминуты скрежетал зубами; в его словаре всего четыре слова, из них два — «канцлер» и «католон», и, когда он их произносит, видно, что ему уже за пятьдесят и что он походит на гимназиста, состарившегося от тайных пороков. Зловещая фигура! Иногда его сводит судорога, и, сказав несколько слов, он начинает заикаться: «наш ка-ка-ка...»; в эти минуты Блотхерт вызывает жалость, но потом он все же выдавливает из себя окончание слова — либо «...нцлер», либо «...толон». Мария уверяла, что «его образованность не знает границ». Этот тезис так и остался для меня недоказанным, ибо я всего лишь раз явился свидетелем того, как Блотхерт произнес больше двадцати слов кряду: в «кружке» тогда дебатировался вопрос о смертной казни. Блотхерт выступал за казнь «без всяких оговорок», и меня удивило только, что из лицемерия он не пытался утверждать обратное. Его лицо светилось блаженством и торжеством, хотя он с трудом выпутывался из своих «ка-ка»; казалось, что при каждом «ка» он отрубает кому-нибудь голову. Время от времени он вдруг замечал меня и каждый раз безмерно удивлялся; видно, он еле-еле удерживался от возгласа: «Невероятно!» — но от покачивания головой он так и не мог удержаться; по-моему, некатолики для него вообще не существуют. Мне всегда казалось, что, если у нас введут смертную казнь, он потребует, чтобы казнили всех некатоликов. И у него есть жена, дети и телефон. Но уж лучше еще раз позвонить матери. Я вспомнил Блотхерта, думая о Марии. Блотхерт будет у нее в доме своим человеком, ведь он каким-то образом связан с Федеральным объединением; мне стало страшно при одной мысли, что Блотхерт станет ходить к ней в гости запросто. Я очень люблю Марию, и ее фразу в стиле юных бойскаутов: «Я должна идти той дорогой, которой должна идти», возможно, следует понимать как прощальные слова древней христианки, входящей в клетку с дикими зверями. Я вспомнил Монику Зильвс и подумал, что когда-нибудь воспользуюсь ее сострадательностью. Она такая красивая и такая приятная, и мне кажется, что Моника еще меньше подходит к «кружку», чем Мария. Все, что она ни делает, выглядит так естественно: возится ли она на кухне — я и ей помогал как-то делать бутерброды, — улыбается ли, танцует или занимается живописью, хотя ее картины мне не нравятся, Моника слишком поддалась Зоммервильду, который внушил ей всякие мысли о «возвещении» и «откровении»; она рисует почти одних только мадонн. Надо попытаться отговорить ее от этого. Церковная живопись не может удаться, если даже во все это веришь и хорошо пишешь. Мадонн пусть изображают дети или благочестивые монахи, которые не мнят себя художниками. Некоторое время я размышлял, удастся ли мне отговорить Монику от ее вечных мадонн. Она не дилетантка и еще очень молода: ей всего двадцать два или двадцать три; уверен, что она — девушка... и это обстоятельство вселяет в меня страх. Неужели католики уготовили мне роль Зигфрида? Какая ужасная мысль. Дело кончится тем, что она проживет со мной несколько лет и будет мила до тех пор, пока на нее не начнут давить принципы правопорядка; тогда она вернется в Бонн и выйдет замуж за фон Зеверна. От этих мыслей я покраснел и запретил себе думать о Монике: она слишком хороша для того, чтобы, размышляя о ней, изливать свою желчь. Если мы с ней свидимся, надо отговорить ее прежде всего от Зоммервильда; этот салонный лев очень похож на моего отца. Но отец ни на что особенное не претендует, разве что хочет слыть эксплуататором либерального толка, и эти свои притязания он оправдывает. А Зоммервильд, по-моему, с одинаковым успехом может быть администратором в курзале или в театре, заведующим рекламным бюро на обувной фабрике, хлыщом, исполняющим модные песенки, или редактором «ловко сделанного» журнала. По воскресеньям он произносит проповеди в церкви Святого Корбиниана. Мария два раза таскала меня на них. Это зрелище настолько неприятно, что зоммервильдовскому начальству следовало бы его запретить. По мне, лучше читать Рильке, Гофмансталя и Ньюмена, каждого в отдельности, вместо того чтобы поглощать всех этих авторов в виде сладковатой смеси. Своей проповедью Зоммервильд вогнал меня в пот. Моя вегетативная нервная система не переносит некоторых форм извращенности. Мне становится страшно, когда я слышу такие выражения: «Так пусть же все сущее существует, а все парящее воспаряет...» По-моему, куда приятнее внимать косноязычному тюфяку-пастору, который, запинаясь, возвещает с амвона непонятные религиозные догмы и не воображает, будто его речь можно «сразу отправить в набор». Мария была опечалена тем, что зоммервильдовская проповедь мне совершенно не понравилась. Но главные мучения начались после проповеди в кафе, неподалеку от церкви Святого Корбиниана: все кафе было битком набито «околотворческими» личностями из числа слушателей Зоммервильда. Потом явился он сам, и вокруг него сразу же образовался своего рода кружок, в который вовлекли и нас; сладкая жвачка, коей он потчевал прихожан с кафедры, пережевывалась здесь раза по два, по три, а то и по четыре. Молоденькая актриса, настоящая красотка с длинными золотистыми кудрями и ангелоподобным личиком, — Мария шепнула мне, что она уже «на три четверти» обратилась в католичество, — готова была целовать Зоммервильду ноги. По-моему, он не стал бы ее удерживать от этого.

Я закрыл кран, снял пиджак, стянул через голову сорочку и нижнюю рубашку, бросил все в угол и уже собрался лечь в ванну, как вдруг зазвонил телефон. Есть только один человек, который способен заставить телефон звонить с такой брызжущей через край энергией, с таким мужским напором, — это Цонерер, мой импресарио. Он говорит так горячо и держит трубку так близко у рта, что я всегда боюсь, как бы он не обрызгал меня слюной. Когда он намерен сказать мне приятное, то начинает разговор словами: «Вчера вы были великолепны», — это он сообщает просто так, не имея понятия, действительно ли я был великолепен; зато когда он намерен обдать меня холодом, то начинает со слов: «Послушайте, Шнир, вы не Чаплин...» — этим он вовсе не хочет сказать, что как актеру мне далеко до Чаплина, а нечто совсем другое: я, мол, недостаточно знаменит, чтобы позволить себе поступки, которые не по вкусу ему, Цонереру. Сегодня он не станет обдавать меня холодом и даже не станет пугать светопреставлением, как пугает всегда, когда я отменяю свои концерты. Он не станет также обвинять меня в том, что я «истерик, срывающий программы». Наверное, Оффенбах, Бамберг и Нюрнберг тоже отказались от моих услуг, и он начнет высчитывать по телефону, какие убытки я нанес ему за все это время. Телефон звонил с мужским напором, с брызжущей через край энергией: я уже собирался набросить на него диванную подушку, но вместо этого натянул купальный халат, вошел в комнату и остановился у трезвонящего аппарата. Дельцы от искусства обладают крепкими нервами и прочным положением, и, когда они рассуждают о «впечатлительности творческой натуры», для них это все равно что сказать «дортмундское акционерное общество пивоваров»; все попытки побеседовать с ними серьезно об искусстве и о художнике — бесполезная трата сил. И они прекрасно знают, что у самого бессовестного художника в тысячу раз больше совести, чем у самого добросовестного дельца, кроме того, они обладают оружием, против которого невозможно бороться, — ясным пониманием того, что человек творческий просто не в состоянии не делать то, что он делает: либо писать картины, либо выступать по городам и весям как клоун, либо петь, либо высекать из мрамора и гранита «непреходящие ценности».

Художник похож на женщину, которая не в силах отказаться от любви и становится добычей первой встречной обезьяны мужского пола. Художники и женщины — самые подходящие объекты для эксплуатации, и в каждом импресарио есть что-то сутенерское — от одного до девяноста девяти процентов. Эти телефонные звонки были явно сутенерскими. Цонерер, конечно, справился у Костерта, когда именно я уехал из Бохума, и теперь точно знал, что я дома. Завязав поясом халат, я поднял трубку. И сразу же мне в нос ударил запах пива.

— Черт побери, Шнир, — сказал он, — что это значит? Почему вы заставляете меня столько ждать?

— Дело в том, что у меня было скромное намерение принять ванну, — ответил я. — Считаете ли вы, что это является нарушением контракта?

— В данный момент ваш юмор — юмор висельника, — сказал он.

— Дело, стало быть, за веревкой, она уже приготовлена?

— Оставим метафоры, — сказал он, — поговорим лучше о деле.

— Вы первый начали, — сказал я.

— Какая разница, кто начал, — сказал он. — Итак, вы твердо решили угробить себя как актера?

— Дорогой господин Цонерер, — сказал я тихо, — не откажите в любезности говорить немножко подальше от трубки, не то запах пива ударяет мне прямо в нос.

Он пробормотал на своем блатном жаргоне что-то вроде: «Зануда, чувак!» Потом засмеялся.

— Ваше нахальство, как видно, ничем не прошибешь. О чем мы, бишь, говорили?

— Об искусстве, — сказал я, — но, с вашего разрешения, я предпочел бы говорить о делах.

— Тогда нам, пожалуй, и говорить не о чем, — сказал он. — Послушайте, я не собираюсь отказываться от вас. Вы поняли?

Я был так ошеломлен, что затруднялся с ответом.

— На полгодика мы изымем вас из обращения, а потом я опять сделаю из вас человека. Надеюсь, этот бохумский слизняк не очень вам насолил?

— Как сказать, — ответил я, — он зажулил у меня целую бутылку водки и еще несколько марок — разницу между билетом от Бохума до Бонна в мягком и в жестком.

— С вашей стороны было просто идиотизмом согласиться на снижение гонорара. Контракт есть контракт... и, раз произошел несчастный случай, вы были вправе прервать выступление.

— Цонерер, — сказал я тихо, — в вас действительно заговорили человеческие чувства или...

— Чепуха, — возмутился он, — я вас люблю. Если вы этого до сих пор не поняли, значит, вы глупее, чем я думал, и, кроме того, с вами еще можно делать деньги. Только перестаньте пьянствовать. Это ребячество.

Цонерер был прав. Ребячество... Он нашел нужное слово.

— Но мне это помогает, — сказал я.

— В каком смысле?

— В смысле души, — ответил я.

— Чепуха, — сказал он, — давайте сбросим душу со счетов. Конечно, мы можем подать на

Майнц в суд за нарушение контракта и, наверное, выиграем дело... но я вам не советую. Полгодика перерыва... и я опять поставлю вас на ноги.

— А на что я буду жить? — спросил я.

— Ну, — сказал он, — надеюсь, ваш папаша все же раскошелится.

— А если этого не произойдет?

— Тогда найдите себе добрую подружку и перебейтесь как-нибудь.

— Уж лучше стать бродячим фокусником, — сказал я, — буду себе ездить на велосипеде из одной дыры в другую

— Ошибаетесь, — сказал он, — в каждой дыре люди сейчас читают газеты, и в данный момент я не могу пристроить вас даже в молодежный ферейн по двадцать марок за выход.

— А вы пробовали? — спросил я.

— Да, — сказал он, — ради вашей милости я весь день висел на телефоне. Ничего не попишешь. Людей ничто так не обескураживает, как клоун, вызывающий жалость. Это все равно, как если бы вам подал пиво официант в инвалидной коляске. Вы напрасно строите себе иллюзии.

— А вы разве нет? — спросил я. Он молчал, и я опять заговорил: — Я имею в виду то, что, по-вашему, через полгода я смогу начать сызнова.

— Возможно, вы правы, — сказал он, — но это единственный шанс. Лучше было бы подождать год.

— Год, — сказал я, — а знаете ли вы, как это долго?

— В году триста шестьдесят пять дней. — И он опять бесцеремонно задышал прямо в трубку. Запах пива вызывал у меня тошноту.

— А что если я переменю имя, — сказал я, — сделаю себе другой нос и начну выступать в другом амплуа? Буду петь под гитару и, пожалуй, жонглировать.

— Чепуха, — сказал он, — от вашего пения хоть святых выноси, а в жонглировании вы дилетант, и ничего больше. Чепуха. У вас есть все данные стать неплохим клоуном, возможно даже хорошим, но ко мне обращайтесь только после того, как вы три месяца проведете в тренировках — по восемь часов ежедневно. Тогда я приду и посмотрю ваши новые сценки... а может, и старые, только работайте и... прекратите это дурацкое пьянство.

Я молчал. Было слышно, как он пыхтел и сосал сигарету.

— Найдите себе опять преданную душу, — сказал он, — как та девушка, которая повсюду ездила с вами.

— Преданную душу, — повторил я.

— Да, — сказал он, — все остальное чепуха. И не воображайте, что вы обойдетесь без меня, кривляясь в каких-нибудь захудалых балаганах. Недели три вам это сойдет с рук, Шнир, вы побалуетесь на вечерах пожарников, насобираете мелочи в шапку. Но потом я об этом пронюхаю и тут же прихлопну вашу лавочку.

— Сукин сын.

— Вот именно, — сказал он, — лучшего сукина сына вам не найти, а если вы станете на свой страх и риск бродячим фокусником, то вы — человек конченый, и не позже чем через два месяца. Что-что, а свое дело я знаю. Вы слушаете?

Я молчал.

— Вы слушаете? — спросил он вполголоса.

— Да, — ответил я.

— Я вас люблю, Шнир, — сказал он. — Мне было приятно работать с вами... иначе я не стал бы тратить столько денег на этот междугородный разговор.

— Сейчас уже больше семи, — возразил я, — и все удовольствие будет стоить вам примерно две с половиной марки.

— Да, — сказал он, — возможно, все три. В данный момент ни один импресарио не выложил бы за вас такую сумму. Итак, значит, до встречи через три месяца тренировок, и притом у вас должно быть не менее шести совершенно безукоризненных номеров. Постарайтесь выжать из вашего старика все, что возможно. Ни пуха ни пера!

Он на самом деле повесил трубку. А я все еще держал свою в руке и, прислушиваясь к гудкам, чего-то ждал, только потом я положил трубку. Цонерер несколько раз обманывал меня, но он никогда не врал. В те времена, когда мой выход стоил, наверное, марок двести пятьдесят, он заключал со мной контракты на сто восемьдесят марок... и, очевидно, совсем неплохо зарабатывал на мне. Однако, вешая трубку, я понял, что за этот вечер он был первым человеком, с которым я охотно поговорил бы подольше. Надо, чтобы он придумал что-нибудь еще... Не могу я ждать полгода. Неужели нельзя подыскать какую-нибудь акробатическую труппу, которой я мог бы пригодиться? Я не тяжелый и не боюсь высоты; потренировавшись немного, я сумею работать вместе с другими акробатами или разыгрывать скетчи вдвоем с каким-нибудь клоуном. Мария всегда говорила, что мне необходим партнер, тогда мои сценки не будут мне так скоро надоедать. Уверен, что Цонерер не перебрал всех возможностей. Я решил позвонить ему попозже, а пока пошел обратно в ванную, сбросил халат, швырнул все барахло в угол и лег в ванну. Принимать теплую ванну почти так же приятно, как спать. В поездках я всегда брал номер с ванной, даже в те времена, когда у нас еще было негусто с деньгами. Мария уверяла, что у меня замашки человека из богатой семьи, но она не права. Мои домашние дрожали над горячей водой так же, как и над всем остальным. Принимать холодный душ нам разрешалось, правда, во всякое время, но теплая ванна и у нас считалась барскими замашками; даже Анна, которая на многое закрывала глаза, в этом вопросе была непоколебима. Очевидно, в ее «Девятом пехотном» теплая ванна приравнивалась к смертным грехам.

Но и в ванне я ощущал отсутствие Марии. Бывало, когда я нежился в теплой воде, она читала мне вслух, сидя у себя на кровати; как-то раз она прочла мне из Ветхого Завета всю историю про царя Соломона и царицу Савскую, в другой раз прочла про битву Маккавеев, иногда она читала также роман Томаса Вулфа «Взгляни на дом свой, Ангел». А вот сейчас я лежал в этой дурацкой ванне цвета ржавчины, покинутый всеми; стены были облицованы черным кафелем, но сама ванна, мыльница, эмаль на душе и стульчак были ржаво-красного цвета. Мне недоставало голоса Марии. Я подумал о том, что с Цюпфнером ей нельзя читать даже Библию, чтобы не почувствовать себя предательницей или потаскухой. Не может же она не вспомнить дюссельдорфскую гостиницу, где читала мне вслух о царе Соломоне и царице Савской до тех пор, пока я не заснул в ванне, совершенно разморенный. Зеленые ковры номера, темные волосы Марии, ее голос... Закурив сигарету, она принесла ее мне, и мы поцеловались.

Я лежал весь в мыльной пене и думал о Марии. Ничего она не может делать с ним или в его присутствии, не вспоминая обо мне. При нем она не может даже завинтить крышку на тюбике с зубной пастой. Несчетное число раз мы завтракали с ней вдвоем — иногда чем бог послал, иногда роскошно; то в спешке, то с чувством, с толком; то спозаранку, то далеко за полдень; то с целой горой джема, то вовсе без джема. Мысль о том, что она будет завтракать с Цюпфнером всегда в одно и то же время, перед тем как он сядет в машину и укатит в эту свою католическую лавочку, настраивала меня чуть ли не на молитвенный лад. Я просил у Бога, чтобы она никогда не завтракала с Цюпфнером вдвоем. Я постарался представить себе Цюпфнера: каштановые волосы, белая кожа, прямая осанка; что-то вроде Алкивиада немецкого католицизма, только не такой ветреный. По свидетельству Кинкеля, Цюпфнер хоть и «занимал серединную позицию, но больше склонялся вправо, нежели влево». Это их «кто-куда-склоняется» было одной из главных тем разговоров в «кружке». По совести говоря, я должен был бы причислить Цюпфнера к тем четырем католикам, которых считаю настоящими; вот они: Папа Иоанн, Эллис Джеймс, Мария, Грегори... и Цюпфнер. При всем том, что он был по уши влюблен в Марию, немалую роль в его решении сыграло то обстоятельство, что он выводил ее со стези порока на стезю добродетели. В их прогулках рука об руку не было, по-видимому, ничего серьезного. Однажды я спросил об этом Марию; она зарделась, но как-то очень мило, и сказала, что этой «дружбе очень многое способствовало»: отцов их преследовали нацисты, они сами были католиками, ну, а еще «понимаешь, его манера держать себя. Он мне по-прежнему нравится».

Я выпустил из ванны немного остывшей воды, подлил горячей и насыпал еще ароматических специй. При этом я вспомнил отца, который является, между прочим, акционером фирмы, производящей экстракты для ванн. Что бы я ни покупал — от сигарет до мыла и от писчей бумаги до эскимо или сосисок, — все это выпускают фирмы, в прибылях которых участвует отец. Я подозреваю, что он получает прибыль даже от тех двух с половиной сантиметров зубной пасты, которую я выдавливаю на свою зубную щетку, однако у нас в доме говорить о деньгах было запрещено. Каждый раз, когда Анна хотела подсчитать с матерью расходы по хозяйству или показать ей свои записи, мать восклицала:

— Говорить о деньгах... Фу, мерзость!

Звук «о» ей все же приходится время от времени произносить, но выговаривает она его совсем как «е». Нам, детям, давали очень мало карманных денег. К счастью, у нас полно родственников, и, когда их всех созывали, в доме собиралось человек пятьдесят-шестьдесят дядюшек и тетушек, среди них были очень милые, они подбрасывали нам немного денег, ибо скаредность моей матери стала притчей во языцех. Ко всему еще мать матери была знатного рода, урожденная фон Хоенброде, и отец по сию пору считает, что ему оказали большую честь, приняв в эту семью. Правда, фамилия его тестя Тулер, только теща была урожденной фон Хоенброде. Немцы сейчас еще более падки на дворянские звания и титулы, чем, скажем, в 1910 году. Даже люди, считающиеся интеллигентными, лезут из кожи вон, домогаясь знакомства с аристократами. На этот факт следовало бы обратить внимание мамашиного Центрального бюро. Ведь это тоже расовый вопрос. Даже такой разумный человек, как дедушка, и тот не может забыть, что летом 1918 года Шнирам хотели пожаловать дворянство и что это было уже, так сказать, «зафиксировано», но в решающий момент кайзер, который должен был подписать указ, дал деру — его в тот период одолевали совсем другие заботы... если он вообще был способен заботиться о чем-нибудь. Семейное предание о том, как Шниры «чуть было не стали дворянами», еще и сейчас, почти полвека спустя, рассказывается при всех случаях жизни.

— Указ обнаружили в папке его величества, — без конца повторяет отец.

Удивительно еще, что никто из Шниров не поскакал в Дорн и не подсунул кайзеру на подпись эту бумажку. Я бы на их месте отправил туда гонца верхом на лошади, чтобы все было обстряпано вполне подобающим образом.

Я вспомнил, как Мария разбирала наши чемоданы, а я в это время уже лежал в ванне. Вспомнил, как, стоя перед зеркалом, она снимала перчатки, поправляла прическу, как она вынимала из шкафа вешалки, надевала на них платья, отправляла их обратно, и было слышно, как скрипит латунная палка в шкафу. Потом наступал черед ботинок: тихо постукивали каблуки, шуршали подошвы, и, наконец, Мария расставляла на стекле туалетного столика свои банки, склянки и флаконы; вот она ставит большую банку с кремом, вот узкий флакон с лаком для ногтей, пудреницу; раздается жесткий металлический звук — Мария ставит тюбик с губной помадой.

Вдруг я заметил, что плачу, и сделал поразительное открытие из области физики: слезы сейчас, когда я лежал в ванне, казались холодными. Раньше я всегда думал, что слезы горячие; в последние месяцы, напившись пьян, я несколько раз плакал горячими слезами. Я вспомнил Генриэтту, отца, вспомнил Лео, перешедшего в католичество, и удивился, почему он до сих пор не звонит.

12

В Оснабрюке она впервые сказала, что ей со мной страшно. Я тогда отказывался ехать в Бонн, а она во что бы то ни стало хотела в Бонн, чтобы подышать там «католическим воздухом». Мне эти слова не понравились, я сказал, что и в Оснабрюке достаточно католиков, но она уверяла, что я ее не понимаю и не хочу понять. Мы жили уже два дня в Оснабрюке, пользуясь перерывом между выступлениями, и могли прожить еще три. В этот день с раннего утра лил дождь и во всех кино шли неинтересные фильмы, а в рич-рач я даже не предлагал ей сыграть. Уже накануне при упоминании об этом у Марии сделалось такое лицо, какое бывает у особо терпеливых сиделок в детских больницах.

Мария лежала с книжкой на кровати, а я стоял у окна, курил и обозревал то Гамбургскую улицу, то привокзальную площадь; как только напротив останавливался трамвай, люди из вокзала стремглав выбегали под дождь. «То самое» для нас исключалось, Мария была больна, у нее был не выкидыш, а что-то в этом роде. Я не совсем понял, что именно, и никто мне толком не объяснил. Во всяком случае, она считала, что была беременна, а теперь это прошло; в больнице она пробыла всего несколько часов утром. Она была бледная, усталая и раздраженная, и я сказал, что ей не стоит предпринимать в этом состоянии столь длительную поездку по железной дороге. Мне хотелось узнать точнее, было ли ей больно, но она ничего не говорила, только несколько раз принималась плакать и плакала злыми слезами, не так, как раньше.

Я увидел маленького мальчика, он шел слева по улице к вокзалу; хоть мальчик промок до нитки, он выставил под проливной дождь открытый ранец. Крышку ранца он откинул назад и нес его прямо перед собой с таким выражением, с каким три волхва на картинках приносят младенцу Иисусу свои дары: ладан, злато и мирру. Я разглядел мокрые, уже почти разлезшиеся корешки учебников. Выражение лица мальчика напомнило мне Генриэтту. Мальчик был сосредоточен, углублен в себя и торжествен. Мария спросила с кровати:

— О чем ты думаешь?

— Ни о чем, — ответил я.

Я увидел, как мальчик медленным шагом прошествовал через привокзальную площадь и скрылся в дверях вокзала, мне стало страшно за него; эти торжественные пятнадцать минут ему дорого обойдутся: пять горьких минут объяснений с рассерженной матерью и удрученным отцом — в доме ни гроша, не на что купить новые учебники и тетради.

— О чем ты думаешь? — спросила Мария снова.

Я уже собрался было ответить «ни о чем», но потом вспомнил мальчика и рассказал ей, о чем я думал: о том, как мальчик приедет домой в какую-нибудь деревушку поблизости и будет, наверное, врать, потому что никто не поверит ему, как это на самом деле случилось. Он скажет, будто нечаянно поскользнулся и уронил ранец в лужу или же поставил его на минутку у водосточной трубы, а из трубы вдруг хлынули потоки воды прямо в ранец. Все это я говорил тихим, ровным голосом, но Мария прервала меня:

— Что это значит? Почему ты рассказываешь мне всякую чушь?

— Потому что я об этом думал в ту минуту, когда ты меня спросила.

Она не поверила всей этой истории с мальчиком, и я рассердился. Мы еще ни разу не солгали друг другу и ни разу не обвинили друг друга во лжи. Я так рассвирепел, что заставил ее встать, надеть туфли и побежать со мной на вокзал. В спешке я не захватил зонтик, мы совершенно промокли, но мальчика нигде не обнаружили. Мы прошли по залу ожидания, заглянули даже в христианскую миссию; в конце концов я спросил у железнодорожника на контроле, не отошел ли только что какой-нибудь поезд. Он сказал, что две минуты назад ушел поезд в Бомте. Я справился, не пропускал ли он на перрон промокшего до нитки мальчика, светловолосого, вот такого приблизительно роста. Железнодорожник взглянул на меня подозрительно:

— В чем дело? Он у вас что-то стащил?

— Нет, — сказал я, — просто я хочу знать, уехал ли мальчик этим поездом.

Мы с Марией стояли совершенно промокшие, и железнодорожник недоверчиво оглядывал нас с головы до ног.

— Вы случайно не из Рейнской области? — спросил он таким тоном, словно узнавал, не находился ли я под судом и следствием.

— Да, — сказал я.

— Справки такого рода я имею право выдавать только с разрешения начальства, — ответил он.

Уверен, что какой-нибудь парень из Рейнской области здорово напакостил ему, и наверное, в годы военной службы. Я знавал театрального осветителя, которого облапошил на военной службе какой-то берлинец; с тех пор он считал всех берлинцев и берлинок своими кровными врагами. Во время выступления одной берлинской акробатки он внезапно выключил свет, бедняжка оступилась и сломала себе ногу. Доказать его вину так и не удалось, все свалили на «короткое замыкание», но я уверен, что осветитель выключил свет нарочно, потому что акробатка родилась в Берлине, а какой-то берлинец облапошил его в армии. Железнодорожник на оснабрюкском вокзале смотрел на меня таким взглядом, что мне стало не по себе.

— Мы поспорили с этой дамой, — сказал я, — речь идет о пари.

Мне не надо было этого говорить, ведь я солгал, а когда я лгу, по моему лицу сразу видно.

— Ну-ну, — сказал он, — поспорили. Воображаю, как спорят в Рейнской области.

Одним словом, я так ничего и не добился. У меня мелькнула мысль взять такси, чтобы поехать в Бомте, подождать там на вокзале поезд и поглядеть, как с него сходит мальчик. Но он мог сойти на любой промежуточной станции до Бомте или после. В гостиницу мы вернулись совершенно мокрые и озябшие. Я втолкнул Марию в бар на первом этаже, мы подошли к стойке, я обнял ее и заказал две рюмки коньяку. Хозяин бара — он же владелец гостиницы — взглянул на нас так, словно он с удовольствием вызвал бы полицию. Накануне мы много часов подряд играли в рич-рач и заказывали себе в номер бутерброды с ветчиной и чай; утром Мария поехала в больницу, а когда вернулась, у нее не было ни кровинки в лице. Хозяин весьма небрежно подвинул к нам рюмки, и половина коньяку выплеснулась; он демонстративно не смотрел в нашу сторону.

— Ты мне не веришь? — спросил я Марию. — Я имею в виду мальчика.

— Да нет же, — ответила она, — верю.

Но она сказала это только из сострадания ко мне, а не потому, что действительно верила. А я был в бешенстве, так как у меня не хватало духу накричать на хозяина за пролитый коньяк. Рядом с нами стоял какой-то бандит и с присвистом тянул пиво. После каждого глотка он слизывал пену с губ и посматривал с таким видом, будто вот-вот заговорит со мной. Я всегда боюсь, как бы со мной не заговорил полупьяный немец определенной возрастной категории: такие немцы говорят только о войне и считают, что прошедшая война была «что надо», а когда они налижутся как следует, выясняется, что это просто убийцы и что все вообще «далеко не так уж страшно». Мария дрожала от холода; я снова подвинул рюмки хозяину через обитую никелем стойку, но Мария посмотрела на меня, покачав головой. Слава богу, на этот раз хозяин подал рюмки осторожно, не расплескав ни капли. От души у меня отлегло — теперь я мог не считать себя трусом. Бандит опрокинул рюмку водки и заговорил сам с собой:

— В сорок четвертом мы пили водку и коньяк ведрами... В сорок четвертом ведрами... а что не могли допить, выливали прямо на землю и зажигали... чтобы этим пентюхам достался шиш. — Он загоготал. — Шиш!

Я еще раз подвинул наши рюмки через стойку, хозяин налил только одну и, прежде чем наполнить вторую, вопросительно взглянул на меня; только теперь я заметил, что Марии уже нет. Я кивнул, и он налил вторую рюмку; я выпил обе и до сих пор горжусь тем, что сумел сразу же уйти. Мария лежала на неразобранной постели и плакала, и, когда я положил ей руку на лоб, она оттолкнула ее — тихо, мягко, но все же оттолкнула. Я сел возле нее, взял ее руку, и она не отняла ее. Я обрадовался. На улице уже стемнело, я просидел целый час на кровати возле Марии, держа ее руку в своей, и только потом заговорил. Я говорил вполголоса, опять рассказал ей историю про мальчика, и она пожала мне руку, словно желая сказать: «Да, я верю тебе, верю». Потом я попросил объяснить все же, что они делали с ней в больнице, и она сказала, что это, мол, «женские дела», «неопасно, но мерзко». От этих слов мне стало страшно. «Женские дела» пугают меня своей таинственностью; для меня они абсолютно непостижимы. Мы прожили с Марией три года, и только тут я впервые услышал, что эти дела вообще существуют. Конечно, я знал, как появляются на свет дети, но не имел представления о всяких деталях. Мне исполнилось двадцать четыре, и Мария была уже три года моей женой, когда я в первый раз услышал обо всем этом. Мария засмеялась, увидев, какой я простофиля. Она положила мою голову к себе на грудь и несколько раз повторила: «Ты хороший, ты такой хороший!» Вторым человеком, посвятившим меня в эти дела, был Карл Эмондс, мой школьный товарищ, который без конца возился с этими своими кошмарными подсчетами вероятия беременности.

После я еще сходил в аптеку, купил Марии снотворное и просидел возле нее на кровати до тех пор, пока она не заснула. По сию пору я не знаю толком, что с ней было и что ей пришлось перенести из-за этих «женских дел». На следующее утро я отправился в городскую библиотеку и прочел по специальному справочнику все, что только мог разыскать; на сердце у меня стало легче. А в середине дня Мария одна уехала в Бонн, она ничего не взяла с собой, кроме сумочки. И больше она не говорила, что и я мог бы поехать с ней.

— Встретимся послезавтра во Франкфурте, — сказала она.

Под вечер явилась полиция нравов, и я обрадовался, что Марии уже нет, хотя лично меня ее отсутствие ставило в крайне неприятное положение. Думаю, что на нас донес хозяин гостиницы. Разумеется, я всегда говорил, что Мария моя жена, и у нас только раза два или три были неприятности. Но в Оснабрюке я хлебнул горя. Явились два агента в штатском — мужчина и женщина, весьма вежливые и определенным образом вымуштрованные, дабы производить «хорошее впечатление» своими корректными манерами. А меня всегда донельзя раздражала эта особая полицейская вежливость.

Женщина была красивая и в меру накрашенная; она не садилась до тех пор, пока я не предложил ей сесть, и даже взяла у меня сигарету, а в это время ее коллега «незаметно» рыскал глазами по комнате.

— Фрейлейн Деркум уже не с вами?

— Да, — сказал я, — она уехала раньше, послезавтра мы встретимся во Франкфурте.

— Вы артист легкого жанра?

Я ответил «да», хотя это и не соответствовало истине; но я решил, что так будет проще.

— Войдите в наше положение, — сказала женщина, — нам приходится в выборочном порядке проверять приезжающих, которые прибегают к абортивному, — она покашляла, — лечению.

— Я вхожу в ваше положение, — сказал я. Правда, в справочнике я ничего не нашел об абортивном лечении. Агент отказался сесть, хотя в вежливой форме, и продолжал незаметно оглядываться по сторонам.

— Ваше постоянное местожительство? — спросила женщина.

Я дал ей наш боннский адрес. Она встала. Ее коллега бросил взгляд на открытый платяной шкаф.

— Это платья фрейлейн Деркум? — спросил он.

— Да, — сказал я.

Он с «многозначительным» видом взглянул на свою напарницу, но та только пожала плечами, он тоже пожал плечами, еще раз внимательно посмотрел на ковер, увидел пятно, нагнулся, потом посмотрел мне в глаза, словно ожидая, что сейчас я сознаюсь в убийстве. После этого они удалились. Весь спектакль до самого конца был проведен с отменной вежливостью. Как только они ушли, я поспешно уложил чемоданы, велел принести счет, вызвал с вокзала носильщика и уехал ближайшим поездом. Хозяину я заплатил даже за непрожитый день. Багаж я отправил во Франкфурт, а сам сел в первый попавшийся поезд, который шел в южном направлении. Мне было страшно, и я хотел скорее уехать. Укладывая чемоданы, я обнаружил кровь на полотенце Марии. Даже после того, как я наконец-то дождался франкфуртского поезда, я все боялся, что чья-то рука ляжет мне на плечо и незнакомец в штатском у меня за спиной вежливо спросит: «Сознаетесь?» И я бы сознался в чем угодно. Было уже за полночь, когда я проезжал Бонн. Но у меня не появилось ни малейшего желания выйти.

Я поехал дальше и прибыл во Франкфурт около четырех утра, остановился в гостинице, которая была мне не по карману, и позвонил в Бонн Марии. Я боялся, что ее не окажется дома, но она сразу же подошла к телефону и сказала:

— Ганс, слава богу, что ты позвонил, я так беспокоилась.

— Беспокоилась? — спросил я.

— Да, — ответила она, — я звонила в Ос-
набрюк, и мне сказали, что ты уехал. Я сейчас
же еду во Франкфурт. Сейчас же.

Я принял ванну, заказал в номер завтрак и
заснул; часов в одиннадцать меня разбудила Мария. Ее как будто подменили, она была очень
ласковая и, пожалуй, даже веселая. Я спросил ее:

— Ну как, надышалась католическим воздухом?

Мария засмеялась и поцеловала меня. О встрече с полицией я ей ни слова не сказал.

13

Некоторое время я раздумывал, не подлить ли
мне еще раз горячей воды, но вода в ванне уже
никуда не годилась, и я понял, что пора вылезать.
От воды колену стало хуже, оно опять распухло
и совсем затекло. Вылезая из ванны, я поскользнулся и чуть было не упал на красивый кафельный
пол. Я решил сейчас же позвонить Цонереру и
попросить, чтобы он пристроил меня в какую-нибудь акробатическую труппу. Растеревшись полотенцем, я закурил и начал разглядывать себя в
зеркале: здорово я осунулся. Зазвонил телефон, и
на секунду у меня проснулась надежда, что это
Мария. Но звонок был не ее. Может быть, звонил
Лео. Хромая, я добрался до столовой, снял трубку
и сказал:

— Алло.

— Надеюсь, — произнес Зоммервильд, — вы
не прервали из-за меня двойное сальто.

— Я не акробат, а клоун, — сказал я, приходя в бешенство, — и разница между этими профессиями, во всяком случае, такая же большая, как между иезуитом и доминиканцем... А если уж я решусь на что-нибудь двойное, так не на сальто, а на убийство.

Он засмеялся.

— Шнир, Шнир, — сказал он, — вы меня не на шутку тревожите. Неужели вы приехали в Бонн только для того, чтобы объявить нам всем по телефону войну?

— Разве я вам звонил? — спросил я. — По-моему, вы позвонили мне.

— Это не так уж важно, — возразил он.

Я молчал.

— Я прекрасно знаю, — начал он опять, — что вы меня недолюбливаете, не удивляйтесь, но я вас люблю, вы должны только признать за мной право проводить в жизнь определенные принципы, в которые я верю и которые я представляю.

— Если потребуется, то даже силой, — сказал я.

— Нет, нет, не силой, а всего лишь с надлежащей настойчивостью, — возразил Зоммервильд; он произносил слова очень четко, — как это необходимо в деле с известной нам особой.

— Почему вы называете Марию «особой»?

— Потому что, с моей точки зрения, очень важно рассматривать это дело как можно более объективно.

— Вы глубоко заблуждаетесь, прелат, — сказал я, — это дело в высшей степени субъективное.

Я мерз в халате, сигарета намокла и курилась кое-как.

— Если Мария не вернется, я убью не только вас, но и Цюпфнера.

— Ради бога, не впутывайте сюда Хериберта, — сказал он сердито.

— Хорошенькие шуточки, — сказал я, — некий господин уводит у меня жену, но как раз его-то и нельзя впутывать.

— Он не некий господин, а фрейлейн Деркум не была вашей женой... И потом, никто ее у вас не уводил, она сама ушла.

— Совершенно добровольно, не так ли?

— Да, — подтвердил он, — совершенно добровольно, хотя, возможно, в ней боролись чувственное и сверхчувственное начала.

— Ах так, — сказал я, — в чем же вы видите сверхчувственное начало?

— Шнир, — прервал он сердито, — я считаю вас, несмотря ни на что, хорошим клоуном... но в богословии вы совершенно не сведущи.

— Я сведущ в нем ровно настолько, чтобы понять, — сказал я, — что вы, католики, поступаете со мной, неверующим, так же жестоко, как иудеи поступали когда-то с христианами, а христиане с язычниками. Вы мне все уши прожужжали: закон, богословие... и все это, в сущности, из-за какого-то идиотского клочка бумаги, который должно выдать государство, да, государство.

— Вы путаете повод и причину, — сказал он, — но я вас понимаю, Шнир, я вас так хорошо понимаю.

— Ничего вы не понимаете, — сказал я, — и в результате заповедь о супружеской верности будет нарушена дважды. Один раз Мария нарушит ее, выйдя замуж за вашего Хериберта, второй раз она ее нарушит, когда в один прекрасный день опять сбежит ко мне. Ну, конечно, я мыслю недостаточно тонко и я недостаточно творческая личность, а главное, недостаточно хороший христианин, чтобы какой-нибудь прелат мог сказать мне: «Лучше бы вы, Шнир, продолжали свое внебрачное сожительство».

— Вы не улавливаете самого существенного — богословского различия между вашим случаем и тем, о котором мы в свое время спорили.

— А в чем различие? — спросил я. — Видимо, в том, что у Безевица более чувствительная натура... и что для вашего католического общества он — тяжелая артиллерия.

— Да нет же. — Он и впрямь рассмеялся. — Нет. Различие церковно-правовое. Б. жил с разведенной женой, на которой при всем желании не мог жениться по церковному обряду, в то время как вы... одним словом, фрейлейн Деркум не была разведенной женой и вашему браку ничто не препятствовало.

— Я же согласился подписать эту бумажку и был готов даже вступить в лоно Церкви.

— Готовы из чистого презрения.

— Хотите, чтобы я притворялся верующим, изображая чувства, которых у меня нет? Раз вы требуете соблюдения чисто формальных условий, настаиваете на праве и на законе... тогда почему вы упрекаете меня в отсутствии чувств?

— Я вас ни в чем не упрекаю.

Я молчал. Зоммервильд был прав, и это угнетало меня. Мария ушла сама, конечно, они встретили ее с распростертыми объятиями, но, если бы она хотела остаться со мной, никто не заставил бы ее уйти.

— Алло, Шнир, — сказал Зоммервильд. — Вы меня слушаете?

— Да, — сказал я, — я вас слушаю. — Разговор с ним я представлял себе совсем иначе. Я хотел поднять его с постели часа в три ночи, отчитать как следует и припугнуть.

— Чем могу вам помочь? — спросил он тихо.

— Ничем, — сказал я, — разве что убедить меня в том, что секретные переговоры в ганноверской гостинице велись с одной целью — укрепить любовь Марии ко мне... и я вам поверю.

— Вы совершенно не хотите понять, Шнир, что в отношениях фрейлейн Деркум к вам наступил кризис.

— А вы были тут как тут и показали ей всякие законные церковно-правовые лазейки, чтобы она могла расстаться со мной. А я-то считал, что Католическая церковь противница разводов.

— Боже мой, Шнир, — воскликнул он, — не можете же вы требовать, чтобы я, будучи католическим священнослужителем, помогал женщине упорствовать в грехе и жить вне брака?

— А почему бы и нет? — сказал я. — Ведь вы толкаете ее на путь разврата и супружеских измен... И если вы, будучи священником, согласны отвечать за это — воля ваша.

— Ваш антиклерикализм меня поражает. С этим я встречался только у католиков.

— Я вовсе не антиклерикал, не воображайте, я просто антизоммервильдовец, потому что вы нечестно играете и потому что вы двуличны.

— Боже мой, — сказал он, — откуда вы это взяли?

— Слушая ваши проповеди, можно подумать, что у вас душа широкая, как парус, ну а потом вы начинаете строить козни и шушукаться по углам в гостиницах. Пока я в поте лица своего добываю хлеб насущный, вы ведете секретные переговоры с моей женой, не потрудившись даже выслушать меня. Это и есть нечестная игра и двуличие... Впрочем, чего можно ждать от эстета?

— Ладно, ругайте меня, возводите напраслину. Я вас так хорошо понимаю.

— Ничего вы не понимаете; вы медленно, капля по капле, вливали в Марию отвратительную мутную смесь. Я предпочитаю напитки в чистом виде; чистый картофельный спирт для меня милее, чем коньяк, в который что-то подмешано.

— Продолжайте, вам необходимо отвести душу, — сказал он, — чувствуется, что вас это глубоко затрагивает.

— Да, меня это затрагивает, прелат, и внутренне, и внешне, потому что дело идет о Марии.

— Настанет день, когда вы поймете, что были несправедливы ко мне, Шнир. И в этом вопросе и во всех других... — он говорил чуть ли не со слезой в голосе, — а что касается смесей, то вы забываете, быть может, о людях, которые испытывают жажду, сильную жажду; лучше уж дать им не вполне чистый напиток, чем вовсе ничего не дать.

— Но ведь в вашем Священном Писании говорится о чистой, прозрачной воде... Почему вы не даете ее жаждущим?

— Быть может, потому, — сказал он с дрожью в голосе, — что я... что я, если следовать вашему сравнению... стою в самом конце длинной цепи, черпающей воду из источника. В этой цепи я сотый или даже тысячный, и вода не может дойти до меня незамутненной... и еще одно, Шнир. Вы слушаете?

— Слушаю, — сказал я.

— Можно любить женщину, не живя с ней.

— Вот как! — сказал я. — Теперь в ход пошла Дева Мария.

— Не богохульствуйте, Шнир, — сказал он, — это вам не к лицу.

— Я вовсе не богохульствую, — сказал я. — Допустим, я могу уважать то, что недоступно моему пониманию. Но я считаю роковой ошибкой, когда молодой девушке, которая не собирается идти в монастырь, предлагают брать пример с Девы Марии. Как-то раз я даже прочел целую лекцию на эту тему.

— Да ну! Где же? — спросил он.

— Здесь, в Бонне, — ответил я, — молодым девушкам в группе Марии. Я специально приехал из Кельна к ним на вечер, показал им несколько сценок и побеседовал с ними о Деве Марии. Спросите Монику Зильвс, прелат. Конечно, я не мог рассказать девушкам о том, что вы именуете «вожделением плоти»! Вы слушаете?

— Слушаю, — сказал он, — и поражаюсь. Вы впадаете в довольно-таки фривольный тон, Шнир.

— Черт возьми, прелат, — сказал я, — ведь акт, ведущий к рождению ребенка, до некоторой степени фриволен... впрочем, если желаете, мы можем потолковать об аисте. Но все ваши речи, проповеди и учения, касающиеся этой откровенной стороны жизни, — сплошное лицемерие. В глубине души вы считаете все это свинством, узаконенным браком в целях самозащиты от человеческой природы... или же строите себе всякие иллюзии, противопоставляя телесную любовь всем другим чувствам, сопутствующим ей... Но как раз эти сопутствующие чувства и есть самое сложное. Даже законная жена, с трудом выносящая своего супруга, связана с ним не только телесно... да и самый пропащий пьяница, который идет к проститутке, ищет у нее не только телесной любви, так же как и сама проститутка. Вы обращаетесь с любовью, как с бенгальским огнем... а она — динамит.

— Шнир, — сказал он вяло, — я поражен, как много вы размышляли на эту тему.

— Поражены? — закричал я. — Лучше бы вы поражались тупоголовым животным, для которых их жены — не что иное, как законная собственность. Спросите у Моники Зильвс, что я говорил тогда девушкам. С тех пор как я узнал, что принадлежу к мужскому полу, я почти ни о чем так много не думаю... И это вас поражает?

— У вас отсутствует всякое, даже самое минимальное представление о *праве* и *законе*. Ведь чувства, какими бы они ни были сложными, должны быть упорядочены.

— Да, — сказал я, — с вашими порядками мне пришлось познакомиться. Вы сами толкаете природу на тот путь, который именуется путем прелюбодеяния... а когда природа приходит в столкновение с законным браком, вам становится страшно. Тогда вы каетесь, получаете отпущение грехов, снова грешите, и так далее... Зато все у вас упорядоченно и законно.

Он засмеялся. Смех его звучал пошло.

— Шнир, — сказал он, — я начинаю понимать, что с вами. Очевидно, вы, как все ослы, однолюб.

— Оказывается, вы и в животных ничего не смыслите, — сказал я, — не говоря уже о homo sapiens. Ослов никак не назовешь однолюбами, хотя у них морды святош. У ослов совершенно неупорядоченные половые отношения. Моногамны только вороны, колюшки, галки и отчасти носороги.

— Но не Мария, — сказал он. Видимо, он сразу понял, что нанес мне этой короткой фразой тяжелый удар, и, понизив голос, добавил: — Весьма сожалею, Шнир. Я искренне хотел бы, чтобы всего этого не произошло. Поверьте!

Я молчал. Потом выплюнул окурок на ковер и проследил за тем, как горящий табак рассыпался и выжег в ковре маленькие черные дырочки.

— Шнир! — воскликнул он с мольбой. — Вы верите по крайней мере, что мне все это тяжело говорить?

— Какая разница — верю я или нет? — спросил я. — Но если желаете, пожалуйста — верю.

— Вы так много думали о человеческой природе, — сказал он, — а ведь, следуя природе, вы должны были поехать за Марией, бороться за нее.

— Бороться, — сказал я, — разве это слово значится в ваших проклятых законах о браке?

— Ваши отношения с фрейлейн Деркум не были браком.

— Хорошо, — сказал я. — Пусть будет по-вашему. Это был не брак. Но я почти каждый день пытался связаться с ней по телефону и ежедневно писал ей.

— Знаю, — сказал он. — Знаю. Но сейчас уже поздно.

— Сейчас остается только одно — открыто вмешаться в их брак, — сказал я.

— Вы на это неспособны, — возразил он. — Я вас знаю лучше, чем вы думаете; ругайтесь сколько хотите, угрожайте мне, я вам все равно скажу: самое ужасное в вас то, что вы человек незащищенный, я даже сказал бы — чистый. Чем вам помочь?.. Я имею в виду... — Он замолчал.

— Вы имеете в виду деньги? — спросил я.

— И это тоже, — ответил он, — но я говорю о ваших служебных делах.

— Возможно, я еще вернусь к разговору о деньгах и о делах, — сказал я. — ...Но где она теперь?

Я услышал его дыхание; стало очень тихо, и я впервые ощутил слабый запах: от него слегка пахло одеколоном, чуть-чуть красным вином и сигарой.

— Они поехали в Рим, — сказал он.

— Медовый месяц? Да? — спросил я хрипло.

— Да, так это называют, — ответил он.

— Блуд с соблюдением всех формальностей.

Я повесил трубку, не сказав ни спасибо, ни до свидания. Черные точки на ковре, которые прожгла моя сигарета, еще тлели, но я слишком устал, чтобы затоптать их. Мне было холодно, колено болело. Я чересчур долго просидел в ванне.

Со мной Мария не соглашалась ехать в Рим. Когда я предложил ей это, она покраснела и сказала:

— В Италию я поеду, а в Рим — нет.

Я спросил ее почему, и она ответила мне вопросом на вопрос:

— Неужели ты действительно не понимаешь?

— Нет, — сказал я.

Но она промолчала. Я с радостью поехал бы с ней в Рим, чтобы посмотреть на Папу. Мне кажется, я согласился бы даже постоять несколько часов на площади Святого Петра в ожидании Папы, а завидев его в окне, стал бы хлопать в ладоши и кричать «эвива!». Когда я сказал это Марии, она прямо-таки пришла в ярость. И уверяла, что это «своего рода извращенность», если такой агностик, как я, ликует при виде святого отца. Мария испытывала настоящую ревность. Я часто наблюдал это у католиков: подобно скупому рыцарю, они оберегают от всех свои сокровища — причастие, Папу... Кроме того, из всех категорий людей, какие я только встречал, католики наиболее высокого мнения о себе. Они высокого мнения и о сильных сторонах своей религии, и о слабых, и потом они ждут от каждого, кого считают хоть мало-мальски интеллигентным, что он вот-вот «обратится». Возможно также, Мария не хотела ехать со мной в Рим, боясь, что там наша совместная жизнь покажется ей особенно греховной. В некоторых вопросах она весьма наивна, да и не ахти как интеллигентна. Но ехать в Рим с Цюпфнером было с ее стороны подло. Уверен, что они получат аудиенцию у Папы и бедный святой отец будет называть ее «дочь моя», а Цюпфнера «мой добрый сын», не подозревая, что перед ним на коленях стоят блудник и блудница, люди, нарушившие святость брака. Может быть, она поехала с Цюпфнером в Рим также потому, что в Риме ей ничто не напоминало обо мне. Мы были с ней в Неаполе, в Венеции и во Флоренции, в Париже и в Лондоне, объездили множество немецких городов. В Риме ей не грозят воспоминания, и там она вволю надышится «католическим воздухом». Я решил еще раз позвонить Зоммервильду и сказать ему, что особенно недостойным я считаю его насмешки над моей склонностью к моногамии. Впрочем, почти всем образованным католикам присуща эта черта: обычно они отсиживаются за защитным валом из христианских догм и, настрогав из этих догм принципов, мечут их во все стороны. Но стоит столкнуть их лбами с так называемыми «вечными истинами», как они начинают посмеиваться и ссылаться на «человеческую природу». На худой конец они изображают на своих лицах насмешливую улыбку, как будто только что побывали у Папы и он снабдил их частичкой своей непогрешимости. Во всяком случае, если ты примешь всерьез те универсальные истины, которые они хладнокровно возвещают с кафедры, тебя объявят либо «протестантом», либо «человеком, лишенным чувства юмора». Когда ты серьезно обсуждаешь с ними вопросы брака, они пускают в ход своего Генриха Восьмого — этим козырем они ходят вот уже триста лет, чтобы показать, как тверда их Церковь. Если же католики хотят продемонстрировать, как она мягка, как терпима, они начинают рассказывать историйки наподобие той истории с Безевицем или вспоминают остроты епископов, но только в «кругу посвященных» — а под этим «кругом посвященных» все они: и левые и правые — в данном случае это не играет никакой роли — понимают людей «образованных и интеллигентных». Когда я предложил Зоммервильду рассказать историю о том прелате и о Безевице с кафедры, он разъярился. На кафедре они всегда оперируют своим главным козырем — Генрихом Восьмым, если речь идет о взаимоотношениях между мужчиной и женщиной! Королевство за брак! Право! Закон! Догматы католической религии!

Меня подташнивало, и притом по разным причинам: физически, потому что, кроме скудного завтрака в Бохуме, я не имел ничего во рту, не считая коньяка и сигарет; морально, потому что я представил себе, как Цюпфнер в своей гостинице в Риме смотрит на одевающуюся Марию. Могу поспорить, что он-то будет рыться в ее белье. Этим прилизанным католикам с ровными проборами, интеллигентным, праведным и образованным нужны сострадательные женщины. Мария — неподходящая жена для Цюпфнера. Для человека, как он, который ходит в безукоризненных костюмах, достаточно модных, чтобы не казаться старомодным, и все же не столь модных, чтобы выглядеть излишне щеголеватым, для человека, который каждое утро щедро обливается холодной водой и чистит зубы так усердно, словно хочет поставить мировой рекорд... для такого человека Мария малоинтеллигентна и к тому же она чересчур долго занимается по утрам своим туалетом. Люди типа Цюпфнера, перед тем как их поведут на аудиенцию к Папе, поспешно обмахивают свои башмаки носовым платком. Мне было жаль Папу за то, что они будут стоять перед ним на коленях. Лицо Папы озарится доброй улыбкой, и он от души порадуется этой красивой, симпатичной католической парочке из Германии... а ведь его опять обманут. Ему и невдомек будет, что он благословляет людей, нарушивших заповедь о супружеской верности.

Я пошел в ванную, досуха растерся полотенцем, оделся, пошел на кухню и поставил кипятить воду; Моника обо всем позаботилась. Спички лежали на газовой плитке, молотый кофе был в плотно закрывающейся банке, рядом лежала фильтровальная бумага; в холодильнике оказались ветчина, яйца, овощные консервы. Домашними делами я занимаюсь охотно только в том случае, если это единственная возможность сбежать от словоизвержений великовозрастных дядей. Когда Зоммервильд заводит разговор об «эросе», когда Блотхерт выдавливает из себя «ка-ка...нцлеров», а Фредебейль произносит ловко скомпилированную речь о Кокто... вот тогда я с радостью удираю на кухню, выжимаю из тюбиков майонез, разрезаю пополам маслины и делаю бутерброды с ливерной колбасой. Но если мне надо что-нибудь приготовить для себя, я совсем теряюсь, становлюсь неловким от одиночества, и необходимость открыть банку консервов или разбить на сковородку яйца ввергает меня в тяжкую меланхолию. По природе я не холостяк. Когда Мария болела или ходила на работу — во время нашей жизни в Кельне она недолго служила в писчебумажном магазине, — для меня не составляло особого труда возиться по хозяйству; после ее первого выкидыша я даже стирал постельное белье, пока наша хозяйка пребывала в кино.

Кое-как я открыл банку фасоли, не покалечив руки, и налил в кофейник кипящую воду; думал я о вилле, которую построил себе Цюпфнер. Года два назад я был у него.

14

Я представил себе, как она затемно приходит на эту виллу. Коротко подстриженный газон в лунном свете кажется почти что синим. Возле гаража груда срезанных веток — их свалил туда садовник. Между кустами дрока и боярышника мусорное ведро дожидается мусорщика. Пятница. Вечер. Она уже заранее знает, чем пахнет на кухне, — там пахнет рыбой, знает и то, от кого лежат записки: одна, на телевизоре, — от Цюпфнера: «Пришлось срочно пойти к Ф. Целую. Хериберт», другая, на холодильнике, от прислуги: «Пошла в кино, буду к десяти. Грета (Луиза, Биргит)».

Она отпирает ворота гаража, поворачивает выключатель: на белой стене — тень самоката и сломанной швейной машинки. В боксе Цюпфнера — «мерседес», стало быть, он пошел пешком. «Надо дышать свежим воздухом, надо хоть изредка дышать воздухом, свежим воздухом». Заляпанные грязью покрышки и крылья машины говорят о поездках на Эйфель, о докладах, прочитанных молодым католикам. («Стоять плечом к плечу, вместе бороться, вместе страдать».)

Она подымает глаза, но и в детской темно. Вокруг — ряды вилл, отделенные друг от друга отпечатками автомобильных шин и длинными цветочными грядками. Немощный свет телевизионных экранов. В этот час супруг и отец семейства, вернувшийся домой, — досадная помеха; помехой показалось бы и возвращение блудного сына, в его честь не закололи бы упитанного тельца, не зажарили бы даже цыпленка... Его бы тотчас пихнули к холодильнику — к огрызку ливерной колбасы.

В субботние вечера виллы братаются: волан от бадминтона перелетает через забор, котята или щенки заглядывают в чужие владения; воланы снова перебрасывают, котят и щенков переправляют через калитку или через отверстие в заборе: «Какая чудная кошечка!», «Какой чудный щенок!». В голосах почти не слышно раздражения, и никто не переходит на личности; только изредка раздражение прорывается наружу, как бы сходит с рельсов, и куролесит вовсю, нарушая покой соседского сада; и все из-за сущих пустяков, истинные причины скрыты: то со звоном разбилось блюдце, то волан помял цветы, или мальчишка, бросив камешек, поцарапал машину, или кто-нибудь обрызгал из шланга только-только выстиранное и выглаженное платье — тогда в голосах, которые звучат ровно даже при обмане, супружеской измене, абортах, появляются визгливые нотки.

— Ах, у тебя просто нервы разгулялись, прими что-нибудь успокаивающее.

Ничего не принимай, Мария.

Она открывает входную дверь: тихо и приятно тепло. Наверху спит маленькая Марихен. Время идет быстро: свадьба в Бонне, медовый месяц в Риме, беременность, роды... и вот уже каштановые кудри разметались по белоснежной детской подушке. Помнишь, как он показывал нам свой дом, как бодрым голосом оповещал: «В нем хватит места и на дюжину детей...» А теперь за завтраком он смотрит на тебя испытующим взглядом, и с губ у него готово сорваться: «Ну как?» — а его друзья по католическому союзу и по ХДС — те, что попроще, — после третьей рюмки коньяку выкрикивают: «Эдак вам не сработать дюжину!»

Люди шушукаются. Ты опять ходила в кино, ходила в кино, хотя день такой лучезарный и солнечный. Опять ходила в кино... Опять в кино. Весь вечер накануне ты провела у Блотхерта в их кружке, и в ушах у тебя до сих пор звучит «ка-ка-ка»; на этот раз он имел в виду не «...нцлера», а «...толон». Это слово засело у тебя в ушах, будто чужеродное тело. Будто нарыв. У Блотхерта всегда при себе нечто вроде счетчика Гейгера, определяющего наличие «католона». «У этого человека он есть... у этого его нет... у этой он есть... у этой его нет». Как при гадании на ромашке: «Любит — не любит. Любит». На «католон» проверяются футбольные команды и друзья по ХДС, правительство и оппозиция. Его так же ищут и так же невозможно найти, как расовые признаки: нос нордический, а рот галльский. У одного он точно есть, он им прямо обожрался, этим столь желанным, страстно искомым «католоном». У самого Блотхерта. Не попадайся ему на глаза, Мария. Запоздалая похоть, семинарские представления о шестой заповеди, а когда он упоминает грехи определенного свойства, то переходит на латынь — «ин сексто», «де сексто», и, конечно, это звучит совсем как «секс». А его милые детки! Старшим — восемнадцатилетнему Губерту и семнадцатилетней Маргарет — разрешается посидеть подольше, чтобы послушать поучительные разговоры взрослых. Разговоры о «католоне», сословном государстве, смертной казни, при упоминании о которой глаза госпожи Блотхерт начинают странно блестеть, а голос подымается до самых верхних визгливых нот, где смех и слезы сладострастно переходят друг в друга. Ты пыталась найти утешение в затхлом цинизме и левой ориентации Фредебейля. Тщетно. Так же тщетно возмущаться затхлым цинизмом и правой ориентацией Блотхерта. Существует хорошее словцо — «ничто». Не думай ни о чем — ни о канцлере, ни о «католоне». Думай о клоуне: он плачет в ванной и проливает кофе себе на шлепанцы.

15

Звук был мне знаком, но я не знал, как к нему отнестись: я довольно часто слышал его, но мне не приходилось при этом откликаться. У нас дома, когда звонили в парадное, открывала прислуга; я часто слышал колокольчик в лавке Деркумов, но никогда не подымался с места. В Кельне мы жили в пансионе, а в гостиницах звонят только по телефону. Я слышал звонок, но никак не воспринимал его.

Он показался мне чужим; в этой квартире он прозвучал всего дважды: один раз, когда мальчик принес молоко, и второй, когда Цюпфнер прислал Марии чайные розы. Розы принесли, когда я лежал в кровати; Мария вошла ко мне радостная, показала цветы, уткнула нос в букет, и тут разыгралась неловкая сцена: я думал, что цветы подарены мне. Иногда поклонницы посылали мне букеты в гостиницу. Я сказал Марии:

— Какие красивые розы! Возьми их.

Она посмотрела на меня и возразила:

— Но ведь их прислали мне.

Я покраснел. Мне стало страшно неприятно, и я вспомнил, что никогда не дарил Марии цветов. Конечно, я приносил ей букеты, которые мне вручали на сцене, но я не покупал для нее цветы — ведь за букеты на сцене большей частью приходилось платить самому.

— Кто послал тебе эти розы? — спросил я.

— Цюпфнер, — ответила она.

— Черт бы его подрал, — сказал я. — Что это значит? — Я вспомнил, как они шли, держась за руки.

Мария покраснела и сказала:

— Почему бы ему не послать мне цветы?

— Ты должна ставить вопрос иначе, — сказал я, — почему, собственно, он послал тебе цветы?

— Мы старые друзья, — сказала она, — может быть, он мой поклонник.

— Очень мило, — сказал я, — поклонник поклонником, но дарить такой большой букет дорогих цветов — значит навязываться. По-моему, это дурной вкус.

Она оскорбилась и вышла из комнаты.

Когда позвонил мальчик с молоком, мы сидели в столовой. Мария вышла, открыла ему дверь и дала деньги. В этой квартире к нам только раз пришел гость — Лео, и это случилось перед тем, как он обратился в католичество. Но Лео не звонил, он поднялся наверх вместе с Марией.

Звонок звучал странно: робко и вместе с тем настойчиво. Я страшно испугался — неужели это Моника? Могло даже случиться, что ее под каким-нибудь предлогом послал Зоммервильд. Во мне сразу проснулся комплекс Нибелунгов. Я побежал в переднюю в насквозь мокрых шлепанцах и никак не мог найти кнопку, на которую надо нажать. Пока я искал ее, мне пришло в голову, что у Моники есть ключ от входной двери. Наконец я нашел кнопку, нажал на нее, и внизу тихо загудело, как гудит пчела на оконном стекле. Я вышел на площадку и встал у лифта. Сперва зажглась красная лампочка «занято», потом цифра «один», потом «два». Я с беспокойством уставился на шкалу и вдруг заметил, что рядом со мной кто-то стоит. В испуге я обернулся и увидел красивую женщину со светлыми волосами, худощавую, но в меру, с очень милыми светло-серыми глазами. Ее красная шляпка была, на мой вкус, слишком яркой. Я улыбнулся, она улыбнулась в ответ и сказала:

— Видимо, вы и есть господин Шнир... моя фамилия Гребсель, я ваша соседка. Очень рада наконец-то увидеть вас воочию.

— Я тоже рад, — сказал я, и это не были пустые слова: на госпожу Гребсель, несмотря на ее слишком яркую шляпку, было приятно смотреть. В руках у нее я заметил газету «Голос Бонна»; она проследила за моим взглядом и сказала, покраснев:

— Не обращайте внимания.

— Я залеплю этому негодяю пощечину, — сказал я. — Если бы вы только знали, какой это лицемерный подонок... к тому же он обжулил меня на целую бутылку водки.

Она засмеялась.

— Мы с мужем будем рады наконец-то познакомиться с вами. Вы здесь еще побудете?

— Да, — сказал я, — я вам как-нибудь позвоню, если разрешите... у вас всё — тоже цвета ржавчины?

— Ну конечно, ведь цвет ржавчины — отличительная особенность пятого этажа.

Лифт немного задержался на третьем этаже, потом зажглась цифра «четыре», потом «пять», я распахнул дверцу и в изумлении отступил. Из лифта вышел отец; поддержав дверцу, он пропустил в кабину госпожу Гребсель и повернулся ко мне.

— Боже мой, — сказал я, — отец. — Я никогда не называл его отцом, всегда говорил «папа».

— Ганс! — Он сделал неловкую попытку обнять меня.

Я вошел первым в квартиру, взял у него шляпу и пальто, открыл дверь столовой и показал рукой на тахту. Он неторопливо огляделся.

Оба мы чувствовали сильное смущение. Смущение, видимо, непременная предпосылка того, чтобы родители и дети вообще могли говорить друг с другом. Вероятно, мой возглас «отец» прозвучал крайне патетически, и это только усугубило наше смущение, и без того неизбежное. Отец сел в одно из кресел цвета ржавчины; взглянув на меня, он покачал головой: мои шлепанцы были насквозь мокрые, носки тоже промокли, а купальный халат был чересчур длинен и в довершение всего огненно-красного цвета.

Отец мой невысок ростом, изящен, и он настолько элегантен без всяких на то усилий, что деятели из телецентра буквально рвут его на части, когда проводятся диспуты по вопросам экономики. Он прямо-таки излучает доброжелательность и здравый смысл; немудрено, что за последние годы отец получил бо́льшую известность в качестве «звезды» телеэкрана, чем он приобрел бы за всю жизнь в качестве владельца угольного концерна. Все грубое ему ненавистно. По его внешности следует ожидать, что он курит сигары — не толстые, а легкие тонкие сигары; и то, что промышленный магнат, которому уже под семьдесят, курит сигареты, удивляет и наводит на мысль о непринужденности и демократичности. Я вполне понимаю, почему его суют во все диспуты, где речь идет о деньгах. Он не просто излучает доброжелательность, видно, что он и впрямь человек доброжелательный. Я протянул ему сигареты, дал прикурить, и, когда я при этом нагнулся, он сказал:

— Я не так уж хорошо разбираюсь в жизни клоунов, хотя кое-что знаю о ней. Но то, что они принимают кофейные ванны, для меня новость.

Отец может иной раз мило сострить.

— Я не принимаю кофейных ванн, отец, — сказал я, — я просто хотел налить себе кофе, и, как видишь, неудачно. — Сейчас я уж точно должен был назвать его «папой», но спохватился слишком поздно. — Хочешь чего-нибудь выпить?

Он улыбнулся, недоверчиво посмотрел на меня и спросил:

— А что у тебя есть?

Я отправился на кухню: в холодильнике стоял початый коньяк, несколько бутылок минеральной воды, лимонад и бутылка красного вина. Я взял всего по бутылке, вернулся в столовую и расставил батарею бутылок на столе перед отцом. Он вынул из кармана очки и приступил к изучению этикеток. Покачав головой, он прежде всего отставил коньяк.

Я знал, что он любит коньяк, и поэтому обиженно спросил:

— Кажется, это хорошая марка?

— Марка превосходная, — сказал он, — но самый лучший коньяк теряет свои качества, если его охладили.

— О боже, — сказал я, — разве коньяк не ставят в холодильник?

Он посмотрел на меня поверх очков с таким выражением, словно я только что был уличен в скотоложстве. На свой лад отец эстет: он способен за завтраком раза по три, по четыре возвращать на кухню хлеб, пока Анна не подсушит его ровно настолько, насколько он находит это нужным; это немое сражение разыгрывалось у нас каждое утро, ибо Анна считала подсушенный хлеб «глупой англосаксонской выдумкой».

— Коньяк в холодильнике, — сказал отец презрительно, — ты действительно не знаешь этого... или просто прикидываешься? Тебя вообще трудно понять.

— Нет, не знаю, — ответил я. Он взглянул испытующе, улыбнулся и, казалось, поверил мне.

— А ведь я потратил столько денег на твое воспитание, — сказал он.

Эта фраза должна была прозвучать в том шутливом тоне, в каком семидесятилетнему отцу удобнее всего беседовать со своим совершенно взрослым сыном, но шутки не получилось — слово «деньги» заморозило ее. Покачав головой, отец отверг также лимонад и красное вино.

— Считаю, — сказал он, — что в данных обстоятельствах самый подходящий напиток — минеральная вода.

Я вынул из серванта два стакана и открыл бутылку с минеральной водой. На сей раз я, кажется, не допустил никаких оплошностей. Отец, наблюдавший за мной, благосклонно кивнул.

— Тебе не помешает, — спросил я, — если я останусь в халате?

— Помешает, — ответил он, — безусловно. Оденься, пожалуйста, по-человечески. Твое одеяние и этот запах кофе придают нечто комичное всей сцене, что ей вовсе не присуще. Я намерен поговорить с тобой серьезно. Кроме того... извини, что я называю вещи своими именами... мне глубоко неприятно любое проявление расхлябанности — ты это, надеюсь, помнишь.

— Это не проявление расхлябанности, — возразил я, — а потребность в разрядке.

— Не знаю, сколько раз в жизни ты действительно был послушным сыном, сейчас ты не обязан меня слушаться. Я тебя просто прошу — сделай мне одолжение.

Я поразился. Раньше отец был человек скорее застенчивый и малоразговорчивый. Но в этих телестудиях он навострился рассуждать и дискутировать, сохраняя «присущее ему обаяние». А я слишком устал, чтобы противиться его обаянию.

Я пошел в ванную, стянул с себя облитые кофе носки, вытер ноги, надел рубашку, брюки, пиджак и босиком побежал на кухню; там я вывалил на тарелку целую гору подогретой фасоли и не долго думая выпустил туда же сваренные всмятку яйца — белок я выскреб из скорлупы чайной ложечкой, — взял ломоть хлеба, ложку и опять пошел в столовую. Лицо отца мастерски выразило любопытство, смешанное с отвращением.

— Извини, — сказал я, — но с девяти утра я сегодня не имел ни крошки во рту; думаю, тебе не доставит удовольствия, если я паду к твоим ногам бездыханный.

Он принужденно улыбнулся, покачал головой, вздохнул и сказал:

— Ну хорошо... но учти, что *одни* только белковые вещества вредны для здоровья.

— Я съем потом яблоко, — сказал я. Перемешал фасоль с яйцами, откусил кусок хлеба и отправил в рот ложку этого варева — оно показалось мне очень вкусным.

— Советую тебе хотя бы полить томатным соком, — сказал он.

— У меня нет томатного сока, — ответил я.

Я ел чересчур быстро, и те звуки, которые неизбежно сопутствовали моей еде, видимо, раздражали отца. Он пытался скрыть свое отвращение, но это ему явно не удавалось; в конце концов я поднялся, пошел на кухню и, стоя у холодильника, доел фасоль; во время еды я смотрел на себя в зеркало, которое висит над холодильником. В последний месяц я не делал даже самой необходимой гимнастики — гимнастики лицевых мускулов. Клоун, у которого весь эффект построен на том, что его лицо неподвижно, должен очень следить за подвижностью лица. Первое время я начинал упражнения с того, что показывал себе язык; я как бы приближал свое лицо к себе, чтобы потом отдалить его. Впоследствии я отказался от этого, я просто смотрел на себя в зеркало, не делая никаких гримас, по полчаса каждый день; смотрел до тех пор, пока не терял ощущение собственного «я»; но я не Нарцисс, не склонен к самолюбованию, поэтому мне иногда казалось, что я схожу с ума. Я просто забывал, что это я и что я вижу собственное лицо; кончая упражнения, я поворачивал зеркало к стене, а потом среди дня, проходя случайно мимо зеркала в ванной или в передней, каждый раз пугался: на меня смотрел совершенно незнакомый человек, человек, о котором я не мог сказать, серьезен он или дурачится, — длинноносый белый призрак... И я со всех ног мчался к Марии, чтобы увидеть себя в ее глазах. С тех пор как Мария ушла, я не могу делать гимнастики лицевых мускулов — боюсь сойти с ума. Кончив упражнения, я всегда подходил к Марии совсем близко, и в ее зрачках снова находил себя — крохотное, немного искаженное лицо, но все же я его узнавал: это было мое лицо, то самое, которого я пугался в зеркале. Но как объяснить Цонереру, что без Марии я не могу репетировать перед зеркалом? Теперь я наблюдал себя за едой; мне было не страшно, а просто грустно. Я отчетливо видел ложку, фасоль с кусочками яичного белка и желтка, ломоть хлеба, который становился все меньше. Зеркало показало мне печальную действительность: пустую тарелку, ломоть хлеба, который становился все меньше, и слегка испачканный рот, я вытер его рукавом пиджака. Сейчас я не репетировал. Не было человека, который мог бы вернуть меня самому себе. Я медленно побрел опять в столовую.

— Уже? Ты слишком торопишься, — сказал отец. — Слишком быстро ешь. Ну, а теперь садись, давно пора. Разве ты не пьешь после еды?

— Пью, — сказал я. — Я собирался сварить себе кофе, но у меня ничего не вышло.

— Хочешь, я сварю тебе кофе? — спросил он.

— Разве ты умеешь? — удивился я.

— Говорят, что я делаю очень вкусный кофе, — сказал он.

— Не надо, — сказал я, — выпью минеральной воды, какая разница.

— Но мне это ничего не стоит, — настаивал он.

— Нет, — сказал я, — спасибо. — В кухне творится бог знает что. Огромная кофейная лужа, на полу валяются пустые консервные банки и яичная скорлупа.

— Хорошо, как хочешь.

Он казался до смешного обиженным. Налил мне минеральной воды, протянул свой портсигар, я взял сигарету, он дал мне прикурить. Мы сидели и курили. Мне стало его жаль. Тарелка с горой фасоли, как видно, совсем сбила его с толку. Он, безусловно, ожидал встретить у меня то, что он именует богемой: нарочитый беспорядок, ультрамодные штучки на потолке и на стенах, но наша квартира обставлена случайными вещами, скорее в мещанском вкусе, и это, как я заметил, угнетало его. Сервант мы купили по каталогу мебельного магазина, на стенах у нас почти сплошь репродукции, и притом лишь две с абстрактных картин; единственное, что мне нравится, — это две акварели работы Моники Зильвс над комодом: «Рейнский ландшафт III» и «Рейнский ландшафт IV» — темно-серые тона и едва различимые белые мазки... Те немногие красивые вещи, которые у нас есть, — стулья, вазы и столик на колесиках в углу — купила Мария... Отец принадлежит к числу людей, нуждающихся в определенной атмосфере, а атмосфера нашего дома тревожила его, сковывала язык.

— Ты узнал, что я здесь, от матери? — спросил я наконец, после того как мы, не вымолвив ни слова, закурили уже по второй сигарете.

— Да, — ответил он, — неужели ты не можешь избавить ее от твоих шуток?

— Если бы она заговорила со мной не от имени этого бюро, все было бы совсем по-другому, — сказал я.

— Ты имеешь что-нибудь против этого бюро? — спросил он спокойно.

— Нет, — сказал я, — очень приятно, что расовые противоречия хотят смягчить, но я воспринимаю расы иначе, чем бюро. Негры, к примеру, стали у нас последним криком моды... я уже хотел было предложить матери моего хорошего знакомого, негра, в качестве нахлебника... И ведь, подумать только, одних негритянских рас на земле несколько сот. Бюро никогда не останется безработным. Есть еще и цыгане, — сказал я. — Хорошо бы мама пригласила их к себе на файф-о-клок. Целым табором. Дел еще много!

— Не об этом я хотел говорить с тобой, — сказал он.

Я молчал. Он посмотрел на меня и тихо добавил:

— Я собирался поговорить с тобой о деньгах.

Я все еще молчал.

— Полагаю, что ты попал в довольно-таки затруднительное положение. Ответь мне наконец!

— Затруднительное положение — еще мягко сказано. По всей вероятности, я не смогу выступать целый год. Смотри. — Я закатал штанину, показал опухшее колено, опять опустил штанину и указательным пальцем правой руки ткнул себя в грудь. — И еще здесь, — сказал я.

— Боже мой, — воскликнул он. — Сердце?

— Да, — сказал я. — Сердце.

— Я позвоню Дромерту и попрошу его принять тебя. Он у нас лучший сердечник.

— Ты меня не понял, — сказал я, — мне не нужно показываться Дромерту.

— Но ведь ты сказал — сердце.

— Вероятно, я должен был сказать — душа, душевное состояние, внутреннее состояние... но мне казалось, что сердце тоже подходит.

— Вот оно что, — заметил он сухо, — ты имеешь в виду эту историю.

«Эту историю» Зоммервильд, наверное, рассказал ему в Благородном собрании за игрой в скат между двумя кружками пива, после того как кто-то остался «без трех» с тузом червей на руках. Отец поднялся и начал ходить взад и вперед, потом остановился за креслом, оперся на спинку и посмотрел на меня сверху вниз.

— Боюсь, это звучит глупо и покажется громкими словами, если я скажу: тебе не хватает качества, которое отличает истинного мужчину, — умения примиряться с обстоятельствами.

— Это я уже сегодня раз слышал, — ответил я.

— Тогда выслушай еще раз — примирись с обстоятельствами.

— Оставь, — сказал я устало.

— Как ты думаешь, легко мне было, когда Лео пришел и сказал, что он обратится в католичество? Для меня это был такой же удар, как смерть Генриэтты... Мне не было бы так больно, если бы он сказал, что станет коммунистом. Я еще могу как-то понять, когда молодой человек предается иллюзиям о социальной справедливости и тому подобном. Но это... — Он обеими руками вцепился в спинку кресла и резко мотнул головой. — Это... нет. Нет!

Как видно, ему и впрямь было больно. Он побледнел и теперь казался старше своих лет.

— Садись, отец, — сказал я, — выпей рюмку коньяку.

Он сел и кивком указал на коньячную бутылку; я вынул из серванта рюмку, налил ему коньяк, он взял рюмку и выпил, не поблагодарив меня и не предложив мне выпить с ним.

— Ты этого не можешь понять, — сказал он.

— Да, — согласился я.

— Мне страшно за каждого молодого человека, который в это верит, — сказал он, — поэтому мне было так невыносимо тяжело. И все же я примирился... примирился. Что ты на меня так смотришь?

— Я должен попросить у тебя прощения, — сказал я. — Когда я видел тебя на экране телевизора, мне казалось, что ты великолепный актер. Отчасти даже клоун.

Он недоверчиво, почти с обидой взглянул на меня, и я поспешно добавил:

— Нет, действительно, папа, ты бесподобен. — Я был рад, что мне наконец удалось назвать его «папой».

— Мне просто-напросто навязали эту роль, — сказал он.

— Она как раз по тебе, — сказал я, — когда ты ее играешь, получается здорово.

— Я никогда не играю, — сказал он серьезно, — никогда, мне незачем играть.

— Тем хуже для твоих врагов, — заметил я.

— У меня нет врагов, — возмутился он.

— Еще хуже для твоих врагов, — сказал я.

Он опять недоверчиво взглянул на меня, потом засмеялся и сказал:

— Но я правда не считаю их своими врагами.

— Значит, дело обстоит намного хуже, чем я думал, — сказал я, — разве те, с кем ты все время рассуждаешь о деньгах, так-таки не понимают, что вы умалчиваете о самом главном... или вы договариваетесь заранее, до того, как ваши изображения появятся на экранах?

Он налил себе еще рюмку и вопросительно посмотрел на меня.

— Я хотел поговорить о твоем будущем.

— Минутку, — сказал я, — меня просто интересует, как это получается. Вы без конца толкуете о процентах — десять процентов, двадцать, пять, пятьдесят... но вы ни разу не обмолвились, с какой суммы берутся эти проценты.

Он поднял рюмку, выпил ее и взглянул на меня; вид у него был довольно глупый.

— Я хочу сказать вот что: я не силен в арифметике и все же знаю, что сто процентов от полпфеннига равняются полпфеннигу, а пять процентов от миллиарда составляют пятьдесят миллионов... Понимаешь?

— Боже мой, — сказал он, — неужели у тебя есть время смотреть телевизор?

— Да, — ответил я, — после этой истории, как ты ее называешь, я часто смотрю телевизор... Это приятно опустошает. Я становлюсь совсем пустым; и, если с собственным отцом встречаешься не чаще чем раз в три года, невольно радуешься, увидев его на экране. Где-нибудь в пивнушке за кружкой пива... в полутьме. Иногда меня прямо распирает от гордости за тебя; ну и ловко ты изворачиваешься, чтобы кто-нибудь не спросил невзначай о сумме, с которой исчисляются проценты.

— Ошибаешься, — сказал он холодно, — мне не к чему изворачиваться.

— Неужели тебе не скучно жить без врагов?

Он встал и сердито посмотрел на меня. Я тоже встал. Теперь мы оба стояли позади своих кресел, положив руки на спинки. Я засмеялся:

— Как клоуна меня, конечно, интересуют современные формы пантомимы. Однажды, сидя один в задней комнате пивной, я выключил у телевизора звук. Великолепное зрелище! Я увидел, как чистое искусство вторгается в политику заработной платы, в экономику. Жаль, что ты так и не посмотрел мою сценку «Заседание наблюдательного совета».

— Я хочу тебе кое-что сказать, — прервал меня отец. — Я беседовал о тебе с Геннехольмом. Просил его посмотреть несколько твоих вещичек и представить мне своего рода... своего рода аттестацию.

Вдруг я зевнул. Это было невежливо, но я ничего не мог поделать, хотя ясно сознавал, как это некстати. Ночью я плохо спал, а день у меня выдался трудный. Но если ты встретился с отцом после

191

трехлетней разлуки и, собственно, впервые в жизни разговариваешь с ним серьезно, зевать отнюдь не рекомендуется. Я очень волновался, но чувствовал себя смертельно усталым; жаль, что именно в эту минуту я не мог сдержать зевка. Фамилия Геннехольм оказывала на меня такое же действие, как снотворное. Людям отцовской породы необходимо иметь все *самое лучшее*: лучшего в мире специалиста-сердечника Дромерта, самого лучшего в ФРГ театрального критика Геннехольма, самого лучшего портного, самую лучшую марку шампанского, самый лучший отель, самого лучшего писателя. И это скучно. Мой зевок обернулся чем-то вроде припадка зевоты: мускулы рта трещали. Геннехольм — гомосексуалист, но это обстоятельство не меняет дела: его фамилия наводит на меня скуку, гомосексуалисты бывают очень занятными, но как раз занятные люди кажутся мне скучными, особенно если они эксцентричные, а Геннехольм был не только гомосексуалистом, но и человеком эксцентричным. Он являлся почти на все приемы, которые устраивала мать, и прямо-таки налезал на своего собеседника; волей-неволей вас обдавало его дыханием и вы получали полную информацию о его последней трапезе. Года четыре назад, когда я виделся с ним в последний раз, от Геннехольма пахло картошкой с луком, и от этого запаха его пунцовый жилет и рыжие мефистофельские усики потеряли для меня всю свою экстравагантность. Он любил острить, и все знали, что он остряк, поэтому ему приходилось все время острить. Утомительное занятие.

— Прости меня, — сказал я, убедившись, что приступ зевоты на время прошел. — Ну и что говорит Геннехольм?

Отец был обижен. Это случается с ним каждый раз, когда в его присутствии дают себе волю; моя зевота, таким образом, огорчала его не в частном, а в общем плане. Он покачал головой так же, как и над тарелкой моего варева из фасоли.

— Геннехольм с большим интересом наблюдает за твоим ростом, он к тебе очень благоволит.

— У гомосексуалистов всегда теплится надежда, — сказал я. — Это народ цепкий.

— Перестань! — резко оборвал меня отец. — Радуйся, что у тебя есть такой влиятельный и знающий доброжелатель.

— Я вне себя от счастья, — сказал я.

— Однако все то, что ты создал до сих пор, вызывает у него весьма серьезные возражения. Ты должен изжить все, что идет от Пьеро; и хотя у тебя есть данные стать Арлекином, на это не стоит размениваться... ну, а как клоун ты никуда не годишься. По его мнению, единственно правильный путь для тебя — решительный переход к пантомиме... Ты слушаешь? — С каждой минутой его голос становился все резче.

— Говори, говори, — ответил я, — я слышу каждое твое слово, каждое твое мудрое и веское слово. Не обращай внимания, что я закрыл глаза.

Пока он цитировал Геннехольма, я закрыл глаза. Это подействовало на меня успокаивающе и освободило от необходимости созерцать темно-коричневый комод, который стоял у стены позади отца. Комод был отвратительный и чем-то напоминал школу: темно-коричневый с черными ручками и со светло-желтыми инкрустациями на верхней кромке. Он перешел к нам из дома Деркумов.

— Говори, — сказал я, — продолжай. — Я смертельно устал, у меня болел живот, болела голова, и я стоял в такой напряженной позе за креслом, что колено мое начало еще больше опухать. Плотно прикрыв веки, я видел свое лицо, так хорошо изученное мной за тысячи часов упражнений перед зеркалом: лицо мое, покрытое белым гримом, было совершенно неподвижно, даже ресницы и брови были неподвижны, жили только глаза; медленно поворачивая их из стороны в сторону, словно испуганный кролик, я достигал определенного эффекта, и критики типа Геннехольма писали, что я обладаю «поразительной способностью изображать звериную тоску». Теперь я был мертв; на много тысяч часов заперт наедине с собственным лицом... И уже не мог спастись, погрузив свой взгляд в глаза Марии.

— Говори же, — сказал я.

— Он советует послать тебя к кому-либо из лучших педагогов. На год, на два, может быть, только на полгода. Геннехольм считает, что ты должен сконцентрироваться на чем-то одном — учиться и достичь такой степени самосознания, чтобы опять вернуть себе непосредственность. Ну а главное — это тренировка, тренировка и еще раз тренировка и... Ты меня слушаешь? — Его голос звучал, слава богу, мягче.

— Да, — сказал я.

— И я готов предоставить тебе средства.

Мне казалось, что мое колено стало толстым и круглым, как газовый баллон. Не подымая век, я, как слепой, нащупал кресло, сел в него, ощупью разыскал на столе сигареты. Отец издал крик ужаса. Я настолько хорошо изображаю слепых, что все думают, будто я действительно ослеп. Я сам поверил в свою слепоту, может быть, я так и останусь слепым? Я изображал не слепого, а человека, только что потерявшего зрение. И когда мне удалось наконец сунуть в рот сигарету, я ощутил пламя отцовской зажигалки и почувствовал, как сильно дрожит его рука.

— Ганс, — воскликнул он с испугом, — ты болен?

— Да, — сказал я тихо, раскурил сигарету и сделал глубокую затяжку, — я смертельно болен, но не слеп. У меня болит живот, болит голова, болит колено, и моя меланхолия растет как на дрожжах... Но самое скверное — это то, что Геннехольм прав, он прав эдак процентов на девяносто пять; я знаю и знаю даже, что он еще говорил. Он упоминал Клейста?

— Да, — ответил отец.

— Говорил, что сперва я должен почувствовать себя опустошенным, потерять свою душу, с тем чтобы потом обрести ее вновь? Говорил?

— Да, — сказал отец, — откуда ты знаешь?

— О боже, — ответил я. — Я ведь изучил все его теории и знаю, где он их позаимствовал. Но я вовсе не хочу терять душу, я хочу получить ее обратно.

— Ты ее потерял?

— Да.

— Где она?

— В Риме, — ответил я, открыл глаза и засмеялся.

Отец действительно натерпелся страху, побледнел как полотно и сразу постарел. Он тоже засмеялся, с облегчением, но сердито.

— Скверный мальчишка! — сказал он. — Стало быть, ты все это разыграл?

— К сожалению, далеко не все и не очень удачно. Геннехольм сказал бы, что я не преодолел натурализм... и он был бы прав. Гомосексуалисты большей частью правы, у них сверхъестественная интуиция... зато все остальное отсутствует. Спасибо и на том.

— Скверный мальчишка! — повторил отец. — Тебе удалось меня провести.

— Нет, — сказал я, — нет, я провел тебя не больше, чем настоящий слепой. Поверь, совсем не обязательно шарить руками и хвататься за стенки. Есть слепые, которые играют слепых, хотя они и впрямь слепые. Хочешь, я проковыляю сейчас до двери так, что ты закричишь от боли и жалости и кинешься звонить врачу, самому лучшему в мире хирургу, Фретцеру? Хочешь? — Я уже поднялся.

— Оставь эти штуки, — сказал отец с мучительной гримасой.

Я снова сел.

— Но и ты тоже садись, пожалуйста, — сказал я, — прошу тебя, ты все время стоишь, и это действует мне на нервы.

Он сел, налил себе стакан минеральной воды и посмотрел на меня в замешательстве.

— Тебя не поймешь, — сказал он. — А я хочу получить вразумительный ответ. Я готов оплатить твое учение, куда бы ты ни поехал: в Лондон, в Париж, в Брюссель. Надо выбрать самое лучшее.

— Нет, — сказал я устало, — совсем не надо. Учение мне уже не поможет. Я должен работать.

196

Я учился и в тринадцать лет, и в четырнадцать — до двадцати одного. Только вы этого не замечали. Если Геннехольм считает, что мне надо еще чему-то учиться, — он глупее, чем я ожидал.

— Он профессионал, — сказал отец, — самый лучший из всех, кого я знаю.

— Да и лучший из всех, какие у нас вообще имеются, — ответил я. — Но он профессионал и ничего больше; он неплохо знает театр: трагедию, комедию, комедию масок, пантомиму. Но посмотри, к чему приводят его собственные попытки лицедействовать, — ни с того ни с сего он появляется в лиловых рубашках с черным шелковым бантом. Любой дилетант сгорел бы со стыда. Дух критиканства не самое худшее в критиках, ужасно то, что они так некритичны к самим себе и начисто лишены чувства юмора. Ну конечно, это его профессия... но если он думает, что после шести лет работы на сцене мне следует снова сесть за парту... Какая чушь!

— Стало быть, тебе не нужны деньги? — спросил отец.

В его голосе я уловил нотку облегчения, и это заставило меня насторожиться.

— Напротив, — сказал я, — мне необходимы деньги.

— Что же ты намерен предпринять? Хочешь выступать вопреки всему?

— Вопреки чему? — спросил я.

— Ну, ты ведь знаешь, — сказал он смущенно, — что о тебе пишут.

— А что обо мне пишут? — спросил я. — Вот уже три месяца, как я выступаю только в провинции.

— Мне подобрали все рецензии, — сказал он, — мы с Геннехольмом их проштудировали.

— К дьяволу! — сказал я. — Сколько ты ему заплатил?

Отец покраснел.

— Оставь, — сказал он, — итак, что ты намерен предпринять?

— Репетировать, — сказал я, — работать полгода, год, сам не знаю сколько.

— Где?

— Здесь. Где же еще?

Ему стоило усилий не выдать своей тревоги.

— Я не буду вам в тягость и не стану вас компрометировать; даже на ваши «журфиксы» не покажу носа, — сказал я.

Он покраснел. Несколько раз я являлся к ним на «журфиксы», как явился бы любой посторонний, а не в семейном порядке, так сказать. Я пил коктейли, ел маслины, пил чай, а перед уходом набивал себе карманы сигаретами столь демонстративно, что лакеи краснели и отворачивались.

— Ах, — только и сказал отец. Он повернулся в кресле. Я видел, что ему хочется встать и подойти к окну. Но он только потупил глаза и сказал: — Предпочитаю, чтобы ты избрал более надежный путь, тот, который рекомендует Геннехольм. Мне трудно субсидировать заведомо неверное предприятие. Но разве у тебя нет сбережений? Ты ведь, по-моему, совсем неплохо зарабатывал все эти годы?

— У меня нет никаких сбережений, — сказал я, — весь мой капитал — одна марка, одна-единственная. — Я вынул из кармана марку и показал отцу. Он и впрямь выгнулся и начал ее рассматривать, словно какое-то диковинное насекомое.

— С трудом верится, — сказал он, — во всяком случае, не я воспитал тебя мотом. Какую примерно сумму ты хотел бы иметь ежемесячно, на что ты рассчитываешь?

Сердце у меня забилось сильней. Я не предполагал, что он захочет мне помочь в такой прямой форме. Я задумался. Мне надо не так уж мало и не так уж много — столько, чтобы хватило на жизнь, но я не имел понятия, ни малейшего понятия, какая это сумма. Электричество, телефон, что-то будет уходить на еду... От волнения меня прошиб пот.

— Прежде всего, — сказал я, — мне нужен толстый резиновый мат размером с эту комнату, семь метров на пять, ты можешь раздобыть его на ваших рейнских шинных заводах со скидкой.

— Хорошо. — Он улыбнулся. — Даю тебе его безвозмездно. Семь метров на пять... хотя Геннехольм считает, что тебе не следует размениваться на акробатику.

— А я и не собираюсь, папа, — ответил я. — Не считая резинового мата, мне нужна тысяча марок в месяц.

— Тысяча марок! — Отец встал, он по-настоящему испугался, губы его дрожали.

— Ну хорошо, — сказал я, — а что ты, собственно, предполагал? — Я не имел представления, сколько у него денег в действительности. По тысяче марок ежемесячно — настолько я считать умею — в год составит двенадцать тысяч, такая сумма его не разорит. Ведь он самый доподлинный миллионер; однажды отец Марии растолковал мне это с карандашом в руках. Я уже не помню всех деталей. Отец был пайщиком самых разных предприятий, повсюду имел «свои интересы». Даже на фабрике, выпускающей экстракты для ванн.

Отец ходил как маятник позади своего кресла. Он казался спокойным, губы его шевелились, словно он что-то высчитывал. Может, он действительно считал, во всяком случае, это продолжалось очень долго.

А я снова вспомнил то время, когда мы с Марией бежали из Бонна, вспомнил, какими скрягами они себя показали. Отец написал, что он из моральных соображений лишает меня всякой материальной поддержки и надеется, что «делами рук своих» я буду кормить и себя, и «несчастную девушку из порядочной семьи», которую я соблазнил. Он-де, как мне известно, всегда ценил старого Деркума, считая его достойным противником и достойным человеком, и что мой поступок, мол, скандальный.

Мы жили в пансионе в районе Эренфельд. Семьсот марок, которые Мария получила в наследство от матери, растаяли уже через месяц, хотя мне казалось, что я трачу их как нельзя более экономно и разумно.

Пансион находился неподалеку от Эренфельдской товарной станции; из окон нашей комнаты была видна красная кирпичная стена и товарные составы, в город шли платформы с бурым углем, из города отправлялся порожняк. Отрадная картина, приятный перестук колес: как тут не подумать, что имущественное положение семьи Шниров вполне надежно. Из ванной открывался вид на корыта и веревки с бельем; в темноте иногда раздавался глухой звук: кто-то незаметно выбрасывал из окна во двор консервную банку или пакетик с объедками. Я часто лежал в ванной, напевая что-нибудь церковное. Сперва хозяйка запретила мне петь:

— Люди еще подумают, что я скрываю у себя расстригу-священника.

А после вообще запретила пользоваться ванной. По ее мнению, я слишком часто принимал ванну, она считала это излишеством. Иногда она кочергой разгребала во дворе пакеты с объедками — по содержимому пакетов она надеялась узнать, кто их выкинул: луковая шелуха, кофейная гуща и кости от отбивных давали ей пищу для сложных умозаключений; в дополнение к этому она как бы невзначай наводила справки в мясных и овощных лавчонках. Но все было напрасно. По объедкам никак нельзя было ясно определить чью-либо индивидуальность. Поэтому проклятия, которые она посылала в занавешенное мокрым бельем небо, были сформулированы таким образом, что каждый из ее жильцов мог принять их на свой счет.

— Меня не проведешь. Я до всего докопаюсь!

По утрам мы ложились на подоконник, поджидая почтальона, который время от времени приносил нам посылки от приятельниц Марии, от Лео или от Анны; мы получали также чеки от дедушки, впрочем весьма нерегулярно; зато мои родители ограничивались призывами «самому строить свою судьбу, дабы собственными силами преодолеть все невзгоды».

Потом мать написала даже, что она от меня «отрекается». Мать способна дойти до вершин безвкусицы — в своем письме она цитировала роман Шницлера «Разлад в сердце». В этом романе родители «отрекаются» от своей дочери, которая не хочет произвести на свет ребенка, чей отец — «благородный, хоть и слабый духом, служитель муз», — насколько мне помнится, актер. Мать дословно процитировала фразу из восьмой главы романа: «Совесть повелевает мне отречься от тебя». Она, видно, решила, что это вполне подходящая цитата. Как бы то ни было, она от меня «отреклась».

Я уверен, что пошла она на это только потому, что «отречение» избавляло ее совесть, равно как и ее текущий счет, от ненужных издержек. Мои домашние ждали, что я поведу себя как герой — наймусь на фабрику или на стройку, чтобы прокормить свою возлюбленную; все были крайне разочарованы, когда я не сделал этого. Даже Лео и Анна дали мне ясно понять, что они разочарованы. В мыслях они уже видели, как я выхожу из дому ни свет ни заря с жестяной кружкой и с бутербродами, как посылаю Марии воздушный поцелуй и как потом поздно вечером возвращаюсь к своему очагу «усталый, но довольный», читаю газету и гляжу на Марию, которая сидит с вязаньем в руках. Но я не сделал ни малейшей попытки воплотить эту идиллию в жизнь. Я не расставался с Марией, и Марии было гораздо приятнее, что я не расстаюсь с ней. Я чувствовал себя «художником» (в гораздо большей степени, чем когда бы то ни было), и мы жили так, как, по нашим детским представлениям, должна была жить богема: украшали комнату бутылками из-под «кьянти», мешковиной и пестрыми лубками. По сей день я краснею от умиления, вспоминая тот год в Кельне. В конце недели Мария отправлялась к хозяйке, чтобы отсрочить плату за квартиру, и, когда та начинала орать, спрашивая, почему я не иду работать, Мария отвечала с поистине великолепным пафосом:

— Мой муж художник, да, художник!

Однажды я слышал, как она крикнула это, стоя на вонючей лестнице перед открытой дверью в комнату хозяйки:

— Да, он художник!

А хозяйка крикнула в ответ своим хриплым голосом:

— Ах так, художник? Может, вы еще скажете, что он вам муж? То-то обрадуются в отделе регистрации браков.

Больше всего ее злило то, что мы обычно лежали в кровати часов до десяти или до одиннадцати. У нее не хватало догадливости сообразить, что для нас это был самый легкий способ сэкономить на завтраке и на электричестве, ведь можно было не включать рефлектор; хозяйка не знала также, что до двенадцати меня обычно не пускали в маленький зал приходского дома, где я репетировал, — утром там всегда что-нибудь проводилось: консультации для молодых матерей, занятия с подростками, готовящимися к первому причастию, уроки кулинарии или собрания католического поселкового кооператива. Мы жили недалеко от церкви, где капелланом был Генрих Белен, он устроил мне и этот зальчик со сценой для репетиций, и комнату в пансионе. В то время многие католики относились к нам очень тепло. Женщина, которая вела курсы кулинарии для прихожан, всегда подкармливала нас, если у нее что-нибудь оставалось, чаще всего нам перепадали супы и пудинги, но иногда и кусочек мяса; в те дни, когда Мария помогала убирать, она иногда совала ей пачку масла или сахара... Бывало, она задерживалась до тех пор, пока я начинал репетировать, и смеялась до упаду, а потом варила нам кофе. Даже после того как она узнала, что мы не женаты, она не изменила своего отношения. По-моему, она считала, что актеры вообще не могут жениться, «как все нормальные люди». В холодные дни мы забирались в приходский дом уже загодя. Мария шла на занятия по кулинарии, а я сидел в раздевалке у электрического рефлектора с книгой. Через тонкую перегородку было слышно, как в зале хихикали; потом там читались серьезные лекции о калориях, витаминах и калькуляции. Но в общем и целом все это предприятие казалось мне очень веселым. В дни консультаций для матерей нам запрещали появляться там, пока все не кончится. Молодая женщина-врач, проводившая консультации, была весьма корректна и любезна, но умела поставить на своем: она испытывала священный ужас перед пылью, которую я подымал, прыгая по сцене. Она утверждала даже, что и на следующий день после моих репетиций пыль стоит столбом, угрожая безопасности младенцев; и она таки добилась, что уже за сутки до ее консультаций меня не пускали на сцену. У Генриха Белена вышел скандал с патером; тот не имел понятия, что я каждый день репетирую в помещении для прихожан, и потребовал, чтобы

Генрих «не заходил слишком далеко в своей любви к ближнему». Иногда я сопровождал Марию в церковь. В церкви было очень тепло: я всегда садился поближе к батареям, и еще там казалось особенно тихо: уличный шум доходил откуда-то издалека; в церкви почти никого не было — человек семь-восемь, не больше, — и это приносило успокоение; несколько раз я испытал странное чувство — мне казалось, будто и я принадлежу к этой тихой и печальной пастве, оплакивающей погибшее дело, которое и в своей гибели прекрасно. В церковь ходили одни старухи, не считая меня и Марии. И голос читавшего мессу Генриха Белена, лишенный всякого пафоса голос, как нельзя лучше подходил к этому темному безобразному храму Божию. Однажды я даже помог ему, заменив отсутствовавшего служку. Месса приближалась к концу, как вдруг я заметил, что Генрих читает неуверенно, потерял ритм; тогда я быстро подскочил, взял молитвенник, лежавший справа, подвинулся к середине алтаря, встал на колени и положил его налево. Я счел бы себя невежей, если бы не помог Генриху выйти из затруднительного положения. Мария залилась краской, а Генрих только улыбнулся. Мы с ним давние знакомые, в интернате он был капитаном футбольной команды и учился на несколько классов старше меня. После мессы мы обычно ждали Генриха перед ризницей; он приглашал нас позавтракать; в какой-нибудь лавчонке он брал в долг яйца, ветчину, кофе и сигареты и радовался как ребенок, если его экономка заболевала.

Я вспомнил всех людей, помогавших нам, в то время как мои близкие сидели на своих вонючих миллионах и, отрекшись от меня, упивались своей моральной чистотой.

Отец все еще ходил как маятник позади кресла и шевелил губами, что-то подсчитывая. Я уже хотел было сказать ему, что отказываюсь от денег, но подумал, что в какой-то степени имею право на его помощь, и потом с одной-единственной маркой в кармане нечего лезть в герои, чтобы после раскаяться. Мне действительно нужны были деньги, нужны до зарезу, а ведь он не дал мне ни пфеннига, с тех пор как я ушел из дому. Лео жертвовал нам все свои карманные деньги, Анна ухитрялась посылать хлеб собственной выпечки, позже мы даже от деда получали деньги, вернее, чеки на пятнадцать—двадцать марок; однажды он отправил нам чек ровно на двадцать две марки — и по сей день я не понимаю, почему именно на такую сумму. С этими чеками у нас каждый раз разыгрывался целый спектакль. У хозяйки пансиона не было счета в банке, у Генриха — тоже, да и вообще он разбирался в чеках не лучше, чем мы. В первый раз, когда пришел чек, он просто внес его в благотворительный фонд своего прихода и попытался уяснить себе в сберегательной кассе назначение и разновидности чековых операций, а после явился к священнику и попросил выдать пятнадцать марок... Священник был вне себя от негодования. Он сказал Генриху, что не может дать ему денег, поскольку обязан заприходовать цель выдачи, и к тому же благотворительный фонд — весьма щекотливое дело, его контролируют, и если он просто напишет: «Дано в качестве одолжения капеллану Белену взамен чека на банк», то у него будут величайшие неприятности, потому

206

что, в конце концов, церковь — это не черная биржа, где обмениваются чеки «сомнительного происхождения». Он имеет право заприходовать чек только в качестве пожертвования на определенную цель, например как прямое вспомоществование господину Шниру от господина Шнира, и потом выдать мне денежный эквивалент чека как пособие из благотворительного фонда. Так еще допустимо, хотя не вполне правильно. Эта волынка тянулась в общей сложности дней десять, пока наконец мы получили свои пятнадцать марок, — ведь у Генриха была уйма других забот, не мог же он целиком посвятить себя злополучному чеку. И в дальнейшем, каждый раз когда от дедушки приходил чек, меня охватывала жуть. Это была какая-то чертовщина: деньги — и все же не деньги, то есть совсем не то, в чем мы так нуждались, нам позарез нужны были наличные деньги. Все кончилось тем, что Генрих завел себе счет в банке, чтобы выдавать нам взамен чеков наличные, но он часто бывал в отъезде, дня по три, по четыре; однажды он уехал в отпуск на три недели, и как раз в это время пришел чек на двадцать две марки; я разыскал в Кельне своего единственного друга детства Эдгара Винекена, занимавшего какой-то пост в СДПГ, кажется, он был референтом по вопросам культуры. Его адрес я нашел в телефонной книге, но у меня не оказалось двадцатипфенниговой монетки на автомат; я пошел пешком из Кельн-Эренфельда в Кельн-Кальк, не застал Эдгара и до восьми вечера прождал его перед домом, потому что хозяйка не пожелала впустить меня к нему в комнату. Винекен жил недалеко от очень большой и очень мрачной церкви на улице

Энгельса (я так и не знаю, считал ли он себя обязанным поселиться на улице Энгельса как член СДПГ). Я вконец измучился, смертельно устал, был голоден, сигарет у меня не было, и я понимал, что Мария сидит в пансионе и беспокоится за меня. А этот район и эта улица — поблизости был химический завод — отнюдь не могли излечить человека от меланхолии. В конце концов я зашел в булочную и попросил продавщицу дать мне бесплатно булочку. Несмотря на свою молодость, продавщица была безобразна. Я дождался минуты, когда из булочной ушли все покупатели, быстро вошел туда и, не поздоровавшись, выпалил:

— Дайте мне бесплатно булочку!

Я боялся, что в булочную опять кто-нибудь войдет. Продавщица взглянула на меня, ее тонкие сухие губы стали еще тоньше, но потом округлились, набухли; она молча положила в пакет три булочки и кусок сдобного пирога и протянула мне. По-моему, я даже не поблагодарил ее — схватил пакет и бросился к двери. Потом я уселся на пороге дома, где жил Эдгар, съел булочки и пирог, то и дело нащупывая у себя в кармане чек на двадцать две марки. Как странно! Почему именно двадцать две? Я долго размышлял, как вообще появилось это число: может быть, это был остаток на чьем-нибудь банковском счете, а может быть, дед хотел пошутить; скорее всего, это вышло по чистой случайности; но самое поразительное заключалось в том, что «двадцать два» было написано на чеке дважды — цифрами и прописью, не мог же дед два раза вывести это число машинально. Но почему он его вывел — я так и не понял. Позже я сообразил, что ждал Эдгара в районе

Кальк на улице Энгельса всего полтора часа, но тогда они показались мне вечностью, пронизанной скорбью: меня угнетали и темные фасады домов, и дым, подымавшийся над химическим заводом. Эдгар мне очень обрадовался. С сияющим лицом он похлопал меня по плечу и потащил к себе в комнату, где на стене висел большой портрет Брехта, а под ним гитара и собственноручно сколоченная полка, заставленная книгами в дешевых изданиях. Я слышал, как он ругал у двери хозяйку за то, что та меня не пускала, а потом вошел в комнату с бутылкой водки и, расплывшись в улыбке, рассказал мне, что он только что одержал в комитете по театрам победу «над старыми скотами из ХДС», а потом потребовал, чтобы я рассказал ему обо всем с того дня, как мы с ним виделись в последний раз. Мальчиками мы постоянно играли вместе. Его отец служил в купальнях, а потом работал сторожем в спортивном городке недалеко от нашего дома. Я попросил избавить меня от рассказов, в кратких чертах обрисовал положение, в котором мы очутились, и сказал, что очень прошу его дать мне деньги взамен чека.

Он вел себя удивительно благородно: все понял с первого слова, тут же сунул мне тридцать марок и, как я ни умолял его, ни за что не хотел брать чек. Помнится, я чуть не плакал, стараясь всучить ему этот чек. В конце концов он взял его, слегка обидевшись. Я пригласил его к нам — пусть обязательно заглянет и посмотрит, как я работаю. Он довел меня до трамвайной остановки возле почты, но тут я заметил на площади свободное такси, помчался к нему, сел и, отъезжая, мельком увидел лицо Эдгара — недоумевающее, обиженное, бледное, широкое лицо. За это время я первый раз позволил себе взять такси: в тот вечер я заслуживал его больше, чем кто-либо другой. Я был просто не в силах тащиться через весь Кельн на трамвае и целый час ждать встречи с Марией. Счетчик показал почти восемь марок. Я дал шоферу пятьдесят пфеннигов на чай и бегом вбежал по лестнице к себе. Мария бросилась мне на шею, обливаясь слезами, и я тоже заплакал. Мы оба пережили столько страхов, словно провели в разлуке целую вечность; наше отчаяние было так велико, что мы не могли даже поцеловаться; мы только без конца шептали друг другу, что никогда, никогда, никогда не разлучимся снова. «Пока смерть нас не разлучит», — шепотом добавила Мария. Ну а потом Мария «навела красоту» — так она это называла: подрумянилась, накрасила губы, и мы отправились в первую попавшуюся забегаловку на Венлоерштрассе, съели по две порции гуляша, купили бутылку красного вина и пошли домой.

Эдгар так и не смог до конца простить мне эту поездку на такси. Потом мы встречались довольно часто, и, когда у Марии случился выкидыш, он даже выручил нас еще раз деньгами. Он ни разу не упомянул о моей поездке на такси, но в его отношении к нам осталась какая-то настороженность, которая так никогда и не прошла.

— О боже, — сказал отец громко, каким-то иным, незнакомым мне голосом. — Говори внятно и ясно и открой наконец глаза. Своими фокусами ты меня уже не проведешь.

Я открыл глаза и посмотрел на него. Было видно, что он сердится.

— Разве я что-нибудь говорил? — спросил я.

— Да, — сказал он, — ты все время что-то бормотал, но я ничего не мог понять, кроме слов «вонючие миллионы».

— А больше ты вообще ничего не можешь понять и не должен понимать.

— И еще я разобрал слово «чек».

— Да, да, — сказал я, — а сейчас сядь и скажи, о какой сумме ты думал, предлагая мне... ежемесячную поддержку в течение года? — Я подошел к нему, осторожно взял за плечи и усадил в кресло. Но он тут же поднялся, и теперь мы стояли очень близко друг от друга.

— Я всесторонне обдумал этот вопрос, — сказал он тихо, — если ты не хочешь принять мое условие и приступить к солидным контролируемым занятиям, если ты намерен работать здесь... то, собственно говоря... я думаю, так сказать, двести марок в месяц будет достаточно.

Я убежден, что он собирался сказать «двести пятьдесят» или «триста», но в последнюю секунду произнес «двести». Видимо, мое лицо испугало его, и он заговорил опять так поспешно, что это как-то не вязалось с его обликом денди.

— Геннехольм говорил, что аскетизм — основа всякой пантомимы.

Я все еще молчал. Я просто смотрел на него «пустыми глазами», как клейстовская марионетка. Я даже не пришел в бешенство, я был настолько ошеломлен, что выражение пустоты, которое я всегда с таким трудом придавал своим глазам, стало вдруг совершенно естественным. Отец нервничал, на верхней губе у него выступили мелкие капельки пота. Я не ощутил в первую секунду ни ярости, ни озлобления, ни ненависти, в моих пустых глазах постепенно появлялось сочувствие.

— Милый папа, — сказал я тихо, — двести марок — вовсе не так уж мало, как тебе кажется. Это довольно-таки значительная сумма, и я не намерен спорить, но знаешь ли ты по крайней мере, что аскетизм — дорогое удовольствие, во всяком случае тот, который рекомендует Геннехольм. А он рекомендует скорее строгую диету: много постного мяса и свежих салатов... Правда, самая дешевая форма аскетизма — голод, но голодный клоун... впрочем, и это все же лучше, чем пьяный клоун.

Я сделал шаг назад — мне было неприятно стоять рядом с ним и наблюдать, как капли пота на его лице становятся все крупнее.

— Послушай, — сказал я, — перестанем говорить о деньгах, поговорим лучше о чем-нибудь другом, ведь мы джентльмены.

— Но я в самом деле хочу тебе помочь, — возразил он с отчаянием, — охотно дам тебе триста марок.

— Ни слова о деньгах, — сказал я, — лучше я расскажу тебе о самом поразительном открытии, которое мы с Лео сделали в детстве.

— Что ты имеешь в виду? — спросил он и посмотрел на меня так, словно ожидал смертного приговора. Он, видимо, думал, что я заговорю о его любовнице, которой он построил виллу в Годесберге.

— Спокойно! Спокойно! — сказал я. — Знаю, ты удивишься, но самое поразительное открытие нашего детства заключалось в том, что дома у нас никогда не хватало жратвы.

При слове «жратва» он вздрогнул, сделал глотательное движение, хрипло засмеялся и спросил:

— Ты хочешь сказать, что вы не ели досыта?

— Вот именно, — согласился я спокойно, — мы никогда не ели досыта, я имею в виду, не ели у себя дома. До сих пор не понимаю, чем это объяснялось: вашей скупостью или вашими принципами; мне было бы приятней, если бы это объяснялось скупостью... Как ты думаешь, что ощущает мальчишка после того, как он полдня гонял на велосипеде, наигрался в футбол и наплавался в Рейне?

— Очевидно, у него появляется аппетит, — сказал он холодно.

— Нет, — возразил я, — не аппетит, а волчий голод. Черт побери, с раннего детства мы знали, что мы богаты, баснословно богаты... но лично нам деньги ничего не давали... мы не могли даже наесться как следует.

— Вам чего-нибудь не хватало?

— Да, — ответил я, — ведь я уже сказал, нам не хватало еды... и еще карманных денег. Знаешь, о чем я всегда мечтал, будучи ребенком?

— Боже мой, — сказал он испуганно, — о чем?

— О картошке, — сказал я. — Но у матери уже тогда был этот «пунктик» с похудением — ты ведь знаешь, она во всем опережала свое время, — у нас в доме не переводились болтливые дураки, и у каждого из них была своя собственная теория правильного питания; к сожалению, ни в одной из этих теорий картошка не расценивалась положительно. Когда вас не было, прислуга варила себе иной раз на кухне картошку — картошку в мундире, круто посоленную, с маслом и с луком; случалось, и нас, детей, будили и под величайшим секретом разрешали спуститься вниз в одних пижамах, и мы набивали себе брюхо картошкой. А по пятницам мы обычно ходили к Винекенам, и там всегда бывала картошка с луком, мамаша Винекен накладывала нам тарелку с верхом. И еще — у нас дома в хлебнице всегда было слишком мало хлеба; ох, уж эта наша хлебница! Я вспоминаю ее с отвращением, с содроганием — в ней лежал этот проклятый хрустящий хлебец или несколько черствых ломтиков булки — черствых из «диетических соображений»... А вот когда ни придешь к Винекенам, у них всегда свежий хлеб; Эдгар сам приносил его из булочной, а мамаша Винекен левой рукой прижимала буханку к груди, а правой отрезала толстые ломти — мы сразу хватали их и мазали яблочным повидлом.

Отец устало кивнул, я подал ему пачку сигарет, он взял сигарету, и я дал ему прикурить. Мне было жаль его. Как тяжело, наверное, впервые в жизни по-настоящему беседовать с сыном, когда тому уже под тридцать.

— Ну и еще тысячи разных вещей, — продолжал я, — например дешевые леденцы или воздушные шарики. Мать считала, что воздушные шарики — это выброшенные деньги. Правильно. Это действительно выброшенные деньги, но, как бы страстно мы ни желали выбрасывать деньги, нам все равно не удалось бы выбросить эти вонючие миллионы, покупая... воздушные шарики. А дешевые леденцы! Относительно них у матери были свои теории — весьма мудрые и наводящие страх: она доказывала, что леденцы — яд, сущий яд; однако это вовсе не значило, что взамен леденцов она давала нам другие неядовитые конфеты, — она попросту не давала нам никаких. В интернате удивлялись, — сказал я тихо, — что я единственный никогда не жаловался на еду, я жрал все подряд и находил, что нас восхитительно кормят.

— Вот видишь, — сказал отец устало, — и в этом были, оказывается, свои хорошие стороны. — Его слова звучали не очень-то убедительно и далеко не весело.

— Конечно, — ответил я, — мне совершенно ясна теоретическая и педагогическая польза такого воспитания, но все это были одни теории, педагогика, психология, химия... и убийственная недоброжелательность. Я знал, когда у Винекенов бывают деньги — это случалось по пятницам, а по первым и пятнадцатым числам каждого месяца деньги появлялись у Шнивиндов и Голлератов, и об этом нетрудно было догадаться: каждый член семьи получал что-то особо вкусное — толстый кружок колбасы или пирожное; по утрам в пятницу мамаша Винекен всегда ходила в парикмахерскую, потому что вечером они предавались... ты бы, наверное, назвал это утехами любви.

— Что? — вскричал мой отец. — Не имеешь же ты в виду... — Он покраснел и посмотрел на меня, качая головой.

— Да, — подтвердил я, — именно это я и имею в виду. По пятницам детей отсылали в кино. Перед кино им еще разрешалось полакомиться мороженым, так что они отсутствовали по меньшей мере часа три с половиной, и в это время мать возвращалась из парикмахерской, а отец приходил домой с получкой. Сам понимаешь, у рабочего люда квартиры не очень-то просторные.

— Стало быть, — сказал отец, — стало быть, вы знали, почему детей отсылают в кино?

— Не совсем, разумеется, — ответил я, — многое пришло мне в голову позднее, когда я вспоминал об этом... а еще позднее я сообразил, почему мамаша Винекен так трогательно краснела, когда мы возвращались из кино и принимались есть картошку.

После того как Винекен перешел работать на стадион, все стало иначе... Он ведь больше времени проводил дома. Мальчишкой я замечал только, что она в эти дни чувствовала себя как-то неловко... и лишь потом догадался почему. Впрочем, при такой квартире — у них была всего одна комната и кухонька, а детей трое... им, пожалуй, не оставалось другого выхода.

Отец был так потрясен, что я испугался, как бы он не счел после этого бестактным вновь завести разговор о деньгах. Нашу встречу он воспринимал трагически, но уже начал слегка умиляться и этим трагизмом, и своими загородными страданиями — так сказать, входить во вкус, а раз так, трудно будет вернуть его к тремстам маркам в месяц, которые он предложил мне. Деньги — это почти такая же щекотливая штука, как «вожделение плоти». Никто открыто о них не говорит, никто открыто не думает; либо потребность в деньгах «сублимируется», как сказал Марии священник о «вожделении плоти», либо считается чем-то вульгарным; во всяком случае, деньги никогда не воспринимаются в том виде, в каком они нужны человеку: как еда, как такси, как пачка сигарет или номер с ванной.

Отец страдал; это было видно невооруженным глазом и производило ошеломляющее впечатление. Он отвернулся к окну, вынул носовой платок и осушил несколько слезинок. До сих пор я никогда не видел его плачущим, не видел также, чтобы он использовал свой носовой платок по назначению. Каждое утро ему выдавалось два белоснежных носовых платка, а вечером он бросал их — немного смятые, но вовсе не испачканные — в корзину для грязного белья у себя в ванной. Бывали периоды, когда мать из соображений экономии, ссылаясь на нехватку мыла, вела с ним на эту тему длинные дискуссии: не согласится ли он менять носовые платки ну хотя бы раз в два или три дня.

— Они ведь просто лежат у тебя, ты их даже не пачкаешь... не забывай о наших обязанностях перед нацией. — Мать намекала на известные лозунги «Все на борьбу со злостным расточительством» и «Не трать зря ни пфеннига». Но отец единственный раз в жизни, насколько я помню, проявил свою волю и настоял на том, чтобы ему, как прежде, выдавали по два носовых платка каждое утро.

Никогда я не замечал ни пятнышка на его лице, ни капельки влаги, ничего такого, что заставило бы его, скажем, высморкаться. А теперь он стоял у окна и вытирал не только слезы, но и нечто столь банальное, как пот на верхней губе. Я вышел на кухню, ведь он все еще плакал, и мне было слышно, как он тихонько всхлипывает.

На свете совсем не много людей, в присутствии которых можно плакать, и я решил, что собственный сын и притом почти незнакомый — самое неподходящее общество в эти минуты. Лично я знаю только одного человека, при котором я стал бы плакать, — Марию; а что представляла собой любовница отца — можно ли при ней плакать, — я не имел понятия. Я видел ее всего один раз, она показалась мне приятной, красивой дамой, в меру глупенькой; зато я о ней много слышал. По рассказам родни, это была «корыстная особа», но моя родня считает корыстными всех тех, кто имеет наглость напоминать, что людям необходимо время от времени есть, пить и покупать себе башмаки. А человек, который признался бы, что не мыслит себе жизни без сигарет, ванны, цветов и спиртного, вошел бы в семейную хронику Шниров как безумец, одержимый «манией расточительства». Я понимал, что иметь любовницу довольно-таки разорительное занятие, ведь она должна покупать себе чулки и платья, должна платить за квартиру и к тому же постоянно пребывать в хорошем настроении, что, по выражению отца, возможно только при «абсолютно упорядоченном бюджете». Он приходил к ней после убийственно скучных заседаний наблюдательных советов, и ей полагалось излучать радость и благоухание и к тому еще быть причесанной у парикмахера. Не думаю, что она корыстная, скорее всего она просто дорого обходится, но для моей родни это равнозначные понятия. Как-то раз садовник Хенкельс, подсоблявший старику Фурману, заметил на редкость смиренно, что ставки подсобных рабочих, мол, «собственно говоря, вот уже три года как повысились», а он получает столько же, что и раньше; и мать визгливым голосом прочла тогда двухчасовую лекцию на тему о «корыстолюбии некоторых субъектов». Однажды она дала нашему письмоносцу двадцать пять пфеннигов в качестве новогоднего подарка и возмутилась не на шутку, обнаружив на следующее утро в почтовом ящике конверт с этими самыми двадцатью пятью пфеннигами и с запиской: «Уважаемая госпожа Шнир! Не решаюсь Вас грабить». Разумеется, у нее нашелся знакомый статс-секретарь в министерстве связи, и она незамедлительно пожаловалась ему на этого «корыстолюбивого и наглого типа».

В кухне я торопливо обошел лужу кофе и направился через коридор в ванную; вытаскивая из ванны пробку, я вдруг вспомнил, что впервые за много лет, нежась в теплой воде, не пропел даже литанию Деве Марии. Вполголоса я затянул «Верую», смывая душем пену со стенок ванны, из которой медленно вытекала вода. Потом я попытался спеть литанию Деве Марии; эта еврейская девушка по имени Мириам всегда вызывала во мне симпатию, временами я даже верил в нее. Но и литания не принесла мне облегчения, она была слишком католической, а я испытывал злобу и против католицизма, и против католиков. Я решил позвонить Генриху Белену и Карлу Эмондсу. С Карлом Эмондсом мы не виделись вот уже два года — после того ужасного скандала, а писем друг другу сроду не писали. Он обошелся со мной как свинья, и по совершенно пустяковому поводу:

я дал его младенцу, годовалому Грегору, молоко с сырым яйцом; Карл и Сабина пошли в кино, Мария проводила вечер в «кружке», а меня они оставили нянчить Грегора. Сабина велела в десять подогреть молоко, налить его в бутылочку и дать Грегору, но малыш показался мне очень бледненьким и слабеньким (он даже не плакал, а только жалобно хныкал), и я подумал, что, если добавить в молоко сырое яйцо, это будет ему очень полезно. Пока молоко грелось, я расхаживал с Грегором на руках по кухне и приговаривал:

— Ай-ай, угадай, что получит наш малыш, что мы ему сейчас дадим... яичко, — и так далее в том же роде; потом я разбил яйцо, поболтал его в миксере и влил в молоко. Старшие дети Эмондсов спали мертвым сном, и никто не вертелся у меня под ногами; я дал Грегору бутылочку, и мне показалось, что яйцо здорово пошло ему на пользу. Он заулыбался и сразу же заснул, перестав хныкать. Вернувшись из кино, Карл заметил на полу яичную скорлупу и, входя в столовую, где я сидел с Сабиной, сказал:

— Молодец, что сварил себе яйцо.

Я объяснил, что не сам съел яйцо, а дал его Грегору... И тут разразилась целая буря, они прямо обрушились на меня. У Сабины началась форменная истерика, она кричала мне: «Убийца!» — а Карл заорал: «Бродяга! Похотливый козел!» Его слова привели меня в такую ярость, что я обозвал его «припадочным учителишкой», схватил пальто и выскочил на лестницу вне себя от гнева. Карл выбежал за мной на площадку и крикнул мне вслед:

— Безответственный босяк!

— Истеричный мещанин, жалкий дурак, — бросил я ему в ответ.

Я искренне люблю детей, неплохо умею обращаться с ними, особенно с грудными младенцами, и у меня не укладывается в голове, что годовалому ребенку может повредить яйцо; меня обидело главным образом то, что Карл назвал меня «похотливым козлом»; «убийцу» Сабины я еще стерпел бы. Чего не позволишь и не простишь перепуганной насмерть матери? Но Карл ведь знал, что я не «похотливый козел».

С некоторых пор у нас вообще были натянутые отношения по глупейшей причине: Карл в глубине души считал, что моя «вольная жизнь» поистине «прекрасна», а меня в глубине души привлекало его мещанское благополучие. Я никак не мог растолковать Карлу, что моя жизнь с вечными переездами, гостиницами, репетициями, выступлениями, игрой в рич-рач и пивом была убийственно размеренной и монотонной... и что мне больше всего нравилась будничность его существования. Ну и, конечно, он так же, как все, думал, что мы намеренно не обзаводимся детьми. Выкидыши Марии казались ему «подозрительными»; если бы он знал, как мы мечтали о детях!

И все же я послал Карлу телеграмму с просьбой позвонить мне, но вовсе не за тем, чтобы подстрелить у него денег. У них теперь уже четверо детей, и они с трудом сводят концы с концами.

Я еще раз сполоснул ванну, тихо вышел в коридор и бросил взгляд в открытую дверь столовой. Отец опять стоял лицом к столу и больше не плакал. Покрасневший нос и влажные морщинистые щеки делали его совсем стариком; он поеживался от холода; лицо у него было потерянное и, как ни странно, весьма глупое. Я налил ему немного коньяку и дал выпить. Он взял рюмку и выпил. Столь несвойственное отцу выражение глупости застыло на его лице, а в том, как он осушил рюмку и молча, с беспомощной мольбой в глазах протянул ее мне, было что-то шутовское, раньше я этого в нем не замечал. Так выглядят люди, которые уже ничем, абсолютно ничем не интересуются, кроме детективных романов, определенной марки вина и глупых анекдотов. Мокрый и скомканный платок он просто положил на стол, и я подумал, что это поразительно выпадает из его стиля; казалось, он ведет себя как упрямый капризный ребенок, которому уже тысячу раз повторяли, что носовые платки нельзя класть на стол. Я налил ему еще немного коньяку, он выпил и сделал слабое движение рукой, которое можно было истолковать только как просьбу: «Пожалуйста, принеси мне пальто». Но я притворился, что ничего не замечаю. Мне необходимо было каким-то образом навести его снова на разговор о деньгах. Не придумав ничего лучшего, я опять вытащил из кармана марку и решил показать несколько простеньких фокусов: монетка скатилась по моей вытянутой правой руке, а потом поползла вверх тем же путем. Отец улыбнулся довольно-таки вымученной улыбкой. Я подбросил монетку почти под самый потолок и поймал ее снова, но отец повторил свой жест: «Пожалуйста, принеси мне пальто». Я еще раз подбросил монетку, поймал ее большим пальцем правой ноги и поднял почти на уровень отцовского носа. Отец сердито махнул рукой и сказал ворчливо:

— Перестань!

Пожав плечами, я вышел в переднюю и снял его пальто и шляпу с вешалки.

Отец уже поджидал меня, я помог ему одеться, поднял перчатки, выпавшие из шляпы, и протянул ему. Он опять чуть было не заплакал, смешно скривил нос и губы и прошептал:

— Неужели ты так и не скажешь мне что-нибудь хорошее?

— Да нет, почему, — ответил я тихо, — хорошо, что ты положил мне руку на плечо, когда эти идиоты судили меня... а особенно хорошо, что ты спас жизнь мамаше Винекен, которую хотел расстрелять тот тупица майор.

— Но я все это уже почти забыл, — сказал он.

— И это самое хорошее, что ты все забыл... а я ничего не забываю.

Отец смотрел на меня с молчаливой мольбой: он боялся, что я произнесу имя Генриэтты, но я не произнес имени Генриэтты, хотя собирался спросить, почему он не совершил хорошего поступка и не запретил своей дочери отправиться на ту школьную экскурсию в зенитную часть... Я кивнул, и он понял, что я не заговорю о Генриэтте. Уверен, что на заседаниях наблюдательных советов он часто рисовал на листке бумаги рожицы и выводил букву «Г», и еще раз ту же букву, а порой писал ее имя полностью: «Генриэтта». Он не был виноват, просто он всегда как в шорах, и это исключает всякий трагизм или же, наоборот, создает предпосылки для него. Сам не знаю. Он был такой утонченный и деликатный, с благородными сединами, неизменно доброжелательный, но он не дал мне ни гроша, когда мы с Марией жили в Кельне. Что делало моего отца, милейшего старичка, столь твердым и сильным? Почему, выступая перед экраном телевизора, он говорил о долге перед обществом, о патриотизме, о Германии и даже о христианстве, в которое, по собственному признанию, ни на йоту не верил, говорил так, что люди не могли не уверовать. Все дело в том, что за ним стояли деньги; но не обычные бумажки, на которые можно купить себе бутылку молока или поехать на такси, содержать любовницу или сходить в кино, а деньги как символ. Я боялся его, но и он боялся меня: мы оба не были узколобыми реалистами, оба презирали тех, кто болтает о «реальной политике». На карту было поставлено куда больше, чем полагали эти дураки. В его глазах я ясно читал, что он не может дать деньги клоуну, для которого все назначение денег в том, чтобы тратить их, а ведь по его понятиям у денег прямо противоположное назначение. Я знал, сколько бы он ни отвалил мне — хоть целый миллион, — я его все равно потрачу, а для него каждая трата — синоним расточительности.

Пережидая какое-то время на кухне и в ванной, чтобы дать ему выплакаться в одиночестве, я подумал было, что столь сильное потрясение заставит его выложить изрядную сумму без всяких дурацких условий, но теперь я видел по его глазам, что он просто не в состоянии этого сделать. Нет, он не был узколобым реалистом, равно как и я, и мы оба знали, что все эти пошляки всего лишь «реалисты» — они могут тысячу раз ощупать свой воротник, но так и не заметят нитку, на которой барахтаются.

Я еще раз кивнул, чтобы успокоить его окончательно: не стану я говорить ни о деньгах, ни о Генриэтте; но сам я подумал о ней иначе, чем всегда, и, как мне показалось, в неподходящем духе; я представил себе Генриэтту такой, какой она стала бы сейчас: тридцатитрехлетней женщиной, весьма возможно, разведенной женой какого-нибудь крупного промышленника. Никогда не поверю, что она согласилась бы участвовать в этой пошлой игре, флиртовать, устраивать приемы, болтать о том, что надо-де «крепко держаться религии», заседать в разных бюро и стараться быть «особенно приветливой с деятелями СДПГ, чтобы не увеличить их комплекса неполноценности». Я мог представить себе Генриэтту только в роли человека, совершающего отчаянные поступки, которые «реалисты» считают проявлением снобизма, ибо они совершенно лишены воображения. Вот она выливает коктейль за шиворот какому-нибудь главному директору концерна, которых сейчас расплодилось до черта, или наезжает своей машиной на «мерседес» скалящего зубы обер-лицемера. Что ей осталось бы делать, если бы ее не научили писать пейзажи или обтачивать на гончарном круге керамические масленки? И она ощутила бы то, что я ощущаю на каждом шагу, повсюду, где бурлит жизнь: незримую стену, за которой деньги существуют уже не для трат, а воспринимаются как некие неприкосновенные символы, хранящиеся в священных сосудах.

Я пропустил отца к двери. Он опять покрылся потом, и мне стало его жаль. Я быстренько сбегал в столовую, взял со стола грязный носовой платок и сунул ему в карман пальто. Если при одной из ежемесячных ревизий в бельевых шкафах мать не досчитается платка, не оберешься неприятностей — она обвинит прислугу в воровстве или в преступной небрежности.

— Может, заказать тебе такси? — спросил я.

— Нет, — ответил он, — пройдусь немного пешком. Фурман ждет меня у вокзала.

Он прошел мимо меня, я открыл дверь, проводил его до лифта, нажал кнопку. И снова вынул из кармана свою единственную марку, положил ее на раскрытую левую ладонь и посмотрел на нее. Отец брезгливо отвел глаза и покачал головой. Я думал, что он вытащит бумажник и даст мне по крайней мере марок пятьдесят или сто; но благородная скорбь и сознание трагичности всего происходящего вознесли его душу на такую высоту сублимации, что самая мысль о деньгах была ему неприятна, а мои попытки напомнить ему об этой низменной материи казались осквернением святыни. Я подержал дверцы лифта, пока он не вошел. Отец обнял меня, потом вдруг потянул носом, захихикал и сказал:

— А от тебя действительно пахнет кофе... жаль, я бы с удовольствием сварил тебе хороший кофе... что-что, а это я умею.

Он разжал свои объятия, вошел в лифт, и я увидел, как он, все так же хитро улыбаясь, нажимает кнопку, лифт начал спускаться. А я все стоял, наблюдая, как зажигались цифры: четыре, три, два, один... затем красный огонек потух.

16

Вернувшись в квартиру и заперев дверь, я почувствовал, что остался в дураках. Надо было принять его предложение — пусть бы сварил мне

226

кофе и еще немного посидел. В решающий момент, когда он подал бы на стол кофейник и с видом победителя налил мне кофе, следовало громко сказать: «Выкладывай деньги!» или «А ну-ка, деньги на стол!» В решающие моменты люди вообще действуют без сантиментов, по-дикарски. Тогда говорят: «Вам — четыре министерских портфеля, нам — сорок бочек концернов...»

Я оказался в дураках, поддавшись его настроению и своему также, надо было заставить его раскошелиться. Не мудрствуя лукаво, я должен был заговорить о деньгах, сразу же о деньгах, о мертвых незыблемых символах, которые для многих людей означают жизнь или смерть. «Ох, эти вечные деньги!» — с ужасом восклицала мать во всех случаях жизни, даже тогда, когда мы просили у нее тридцать пфеннигов на тетрадь. Вечные деньги. Вечная любовь.

Я пошел на кухню, отрезал ломоть хлеба, намазал его маслом, вернулся в столовую и набрал телефон Белы Брозен. Мой расчет основывался на том, что отец в этом состоянии, сотрясаемый нервным ознобом, отправится не домой, а к любовнице. Она, конечно, уложит его в постель, даст грелку и стакан горячего молока с медом. У матери отвратительная привычка: если человеку нездоровится, она предлагает ему взять себя в руки и напрячь свою волю, кроме того, с некоторых пор она считает холодные обтирания «единственным лекарством».

— Квартира Брозен, — сказала Бела Брозен. И я почувствовал облегчение — от нее ничем не пахло. Голос у нее был удивительный — теплый, приятный альт.

— Шнир... Ганс, — назвался я, — вы меня помните?

— Конечно помню, — сказала она сердечно, — и так... и так... сочувствую вам.

Я не знал, что она имеет в виду, только когда она заговорила снова, меня осенило.

— Запомните, — сказала она, — все критики — глупые и тщеславные эгоисты.

Я вздохнул:

— Я бы рад был этому поверить, мне стало бы легче.

— А вы верьте, — сказала она, — верьте, да и только. Вы не представляете себе, как помогает железная решимость верить во что-то.

— Ну, а если какой-нибудь критик похвалит меня ненароком, что тогда?

— О-о, — она засмеялась и вывела на звуке «о» красивую руладу, — тогда вам придется поверить, что на него вдруг напала честность и он на какое-то время перестал быть эгоистом.

Я засмеялся. Неясно было, как ее называть — просто Белой или госпожой Брозен? Мы были почти незнакомы, и ни один справочник не скажет, как обращаться к любовнице отца. В конце концов я остановился на «госпоже Беле», хотя имена, которые придумывают себе артисты, всегда кажутся мне на редкость дурацкими.

— Госпожа Бела, — сказал я, — я попал в тяжелый переплет. Ко мне заходил отец, мы болтали с ним обо всем на свете, но я никак не мог навести его еще раз на разговор о деньгах, хотя...

Тут она, по-моему, покраснела; я считал ее женщиной совестливой; вернее всего, ее связь с отцом была основана на «настоящей любви»,

228

поэтому всякие «денежные дела» для нее неприятны.

— Послушайте меня, прошу вас, — сказал я, — откиньте все мысли, которые пришли вам в голову, не надо смущаться... У меня к вам только одна просьба: если отец заговорит с вами обо мне... я хочу сказать, не могли бы вы внушить ему, что мне срочно нужны деньги. Наличные деньги. Как можно скорее, я без гроша в кармане. Вы слушаете?

— Да, — сказала она так тихо, что я испугался. Потом я услышал, что она шмыгнула носом.

— Вы считаете меня дурной женщиной, я знаю, Ганс, — начала она, теперь она плакала, не таясь, — продажной тварью; в наш век таких немало. Вы *должны* считать меня такой женщиной. О боже!

— Ничего подобного, — ответил я громко, — вовсе я не считаю вас такой... на самом деле не считаю.

Я боялся, как бы она не начала говорить о чувствах — о своих чувствах и об отцовских; судя по ее душераздирающим всхлипываниям, она была довольно сентиментальной особой, не исключено, что она захочет потолковать и о Марии.

— На самом деле, — повторил я не очень убежденным тоном, ибо мне показалось подозрительным ее желание изобразить продажных женщин такими уж презренными тварями, — на самом деле я никогда не сомневался в вашем благородстве и никогда не думал о вас дурно. — Это было чистой правдой. — И, кроме того, — я с удовольствием назвал бы ее просто по имени, но это ужасное имя «Бела» застряло у меня в глотке, —

и, кроме того, мне уже, слава богу, под тридцать. Вы слушаете?

— Да. — Она вздыхала и всхлипывала на своей вилле в Годесберге так, словно стояла на коленях в исповедальне.

— Попытайтесь только внушить ему, что мне до зарезу нужны деньги.

— Мне кажется, — сказала она каким-то безжизненным голосом, — было бы недипломатично говорить с ним об этом прямо. Все, что касается его семьи... вы понимаете... все это для нас табу... Однако существует другой путь.

Я молчал; она уже почти не всхлипывала, просто шмыгала носом.

— Иногда, — начала она снова, — он дает деньги для моих нуждающихся коллег. И в этом вопросе он предоставляет мне полную свободу и... как вы считаете, если бы я передала эти небольшие суммы вам, как нуждающемуся коллеге — в данный момент, конечно, — ведь это было бы в порядке вещей?

— Я и впрямь нуждающийся коллега, и деньги необходимы мне не только в данный момент, но по крайней мере еще полгода. Только прошу вас, скажите, что вы понимаете под небольшой суммой?

Она откашлялась, снова воскликнула «о!», но уже не сопроводив его красивой руладой, и ответила:

— Обычно речь идет о незначительных суммах, но по совершенно конкретным поводам: например, кто-нибудь умирает, или кто-нибудь заболел, или артистка ждет ребенка... Я хочу сказать, что речь идет не о постоянном субсидировании, а, так сказать, о единовременной помощи.

— В каких размерах? — спросил я.

Она ответила не сразу, и в это время я старался представить себе ее. Я видел Белу Брозен лет пять назад, когда Марии удалось затащить меня в оперу. Госпожа Брозен исполняла партию деревенской девушки, соблазненной графом; я еще подивился тогда вкусу отца. Она была среднего роста и довольно плотная; волосы у нее, видимо, были светлые, а грудь, как это водится у оперных певиц, приятно колыхалась; она пела, прислоняясь то к стене деревенской хижины, то к крестьянской телеге, а под конец опираясь на вилы; и ее красивый сильный голос лучше всего передавал простейшие душевные эмоции.

— Алло! — закричал я. — Алло!

— О-о! — сказала она, и ей снова удалось вывести красивую, хотя и негромкую руладу. — Вы ставите вопрос ребром.

— В моем положении иначе нельзя, — сказал я. Мне стало не по себе: чем дольше она молчала, тем меньше будет названная сумма.

— Ну, — сказала она наконец, — суммы колеблются между десятью и примерно тридцатью марками.

— А что если вы изобретете некоего коллегу, который попал в исключительно тяжелое положение? С ним, скажем, только что произошел несчастный случай, и ему не повредили бы марок по сто в течение нескольких месяцев.

— Дорогой мой, — сказала она тихо, — неужели вы хотите, чтобы я стала обманщицей?

— Но почему же, — удивился я. — Со мной на самом деле произошел несчастный случай... и разве мы с вами не коллеги? Разве мы оба не артисты?

— Попытаюсь, — сказала она, — но не уверена, что он клюнет.

— Что? — воскликнул я.

— Не знаю, удастся ли мне изобразить дело так, чтобы он поверил. У меня не такая уж богатая фантазия.

Этого она могла не говорить: я и то подумал, что она, пожалуй, самая тупая из всех дамочек, каких я только встречал.

— А что, если бы вы, — сказал я, — раздобыли мне ангажемент в здешний театр?.. Конечно, на самые маленькие роли, я неплохо играю комических персонажей.

— Нет, нет, дорогой Ганс, — возразила она, — я и так уже боюсь запутаться в этих сложных интригах.

— Ну хорошо, — сказал я, — хочу вас только заверить, что я не откажусь от самых скромных сумм. До свидания и большое вам спасибо. — Я повесил трубку, не дожидаясь ее ответа.

У меня шевельнулось смутное подозрение, что на этот источник мне нечего рассчитывать. Она была слишком глупа. Да и интонация, с какой она произнесла «он не клюнет», насторожила меня. Не исключена возможность, что «субсидии попавшим в беду коллегам» она просто-напросто кладет себе в карман. Мне стало жаль отца, я пожелал ему красивую любовницу с более развитым интеллектом. И я все еще сокрушался, что не дал ему сварить кофе. Если бы отец захотел продемонстрировать свое искусство на кухне Белы Брозен, эта безмозглая дрянь, наверное, украдкой усмехнулась бы и покачала головой наподобие сильно занятой школьной учительницы, зато потом начала бы лицемерно сиять и хвалить его за кофе, как хвалят собаку, которая по собственной инициативе принесла хозяину камень. Отходя от телефона к окну, я почувствовал, что все у меня внутри кипит; я открыл окно и выглянул на улицу; меня пугала мысль, что мне еще придется когда-нибудь прибегнуть к помощи Зоммервильда. И вдруг я вытащил из кармана свою единственную марку и швырнул ее в окно; в ту же секунду я пожалел об этом и начал искать ее глазами, но так и не нашел; мне показалось, что монетка упала на крышу трамвая, который как раз проезжал мимо дома. Я взял со стола бутерброд и съел его, все так же глядя на улицу. Было уже больше восьми, я пробыл в Бонне почти два часа, успел поговорить с шестью так называемыми близкими друзьями, побеседовал с отцом и с матерью, а в итоге у меня стало на целую марку меньше, чем по приезде сюда. Я с радостью спустился бы вниз, чтобы разыскать монетку, но стрелка часов уже подбиралась к половине девятого: Лео мог позвонить или прийти с минуты на минуту.

Марии теперь все нипочем, она в Риме, в лоне своей Церкви, у нее сейчас одна забота: какой туалет надеть на аудиенцию к Папе. Дабы разрешить ее сомнения, Цюпфнер раздобудет ей фотографию Жаклин Кеннеди и купит испанскую мантилью и вуаль; как-никак, а Мария является ныне чем-то вроде «first lady» немецкого католицизма. Я тоже поеду в Рим и испрошу аудиенцию у Папы. Папа напоминает мне чем-то старого мудрого клоуна; ведь что ни говори, а родина Арлекина — Бергамо; сам Геннехольм может это засвидетельствовать, а уж он-то все знает. Я объясню Папе, что мой брак с Марией, собственно говоря, потерпел крушение из-за того, что я не зарегистрировал его в официальных инстанциях, и попрошу Папу рассматривать меня как своего рода антипода Генриху Восьмому: тот был ревностным католиком, склонным к полигамии, а я человек неверующий, склонный к моногамии. И расскажу ему, как много мнят о себе эти пошляки, ведущие деятели немецкого католицизма; пусть он не обольщается на их счет. А потом я исполню ему несколько моих пантомим — самые легкие, приятные вещицы, такие как «В школу и домой»; только не «Кардинала», — это может его огорчить, ведь он и сам был когда-то кардиналом... А уж кому-кому, а ему я не хотел причинить боль.

Каждый раз я становлюсь жертвой собственной фантазии; я так ясно представляю себе аудиенцию у Папы: вот я опустился на колени, чтобы он благословил меня — неверующего; а у дверей замерли швейцарцы-гвардейцы и какой-то монсеньор благосклонно, хоть и чуть-чуть криво, улыбается... я так ясно вижу все это, что уже сам верю, что побывал у Папы. Наверное, я почувствую искушение рассказать Лео, что ездил к Папе и получил у него аудиенцию. В эту минуту я действительно был у Папы, действительно видел его улыбку, внимал его приятному голосу, голосу простого крестьянина, беседовал с ним о том, как дурак из Бергамо стал Арлекином. Но с Лео шутки плохи, он всегда готов уличить меня во лжи... Бывало, Лео выходил из себя, когда при встрече я спрашивал его:

— Помнишь, как мы с тобой распилили тот столб?

В ответ он кричал:

— Мы с тобой вовсе не пилили тот столб.

Он прав, хотя правота его не стоит гроша ломаного. Лео было тогда лет шесть или семь, а мне уже лет восемь или девять; он нашел в конюшне обрубок дерева — столб от старого забора — и разыскал там же ржавую пилу, а потом попросил, чтобы мы распилили этот столб. Но я не понимал, почему ему вдруг вздумалось пилить такую никудышную деревяшку, и он не смог мне вразумительно ответить: ему просто хотелось пилить; я счел, что эта затея совершенно бессмысленная, и Лео целых полчаса лил слезы... Только много времени спустя, лет эдак через десять, на занятиях по литературе у патера Вунибальда — мы тогда проходили Лессинга — я вдруг посреди урока, без всякой связи с происходящим, понял, чего хотел от меня Лео: просто ему хотелось попилить немного, в эту секунду он ощутил беспричинное желание пилить. Спустя десять лет я внезапно понял Лео, почувствовал, как он радовался, как нетерпеливо ждал, как волновался... Я настолько остро почувствовал все это, что прямо посреди урока начал орудовать воображаемой пилой. Я видел его раскрасневшуюся от радости детскую мордашку, тянул ржавую пилу на себя, а он тянул ее к себе... все это продолжалось до тех пор, пока патер Вунибальд не схватил меня за вихры, чтобы «привести в чувство». С тех пор мне и впрямь кажется, что я распилил вместе с Лео тот столб... но это выше его разумения. Лео — реалист до мозга костей. Теперь он уже не понимает, что, если тебе взбредет что-нибудь в голову, даже вовсе несообразное, надо это обязательно сделать. У матери и той появляются время от времени мгновенные причуды: то ей вдруг хочется поиграть в карты у горящего камина, то собственноручно разлить на кухне чай из яблоневого цвета. Уверен, что у нее внезапно возникает неодолимое желание посидеть за красивым полированным столиком красного дерева, разложить карты, почувствовать себя в кругу счастливой семьи. Однако каждый раз, когда ей этого хотелось, никто из нас не разделял ее желания, и в доме происходили бурные сцены. Мать разыгрывала из себя «непонятую женщину», взывала к нашему послушанию, напоминала о четвертой заповеди, а под конец убеждалась в том, что сидеть за картами с детьми, которые играют с тобой только из чувства послушания... сомнительное удовольствие... и удалялась к себе в комнату вся в слезах. Иногда она пыталась действовать подкупом — обещала нам «что-нибудь вкусненькое» из еды или питья... Но и в такие вечера не обходилось без слез, а сколько таких вечеров мы испытали по милости матери! Она не понимала, что мы упорно противились игре в карты из-за той семерки червей, которая все еще была в колоде, и что, садясь за карты, мы каждый раз вспоминали Генриэтту; но ей мы этого никогда не говорили, и много лет спустя, вспоминая ее тщетные попытки посидеть у камина в кругу счастливой семьи, я мысленно садился с ней вдвоем за карты, хотя все карточные игры, где играют вдвоем, по-моему, очень скучные. Но я *действительно* играл с ней в «шестьдесят шесть» и «на войне как на войне», действительно пил чай из яблоневого цвета, да еще с медом, а мама, шутливо грозя пальцем, предлагала мне сигарету, и где-то за стеной Лео играл на рояле свои этюды, и все в доме — даже прислуга — понимали, что отец пошел к «той женщине». Видимо, и Мария каким-то образом узнала, что я «выдумщик»: когда я ей что-нибудь рассказывал, она смотрела на меня с сомнением. А ведь того мальчика в Оснабрюке я *действительно* видел. Но иногда со мной происходит как раз обратное: то, что я *действительно* пережил, кажется мне неправдой, фикцией. Мне теперь не верится, что когда-то я поехал из Кельна в Бонн, чтобы побеседовать с девушками из Марииной группы о Деве Марии. Все, что другие люди считают чистой правдой, кажется мне чистыми выдумками.

17

Я отошел от окна, окончательно распрощавшись со своей маркой, которая валялась где-то внизу в пыли, и направился на кухню, чтобы сделать себе еще бутерброд. Еды осталось не так уж много: еще одна банка фасоли, банка слив (я терпеть не могу слив, но Моника этого не знала), полбулки, полбутылки молока, четвертушка кофе, пять яиц, три ломтика сала и горчица. В сигаретнице на столе в комнате еще лежали четыре сигареты.

Я был в очень плачевном состоянии и даже не надеялся, что смогу когда-нибудь работать. Колено так опухло, что штанина стала тесна, а головная боль настолько усилилась, что казалась просто невыносимой, — непрестанная сверлящая боль; в моей душе было чернее ночи, и еще это «вожделение плоти», а Мария — в Риме. Без нее мне нет жизни, без ее рук, которые она клала мне на грудь. Как изволил однажды выразиться Зоммервильд, «я обладаю деятельным и действенным стремлением к телесной красоте»; мне приятно, если вокруг меня красивые женщины, такие, например, как моя соседка, госпожа Гребсель, но они не вызывают у меня «вожделения плоти»; и большинство женщин уязвлены этим, хотя, если бы я стал вожделеть к ним и попытался удовлетворить свое вожделение, они наверняка обратились бы в полицию. Вообще «вожделение плоти» — сложная и злая штука; для мужчин, не склонных к моногамии, оно, видимо, источник постоянных мучений, а для людей моего склада, однолюбов, — постоянная причина скрытой неучтивости: большинство женщин чувствуют себя почему-то уязвленными, если к ним не испытывают того, что они понимают под «влечением». Даже госпожа Блотхерт, набожная дама, образец добропорядочности, всегда немного обижалась на меня. Порой я понимаю даже тех сексуальных чудовищ, о которых у нас так много пишут; а стоит мне представить себе, что существуют так называемые «супружеские обязанности», как мне становится страшно. Такого рода супружества уже сами по себе чудовищны: ведь женщин принуждают в них к «тому самому» контрактом, скрепленным государством и Церковью. А разве можно принудить к милосердию? Попытаюсь побеседовать с Папой

Римским и об этом. Уверен, что его неправильно информируют.

Я сделал себе еще бутерброд, пошел в переднюю и вытащил из кармана пальто вечернюю газету, купленную на перроне в Кельне. Случалось, вечерние газеты помогали мне; читая их, я ощущал полную пустоту, так же как и перед экраном телевизора. Я перелистал газету, просмотрел заголовки и наткнулся на сообщение, которое заставило меня рассмеяться. Доктор Герберт Калик был награжден орденом «Крест за заслуги». Калик — это тот молодчик, который донес на меня, обвинив в пораженчестве, а потом, когда надо мной устроили суд, потребовал проявить твердость, неумолимую твердость. Это его осенила гениальная идея мобилизовать сиротский дом для «последней схватки с неприятелем». Я знал, что теперь он важная птица. В вечерней газете говорилось, что «Крест» ему пожаловали за «заслуги в деле распространения демократических взглядов среди молодежи».

Года два назад он пригласил меня к себе в гости, дабы помириться со мной. Неужели я должен был простить ему сироту Георга, который погиб, обучаясь бросать противотанковую гранату?.. Или то, что он донес на меня: обвинил десятилетнего мальчишку в пораженчестве и потребовал проявить твердость, неумолимую твердость? Но Мария сочла, что нельзя отказаться от визита, цель которого — примирение; мы купили цветы и поехали к Калику. Он оказался обладателем красивой виллы почти что на самом Эйфеле, красавицы жены и ребенка, которого они весьма гордо именовали «единственным». Красота его жены была такова, что ты никак не мог сообразить — всамделишная ли женщина перед тобой или нет. Когда я сидел рядом с ней, меня все время так и подмывало схватить ее за руку или за плечо, а не то наступить на ногу, чтобы убедиться, что она все же не кукла. Ее участие в общей беседе ограничивалось двумя восклицаниями: «О, какая прелесть!» и «О, какая гадость!» Вначале она показалась мне скучной, но потом я вошел в азарт и начал болтать с ней обо всем на свете; казалось, я бросаю в автомат монетки для того, чтобы узнать, что выдаст этот автомат. Я сообщил госпоже Калик, что у меня только что умерла бабушка — это было явной неправдой, так как моя бабушка умерла уже двенадцать лет назад, — и в ответ услышал: «О, какая гадость!»; когда люди умирают, говорится много разной чуши, но, по-моему, никто еще не додумался воскликнуть: «О, какая гадость!» Потом я сказал ей, что некий Хумело (никакого Хумело я не знал, я тут же выдумал его, чтобы бросить в автомат какое-нибудь радостное сообщение) получил почетного доктора, и она сказала: «О, какая прелесть!» Наконец, я объявил, что мой брат Лео перешел в католичество, мгновение она колебалась — и я расценил это чуть ли не как проблеск сознания, — а потом вскинула на меня свои большие стеклянные кукольные глаза, чтобы выяснить, к какой категории я сам причисляю это событие, и воскликнула: «О, какая гадость, не правда ли?»; все же я вынудил ее несколько видоизменить свою формулу. Я посоветовал ей опускать слова «о, какая» и говорить просто «прелесть» или «гадость»; она хихикнула, подложила мне еще спаржи и только потом сказала: «О, какая прелесть!» В тот же вечер мы познакомились с тем, кого они гордо именовали «единственным», — с их пятилетним парнишкой; его хоть сейчас бери и показывай по телевидению в рекламной передаче. Малыш улыбнулся так, словно рекламировал зубную пасту, и сказал: «Спокойной ночи, папочка! Спокойной ночи, мамочка!» — шаркнул ножкой перед Марией, шаркнул ножкой передо мной. Удивительно, почему отдел рекламы телевидения до сих пор не открыл его. Позже, когда мы, сидя у камина, попивали кофе с коньяком, Герберт заговорил о великом времени, в котором мы живем. Он принес еще бутылку шампанского и впал в патетический тон. Попросил у меня прощения и даже встал на колени, дабы получить, как он выразился, «отпущение грехов без Церкви»; я с трудом удержался, чтобы не дать ему пинка в зад, вместо этого я взял со стола нож для сыра и торжественно посвятил его в демократы. Жена Калика пискнула: «О, какая прелесть!» — растроганный Герберт снова сел на свое место, а я произнес речь о «пархатых янки».

— Долгое время, — сказал я, — люди думали, что фамилия Шнир, моя фамилия, происходит от слова «шнырять», но теперь доказано, что она происходит от слов «шнуровать», «шнур», а не «шнырять». Одним словом, я не «пархатый» и не «янки», но все же... — И тут вдруг я залепил Герберту пощечину, потому что вспомнил, как он заставил нашего однокашника Геца Бухеля доставать себе справку об «арийском происхождении», вспомнил, в какое тяжелое положение попал Гец: его мать, итальянка, была родом из деревушки в

Южной Италии, и раздобыть там какой-нибудь документ о ее родичах, хотя бы отдаленно напоминающий справку об арийском происхождении, оказалось невозможным, тем более что деревушку, в которой родилась мать Геца, заняли к тому времени «пархатые янки». Несколько недель госпожа Бухель и Гец находились в мучительном положении, над их жизнью нависла угроза, пока наконец учителю Геца не пришла в голову мысль привлечь в качестве эксперта какого-нибудь специалиста по расовому вопросу, профессора Боннского университета. Специалист установил, что Гец — «чистый ариец, хотя и чисто западного склада», но тут Герберт Калик завел новую канитель насчет того, что все итальянцы предатели, и у Геца до самого конца войны не было ни одной спокойной минуты. Все это я вспомнил, когда начал читать лекцию о «пархатых янки»... и дал Герберту Калику по морде, швырнул в камин свой бокал от шампанского, а следом за ним и нож для сыра, схватил Марию за руку и потащил ее из дома. Там, на Эйфеле, мы никак не могли достать такси, пришлось довольно далеко идти пешком к остановке автобуса. Мария плакала и сквозь слезы повторяла, что я поступил не по-христиански и не по-человечески, но я ответил, что не собираюсь быть христианином и не нанялся отпускать грехи. Потом она спросила меня, неужели я сомневаюсь в том, что Герберт переменился и стал демократом.

— Нет, нет, — ответил я, — в этом я ни капли не сомневаюсь, как раз наоборот... просто я его не перевариваю и никогда не смогу переварить.

Я взял телефонную книгу и начал искать телефон Калика. Я был как раз в подходящем настроении, чтобы побеседовать с ним по телефону. Я вспомнил, как спустя некоторое время встретил Калика еще раз на «журфиксе» у нас дома, — он взглянул на меня умоляюще и покачал головой: он как раз беседовал с еврейским раввином о «высоких умственных способностях евреев». Мне стало жаль раввина. Это был глубокий старик с белой как лунь бородой, видимо очень добрый, его простодушие обеспокоило меня. Ну, конечно же, Герберт, знакомясь с новыми людьми, сообщал им, что был нацистом и антисемитом до тех пор, пока «история не открыла ему глаза». А между тем всего за день до вступления американцев в Бонн он муштровал мальчиков в нашем парке, приговаривая: «Как только где-нибудь покажется пархатая свинья — бросайте гранату!» На этих мамашиных «журфиксах» меня больше всего волновала доверчивость бывших эмигрантов. Всеобщее раскаяние и громогласные декларации в защиту демократии приводили их в такое умиление, что братаниям и объятиям не было конца. Они никак не могли понять, что тайна злодеяний заключена в мелочах. Легче легкого покаяться в чем-нибудь большом, будь то политическая ошибка, супружеская измена, убийство или антисемитизм... Но разве может человек простить, если он знает все до мелочей, — знает, как Брюль и Герберт Калик взглянули на отца, когда он положил мне руку на плечо, или как рассвирепевший Герберт Калик стучал костяшками пальцев по столу, глядел на меня своими мертвыми глазами и повторял: «Твердость, непреклонная твердость!», или как тот же Герберт схватил за шиворот Геца Бухеля, поставил его перед всем классом и, не обращая внимания на робкий протест учителя, заорал:

— Посмотрите на него... кто скажет, что он не пархатый!

В моей памяти запечатлелось слишком много таких мгновений, слишком много подробностей, мелочей... да и глаза у Герберта ничуть не изменились. Мне стало страшно, когда я увидел Герберта рядом с этим дряхлым, глуповатым, тающим от миролюбия раввином, которого он потчевал коктейлем и болтовней о высоких умственных способностях евреев. К тому же эмигранты не знают, что нацистов посылали на фронт только в очень редких случаях и что погибали не они, а простые смертные, такие как Губерт Книпс, который жил по соседству с Винекенами, и Гюнтер Кремер — сын пекаря; этих посылали на фронт, невзирая на то, что они числились «фюрерами» в гитлерюгенде, ведь у них не было «политического нюха» и они не хотели участвовать во всем этом мерзком вынюхивании. Калика не послали бы на фронт ни при каких обстоятельствах, у него был нюх, он и сейчас у него есть. Держать нос по ветру он умеет. Все происходило совсем иначе, чем думают эмигранты. А они, увы, могут мыслить только такими категориями, как «виновен» или «невиновен», «нацист» или «ненацист».

Гаулейтер Киренхан частенько захаживал в лавку к отцу Марии, без всяких церемоний выхватывал из ящика пачку сигарет, не оставляя взамен ни талонов, ни денег, закуривал, взгромоздившись на прилавок, и говорил:

— А ну-ка, Мартин, как ты думаешь, не засадить ли нам тебя в какой-нибудь уютный, маленький, совсем-совсем не страшный концлагерчик?

И отец Марии отвечал:

— Черного кобеля не отмоешь добела, а ты из их породы.

Они знали друг друга лет с шести. Киренхан приходил в бешенство и предостерегал:

— Смотри, Мартин, соли, да не пересаливай.

И отец Марии отвечал:

— Я сейчас так круто посолю, что ты у меня пулей вылетишь отсюда.

— Придется мне засадить тебя не в самый уютный концлагерь, а в какой похуже.

Так они без конца бранились, но, если бы гаулейтер не «ограждал» отца Марии по причине, которую мы так и не узнали, старого Деркума непременно посадили бы за решетку. Разумеется, гаулейтер «ограждал» далеко не всех, так, он не «оградил» кожевника Маркса и коммуниста Крупе. Их убили. А гаулейтер живет себе сейчас припеваючи: открыл магазин строительных материалов. Как-то раз Мария встретила его, и Киренхан признался, что «ему грех жаловаться». Отец Марии часто повторял:

— Каким проклятием была эта нацистская власть, можно понять хотя бы из того, что я на самом деле обязан жизнью этой скотине, гаулейтеру, и еще вдобавок должен был письменно засвидетельствовать это.

Тем временем я разыскал телефон Калика, но колебался, звонить ему или нет. Я вспомнил, что завтра у матери очередной «журфикс». Я могу пойти туда и на худой конец набить себе за счет родителей полные карманы сигарет и соленого миндаля, можно также прихватить с собой кулек для маслин и еще один — для сырных палочек, а потом обойти гостей с шапкой и насобирать денег в пользу «неимущего члена семьи». Как-то лет в пятнадцать я проделал это — насобирал денег на «особые надобности», и выручка оказалась немногим меньше ста марок. Эти деньги я без малейших угрызений совести потратил на себя, а если завтра я начну Христа ради выпрашивать для «неимущего члена семьи», здесь не будет никакого обмана, я и есть неимущий член семьи Шниров. А под конец пойду на кухню, поплачу на груди у Анны и разживусь огрызками колбасы. Все кретины, которых собирает у себя мамаша, расценят мое представление как милую шутку. Даже мать, криво усмехаясь, вынуждена будет превратить все в шутку... И никто не поймет, до какой степени это серьезно. Людишки эти ничего не смыслят. Правда, они знают, что клоун должен быть меланхоликом, иначе ему не стать хорошим клоуном, но им невдомек, до какой степени серьезна эта меланхолия. На «журфиксе» у матери я встречу их всех: и Зоммервильда, и Калика, и либералов, и социал-демократов, и полдюжину сортов президентов разных компаний, и даже участников движения против атомной бомбы (мать была дня три участницей антиатомного движения, но потом президент не знаю уж какой компании разъяснил ей, что последовательная антиатомная политика вызовет решительное падение курса акций, и она в ту же секунду — буквально в ту же секунду — ринулась к телефону, позвонила в соответствующий комитет и «отмежевалась» от этого дела). Ну, а на закуску, после того как я обойду гостей со шляпой, я публично набью физиономию Калику, назову Зоммервильда ханжой в рясе и обвиню присутствующего члена Объединения католиков-мирян в подстрекательстве к блуду и к супружеской измене.

Я снял палец с диска, так и не позвонив Калику. А ведь я хотел спросить его всего-навсего, сумел ли он преодолеть свое прошлое, по-прежнему ли у него хорошие отношения с властью и не может ли он просветить меня насчет «высоких умственных способностей евреев». Однажды Калик прочел на собрании гитлерюгенда доклад на тему «Макиавелли, или Попытка приблизиться к власти». Я мало чего понял в докладе, если не считать того, что Калик откровенно и во всеуслышание объявил себя приверженцем всякой власти. Однако по выражению лиц остальных «фюреров» гитлерюгенда я догадался, что, даже по их мнению, Калик перехватил через край. Он почти не говорил о Макиавелли, а все только о Калике, и на физиономиях «фюреров» я прочел, что эту речь они сочли явным бесстыдством. В газетах без конца читаешь о бесстыжих чудовищах. Калик был политическим чудовищем, и где бы он ни выступал, всем было стыдно.

Меня радовал предстоящий «журфикс». Наконец-то я попользуюсь родительскими капиталами: маслинами, соленым миндалем и сигаретами... сигары я буду брать целыми коробками, чтобы спустить их потом со скидкой. Я сорву орден с груди Калика и надаю ему пощечин. По сравнению с ним даже моя мамаша выглядит человечной. Когда мы столкнулись с ним в последний раз в гардеробной родительского дома, он с грустью посмотрел на меня и сказал:

— Для каждого человека существует возможность заслужить прощение, христиане называют это отпущением грехов.

Я ему ничего не ответил. В конце концов я ведь не христианин. Я вспомнил, что в том своем докладе он говорил об «эротизме жестокости» и о макиавеллизме в сексуальной сфере. Размышляя над его сексуальным макиавеллизмом, я жалел проституток, к которым он ходит, так же как жалею женщин, которых брачный контракт обязывает терпеть любое чудовище. Я подумал о множестве красивых молодых девушек, которым выпало на долю делать «то самое» через силу либо с такими, как Калик, — за мзду, либо с законным супругом — безвозмездно.

18

Вместо того чтобы набрать телефон Калика, я опять позвонил в заведение, где обучается Лео. Должны же они когда-нибудь покончить с ужином, заглотать свои салаты, которые обуздывают чувственность. Я обрадовался, услышав тот же голос. Старик курил сейчас сигару, и это перебивало капустный запах.

— Говорит Шнир, — сказал я, — вы еще не забыли?

— Конечно, — засмеялся он. — Надеюсь, вы не поняли меня буквально и не сожгли своего Августина.

— А как же, — удивился я, — так и поступил. Разорвал книженцию и по частям запихал в печку.

Он помолчал минутку.

— Вы шутите, — произнес он хрипло.

— Да нет, — возразил я, — в таких делах я веду себя последовательно.

— Боже мой! — сказал он. — Разве вы не уловили диалектическое начало в моих высказываниях?

— Не уловил, я прямой, бесхитростный малый, рубаха-парень. А как там мой братец? — спросил я. — Когда эти господа соизволят наконец закончить свою трапезу?

— Им только что понесли десерт, — ответил он. — Теперь уже скоро.

— Чем их сегодня угощают? — спросил я.

— На десерт?

— Да.

— Собственно, мне этого не следует говорить, но вам я, так и быть, скажу. Компотом из слив со взбитыми сливками. Недурственно? Вы любите сливы?

— Нет, — ответил я, — к сливам у меня антипатия, непонятная, но непреодолимая.

— Прочтите работу Хоберера об идиосинкразии, все связано с ранними, очень ранними впечатлениями... большей частью еще в утробный период. Любопытно. Хоберер подробно разобрал восемьсот случаев... Вы меланхолик?

— Откуда вы знаете?

— Слышу по голосу. Помолитесь Богу и примите ванну.

— Ванну я уже принял, а молиться не могу, — ответил я.

— Как жаль, — сказал он. — Я раздобуду вам нового Августина. Или Кьеркегора.

— Его я еще не сжег, — сказал я. — Не можете ли вы еще кое-что передать брату?

— С удовольствием.

— Скажите, чтобы он принес мне денег. Все, какие только раздобудет.

Он что-то пробормотал, а потом громко возвестил:

— Записываю: принести как можно больше денег. Впрочем, вам стоит и впрямь почитать Бонавентуру. Великолепное чтение, и не вздумайте презирать девятнадцатый век. По вашему голосу я слышу, что вы презираете девятнадцатый век.

— Вы правы, — согласился я, — я его ненавижу.

— Какое заблуждение, — сказал он. — Чепуха. Даже архитектура была тогда не так уж плоха, как ее пытаются изобразить. — Он засмеялся. — Сперва доживите до конца двадцатого, а потом ненавидьте девятнадцатый. Вы не возражаете, если, разговаривая с вами, я буду есть свой десерт?

— Сливы? — спросил я.

— Нет, — сказал он, слабо хихикнув. — Я впал в немилость, и мне теперь вместо господской еды дают ту же еду, что и слугам; сегодня у нас на сладкое пудинг с ячменным сахаром. Впрочем, — как видно, он уже положил в рот ложку пудинга, проглотил и, хихикая, продолжал, — впрочем, я им мщу за это. Часами разговариваю с одним своим бывшим братом по обители в Мюнхене, который тоже учился у Шелера. Иногда звоню также в Гамбург, узнаю в справочной, что там идет в кино, или же соединяюсь с бюро погоды в Берлине: все из мести. При новой системе, когда сам набираешь междугородный номер, все остается шито-крыто. — Он снова принялся за еду, хихикнул и немного погодя прошептал: — Ведь Церковь богата, ужасно богата, от нее прямо смердит деньгами... как от трупа богача. Трупы бедняков хорошо пахнут... вы это знали?

— Нет, — ответил я; головная боль немного отпустила, и я обвел на бумажке номер их телефона красной рамочкой.

— Вы ведь неверующий? Не возражайте, я слышу по вашему голосу, что вы неверующий. Правильно?

— Да, — ответил я.

— Это ничего не значит, ровно ничего не значит, — сказал он. — У пророка Исайи есть одна фраза, которую приводит в своем Римском послании апостол Павел. Слушайте внимательно: «Но как написано: не имевшие о Нем известия увидят, и не слышавшие узнают». — Он злобно хихикнул. — Поняли?

— Да, — ответил я устало.

— Добрый вечер, господин директор, добрый вечер! — сказал он громко и положил трубку. Напоследок его голос неприятно резанул меня, таким он стал угодливым.

Я подошел к окну и взглянул на часы, которые висели на углу. Было уже почти половина девятого. Я нашел, что они ужинают весьма обстоятельно. Мне так хотелось поговорить с Лео, но теперь меня интересовали, пожалуй, только деньги, которые он мне одолжит. Постепенно до моего сознания дошло, в каком серьезном положении я очутился.

Иногда я сам не знаю, что пережил в действительности: то ли, что вообразил себе так ясно, так осязаемо, или то, что со мной случилось на самом деле. В голове у меня все смешивается. Не могу поручиться, что я и впрямь видел того мальчика в Оснабрюке, зато ручаюсь, что я распилил с Лео старый столб. Не могу поручиться также, что я брел пешком к Эдгару Винекену в район Кальк, чтобы превратить» в наличные деньги дедушкин чек на двадцать две марки. Правда, я отчетливо помню мельчайшие подробности: зеленую кофточку продавщицы, которая бесплатно дала мне булочки, дырки на носках молодого рабочего, который прошел мимо, пока я сидел на пороге и ждал Эдгара; но и это еще ничего не значит. Хоть убей, а я видел капли пота на верхней губе Лео, когда мы пилили с ним. Я припоминаю также всю до мелочей ночь в Кельне, когда у Марии был первый выкидыш. Генрих Белен сосватал мне несколько выступлений перед молодежью по двадцать марок за выход. Обычно Мария сопровождала меня, но в тот вечер она осталась дома, потому что плохо себя чувствовала; я вернулся поздно с девятнадцатью марками чистой прибыли в кармане, но комната оказалась пустой, на смятой кровати я обнаружил простыню с пятнами крови, на комоде меня ждала записка: «Я в больнице. Ничего страшного. Генрих в курсе». Я тут же помчался к Генриху, и от его угрюмой экономки узнал, в какую больницу положили Марию, побежал туда, но меня не пустили; сперва мне пришлось разыскать в больнице Генриха и вызвать его к телефону, только после этого монахиня-привратница разрешила мне войти. Лишь в половине

252

двенадцатого ночи я наконец очутился в палате, где лежала Мария; все было уже позади, Мария лежала на больничной койке и плакала, в лице ни кровинки; рядом с ней сидела монахиня, перебиравшая четки. Пока я держал Марию за руку, а Генрих вполголоса толковал ей, что будет с душой существа, которое она не смогла произвести на свет, монахиня невозмутимо перебирала четки. Мария была, видно, твердо убеждена, что ребенок — так она называла его — никогда не сможет попасть на небо, потому что он некрещеный. Она без конца повторяла, что он обречен томиться в чистилище; в ту ночь я впервые понял, какую чудовищную нелепицу внушают католикам на уроках закона Божьего. Генрих оказался совершенно беспомощным: он не мог рассеять ее страхи, но именно его беспомощность утешила меня. Он твердил, что божественное милосердие «более всеобъемлюще, чем юридическая казуистика богословов». А монахиня все перебирала четки. Но в религиозных вопросах Мария необычайно упряма, и она без конца вопрошала, где проходит «грань» между догмой и милосердием. Я запомнил это ее выражение «грань». В конце концов я вышел из палаты, где казался себе изгоем, человеком совершенно лишним. В коридоре я стал у окна, закурил и начал смотреть поверх каменной стены на противоположную сторону улицы, где было кладбище автомобилей. Стену сплошь оклеили предвыборными плакатами: «Вручи свое будущее СДПГ!» и «Голосуйте за ХДС!». Этим своим неописуемым скудоумием они, наверное, хотели окончательно добить больных, которые нет-нет да и взглянут из своих палат на стену. Плакат «Вручи свое будущее СДПГ!» казался прямо гениальной находкой, литературным перлом, так сражала тупость молодчиков из ХДС, которые не придумали ничего лучшего, как просто написать «Голосуйте за ХДС!». Время уже подбиралось к двум часам ночи; потом мы спорили с Марией, взаправду ли произошло то, что я увидел... Откуда-то слева прибежала бродячая собака, обнюхала фонарь, обнюхала плакат СДПГ, потом плакат ХДС и сделала свое дело прямо на плакат ХДС, после чего медленно потрусила направо, туда, где улица тонула во мраке. Каждый раз, когда мы вспоминали потом эту печальную ночь, Мария уверяла, будто я не видел никакой собаки, а если она соглашалась «поверить» в собаку, то ни за что не хотела признать, что та сделала свое дело на плакат ХДС. Мария утверждала, будто я так сильно подпал под влияние ее отца, что, сам того не сознавая, готов исказить правду и даже солгать, только чтобы настоять на своем, будто собака «опоганила» плакат ХДС, а не плакат СДПГ. Но как раз ее отец куда больше презирал СДПГ, нежели ХДС... И потом, я видел это собственными глазами и меня не собьешь.

Только около пяти утра я проводил Генриха домой; пока мы шли по Эренфельду, он на каждом шагу показывал на подъезды, бормоча: «Здесь живут мои овечки, здесь живут мои овечки...» Сварливая экономка Генриха с желтыми икрами злобно воскликнула: «Это еще что такое?» Я пошел домой и украдкой от хозяйки постирал в ванной простыню в холодной воде.

Эренфельд... платформы с бурым углем... веревки, на которых сохло белье, запрет пользоваться ванной, свист пакетиков с объедками, пролетавших иногда ночью мимо наших окон, подобно неразорвавшимся снарядам... глухой шлепок о землю, и снаряд уже замолкал, разве что из него выпадала яичная скорлупа и с тихим шелестом катилась прочь.

У Генриха опять вышли из-за нас неприятности со священником, так как он хотел ссудить нас деньгами из церковного благотворительного фонда; я снова отправился к Эдгару Винекену, а Лео прислал нам свои карманные часы, чтобы мы их заложили; Эдгар раздобыл немного денег в кассе социального страхования рабочих; таким образом мы смогли хотя бы рассчитаться за лекарства, взять такси и наполовину расплатиться с врачом.

Я вспоминал Марию, монахиню, перебиравшую четки, слово «грань», бродячую собаку, предвыборные плакаты, кладбище автомобилей... и то, какие у меня были холодные руки, когда я стирал простыню... и все же я не мог поручиться, что все это происходило на самом деле. Я не стал бы также ручаться, что старик из духовной семинарии Лео действительно рассказал мне, будто он звонит в берлинское бюро погоды, чтобы нанести материальный ущерб Католической церкви, а ведь я слышал это собственными ушами, слышал, как он в это время глотал и чавкал, уплетая сладкий пудинг.

19

Не долго думая и еще не зная, что я скажу, я набрал телефон Моники Зильвс. Не успел звонок прозвонить, как она уже подняла трубку:

— Алло.

Мне было приятно услышать ее голос. Голос у Моники сильный и умный.

— Говорит Ганс, — сказал я, — я хотел...

Но она вдруг прервала меня:

— Ах, это вы... — В ее тоне не было ничего обидного или неприятного, но я явственно понял, что она ждала другого звонка, не моего. Может быть, ей должна была позвонить приятельница или мать... и все же мне стало обидно.

— Я хотел только поблагодарить вас, — сказал я. — Вы такая милая.

В квартире до сих пор пахло ее духами, «Тайгой» — так, кажется, они называются. Для нее они были слишком крепкими.

— Меня все это так огорчает, — сказала она, — вам, наверное, тяжело. — Я не знал, что именно она имеет в виду: пасквиль Костерта, который, очевидно, прочел весь Бонн, или венчание Марии, или и то и другое.

— Нельзя ли вам чем-нибудь помочь? — спросила она вполголоса.

— Да, — ответил я, — приходите и сжальтесь надо мной и над моим коленом тоже — оно довольно-таки сильно распухло.

Моника промолчала. А я-то ждал, что она тотчас скажет: «Хорошо!» — и мне даже стало жутко при мысли, что она и впрямь последует моему зову. Но она сказала:

— Сегодня не могу, ко мне должны прийти.

Она могла бы объяснить, кого она ждет, или по крайней мере сказать: «Ко мне зайдет приятельница или приятель». После ее слов «ко мне должны прийти» я почувствовал себя совсем скверно.

— Ну, тогда отложим на завтра, мне придется, наверное, пролежать недельку, не меньше.

— А можно мне пока помочь вам как-нибудь иначе, я хочу сказать, нельзя ли что-нибудь сделать для вас по телефону? — Она произнесла это так, что во мне проснулась надежда — быть может, все же она ждет просто приятельницу.

— Да, — сказал я, — сыграйте мне мазурку Шопена, Си бемоль мажор, опус седьмой.

— Странные у вас фантазии. — Она рассмеялась; при звуках ее голоса моя приверженность к моногамии впервые пошатнулась. — Я не очень люблю Шопена, — продолжала она, — и плохо его играю.

— О боже, — возразил я, — какая разница! А ноты у вас есть?

— Должны где-то быть, — ответила она, — подождите секундочку.

Она положила трубку на стол, и я услышал, как она ходит по комнате. Я ждал несколько минут, пока она снова взяла трубку, и за это время успел вспомнить, как Мария рассказала мне, что даже у некоторых святых были подруги. Разумеется, их связывала чисто духовная дружба, но все духовное, что женщина дает мужчине, у них, значит, было. А меня лишили и этого. Моника снова взяла трубку.

— Вот, — сказала она со вздохом, — вот мазурки.

— Пожалуйста, — попросил я опять, — сыграйте мне мазурку, Си бемоль мажор, опус седьмой, номер один.

— Я уже сто лет не играла Шопена, надо бы немного поупражняться.

— А может, вам не хочется, чтобы ваш таинственный гость услышал, что вы играете Шопена?

— О, — сказала она со смехом, — пусть себе слушает на здоровье.

— Зоммервильд? — спросил я одними губами, услышал ее удивленный возглас и продолжал: — Если это действительно он, стукните его по голове крышкой ролл.

— Этого он не заслужил, — возразила она, — он вас очень любит.

— Знаю, — сказал я, — и даже верю ему, но я хотел бы набраться мужества и прикончить его.

— Я немного порепетирую и сыграю вам мазурку, — сказала она поспешно. — Я вам позвоню.

— Хорошо, — ответил я, но мы оба не сразу положили трубку. Я слышал дыхание Моники, не знаю, сколько времени, но я слышал его, потом она положила трубку. А я еще долго не опускал бы трубку, только чтобы слышать ее дыхание. Боже мой, дыхание женщины, хотя бы это.

Фасоль камнем лежала у меня в желудке, и это усугубляло мою меланхолию; тем не менее я отправился на кухню, открыл вторую банку, вывалил фасоль в ту же кастрюлю, в какой грел раньше, и зажег газ. Кофейную гущу в фильтровальной бумаге я выкинул в помойное ведро, взял чистую бумагу, всыпал в нее четыре ложки кофе и поставил кипятить воду, а после попытался навести в кухне порядок. Подтер тряпкой пролитый кофе, выбросил пустые консервные банки и скорлупки от яиц в ведро. Ненавижу неубранные комнаты, но сам я не в состоянии убирать. Я пошел в столовую, взял грязные рюмки и отнес их в раковину на кухню. Теперь в квартире все было в порядке, и все же она выглядела неприбранной. Мария умела непостижимо быстро и ловко придавать каждой комнате прибранный вид, хотя ничего осязаемого, ничего явного она не совершала. Как видно, весь секрет в ее руках. Я вспомнил руки Марии — уже самая мысль, что она положит руки на плечи Цюпфнеру, превращала мою меланхолию в отчаяние. Руки каждой женщины могут так много сказать — и правду, и неправду; по сравнению с ними мужские руки представляются мне просто кое-как приклеенными чурками. Мужские руки годны для рукопожатий и для рукоприкладства, ну и, конечно, они умеют опускать курок и подписывать чеки. Рукопожатия, рукоприкладство, стрельба и подписи на чеках — вот все, на что способны мужские руки, если не считать работы. Зато женские руки, пожалуй, уже нечто большее, чем просто руки, даже тогда, когда они мажут масло на хлеб или убирают со лба прядь волос. Ни один церковник не додумался прочесть проповедь о женских руках в Евангелии: о руках Вероники и Магдалины, Марии и Марфы, хотя в Евангелии так много женских рук, ласковых рук, помогавших Христу. Вместо этого они читают проповеди о незыблемых законах и принципах, об искусстве и государстве. А ведь в частном порядке, если можно так выразиться, Христос общался почти исключительно с женщинами. Без мужчин он, конечно, не мог обойтись;

ведь такие, как Калик, — приверженцы всякой власти, они разбираются в организациях и прочей ерунде. Христос нуждался в мужчинах так же, как человек, задумавший переехать на новую квартиру, нуждается в упаковщиках; мужчины были ему необходимы для черной работы; впрочем, Петр и Иоанн были не по-мужски мягкими, зато Павел являлся воплощением мужества, как и подобало настоящему римлянину. Дома нас во всех случаях жизни пичкали Библией, поскольку среди нашей родни полным-полно пасторов, но нам ни разу не рассказали о женщинах в Евангелии или о чем-нибудь столь непостижимом, как притча о неправедном Маммоне. В католическом кружке тоже не упоминали о неправедном Маммоне; когда я заводил об этом речь, Кинкель и Зоммервильд смущенно улыбались, словно они поймали Христа на какой-то досадной оплошности, а Фредебейль утверждал, что в ходе истории выражение это совершенно стерлось. Его, видите ли, не устраивала «иррациональность» этого выражения. Можно подумать, что деньги — что-то рациональное. В руках Марии даже деньги теряли свою сомнительность: у нее была прекрасная черта — она умела обходиться с деньгами небрежно и в то же время очень бережливо. Поскольку я совершенно не признавал ни чеков, ни любых других способов «безналичных расчетов», мне вручали гонорар звонкой монетой прямо на месте, поэтому нам никогда не приходилось определять наш бюджет больше чем на два, в крайнем случае на три дня вперед. Мария ссужала деньгами почти всех, кто к ней обращался, а иногда и тех, кто не думал обращаться: ей достаточно было выяснить в разговоре, что человек нуждается в деньгах.

Так, она заплатила за зимнее пальто сынишки официанта в Гёттингене, узнав, что мальчику пора поступать в школу; частенько она доплачивала за билет и плацкарту беспомощным старушкам, которые ехали на похороны и, как на грех, попадали в мягкие вагоны. Я и не знал, как много старушек разъезжает по железной дороге, чтобы присутствовать на погребении своих чад, внуков, невесток и зятьев, и что иногда эти старушки — не все, разумеется, — кокетничая своей старушечьей беспомощностью, забираются со всеми своими тяжелыми чемоданами и сумками, набитыми копченой колбасой, шпиком и сдобными пирогами, в мягкое купе. В этих случаях я, по настоянию Марии, укладывал тяжелые чемоданы и сумки в сетки для багажа, хотя все пассажиры понимали, что у бабуси билет в жестком вагоне. А сама Мария тут же отправлялась к проводнику, чтобы «уладить дело», пока бабусе не разъяснили, что она малость ошиблась. Чтобы доплатить нужную сумму, Мария заранее спрашивала, далеко ли едет старушка, а потом осведомлялась, кого она собирается хоронить. Старушки обычно любезно комментировали действия Марии, говоря: «Нынешняя молодежь вовсе не такая уж плохая, как люди думают», — и вручали ей гонорар в виде необъятного размера бутербродов с ветчиной. Особенно много осиротевших бабушек курсирует, как мне казалось, между Дортмундом и Ганновером. Мария всегда стеснялась, что мы едем в мягком, и она огорчилась бы не на шутку, если бы кого-нибудь выгнали из нашего купе только за то, что он не наскреб денег на билет в мягком. С неистощимым терпением она выслушивала пространные описания родственных связей и разглядывала фотографии абсолютно чужих людей. Однажды мы провели целых два часа со старой крестьянкой из Бюкебурга, у которой было двадцать три внука и все нужные фотографии оказались при себе; таким образом, нам довелось выслушать двадцать три жизнеописания и познакомиться с двадцатью тремя фотокарточками молодых мужчин и женщин, которые все без исключения «вышли в люди»: один внук стал инспектором в Мюнстере, внучка замужем за железнодорожным служащим, второй внук заведовал лесопилкой, третий занимал важный пост «в этой самой партии, за которую все голосуют... сами знаете»; о внуке, служившем в бундесвере, старушка сказала, что он сызмальства любил «прочное положение». Для Марии все эти истории представляли захватывающий интерес, она находила их необычайно занимательными и уверяла, что это-то и есть «настоящая жизнь», меня утомляло однообразие этих историй. Между Дортмундом и Ганновером разъезжает слишком много бабусь, чьи внуки стали железнодорожными служащими, а невестки безвременно почили, поскольку «нынешние женщины не хотят рожать... вот в чем беда». Мария умела окружать заботой и вниманием всех стариков, нуждающихся в опеке; она даже помогала им звонить по телефону. Как-то раз я заметил, что ей следовало бы поступить в христианскую миссию при вокзале, и она с некоторой обидой отпарировала:

— А почему бы и нет?

Я сказал это, не желая·ее задеть, без всякого злого умысла. А теперь она таки оказалась в своего рода филантропической миссии: мне кажется, Цюпфнер женился на ней, чтобы «спасти» ее, а она в свою очередь вышла за него замуж, чтобы «спасти» его; правда, я не уверен, разрешит ли он ей тратить деньги на то, чтобы переводить бабушек из жестких в мягкие вагоны да еще доплачивать за скорость в поездах прямого сообщения; Цюпфнер отнюдь не скряга, но он удручающе неприхотлив, так же как и Лео. Однако неприхотливость Цюпфнера не имеет ничего общего с неприхотливостью, скажем, Франциска Ассизского, который мог понять прихоти других людей, сам не имея их. Мысль о том, что в сумочке Марии лежат сейчас деньги Цюпфнера, показалась мне невыносимой, так же как выражение «медовый месяц» или дурацкая идея бороться за Марию. Бороться ведь можно только в прямом смысле этого слова. Даже потеряв форму как клоун, я имел преимущество и перед Цюпфнером, и перед Зоммервильдом. Пока они будут становиться в позицию, я успею сделать три сальто, напасть на них сзади, повалить и зажать в клещи. Или они намерены драться со мной по всем правилам искусства? От них можно всего ожидать, даже столь извращенного толкования «Песни о Нибелунгах». А может, они думали о духовной борьбе? Я их не боюсь; почему же они не позволили Марии отвечать на мои письма, в которых я вел своего рода духовную борьбу? Сами не моргнув глазом говорят о «медовом месяце» и о «свадебном путешествии», а меня обвиняют в аморальности, жалкие лицемеры! Пусть бы послушали, что болтают официанты и горничные в гостиницах о парочках, отправившихся в свадебное путешествие. Где бы ни появлялись эти парочки — в поезде или в гостинице, — каждый паршивец шепчет им вслед: «Смотрите, у них „медовый месяц"»; и даже дети знают, чем они без конца занимаются. А потом кто-то ведь меняет им белье и стирает его... Когда она положит руки на плечи Цюпфнера, ведь она должна вспомнить, как я грел ее холодные как лед ладони у себя под мышкой.

Руки Марии! Они открывают дверь виллы, поправляют одеяло на кроватке маленькой Марии, включают тостер на кухне, ставят кипятить воду, вынимают сигарету. Записка от прислуги ждет ее на этот раз на кухонном столе, а не на холодильнике: «Пошла в кино. Буду к десяти». А в столовой на телевизоре записка от Цюпфнера: «Пришлось срочно пойти к Ф. Твой Хериберт». Варианты разные: холодильник или кухонный стол, «целую» или «твой». Намазывая на подсушенный хлеб толстый слой масла и ливерной колбасы, засыпая в чашку три ложки какао вместо положенных двух, ты впервые чувствуешь глухое раздражение — черт бы побрал эту диету — и вспоминаешь, как госпожа Блотхерт произнесла своим визгливым голосом, когда ты взяла еще кусок торта:

— Но ведь в общей сложности здесь свыше полутора тысяч калорий. Неужели вы можете себе это позволить?

А потом бросила на твою талию взгляд оценщика, взгляд, в котором нетрудно было прочесть: «Нет, вы не можете себе этого позволить!»

О святой «ка-ка-ка ...нцлер» или «...толон»! Да, несомненно, ты начинаешь полнеть!.. В городе шепчутся, в этом городе шептунов шепчутся. Почему она не находит себе места, почему прячется по темным углам — в кино и в церкви, почему пьет одна в темной столовой шоколад с ломтем хлеба? Что ты сказала этому молокососу на вечере во время танцев, когда он одним духом выпалил: «Ответьте мне быстро, что вы любите больше всего·на свете, сударыня, только не задумывайтесь!» И ты, конечно, сказала ему правду: «Маленьких детей, исповедальни, кино, грегорианские песнопения и клоунов».

— А мужчин вы не любите, сударыня?

— Да, но только одного, — сказала ты, — мужчин как таковых — нет, мужчины глупые.

— Вы разрешите мне опубликовать ваши ответы?

— Нет, нет, боже вас упаси!

Мария ответила «только одного». Почему бы ей не сказать просто: «только своего мужа»? Но разве любить одного мужчину не означает любить только мужа, только того, с кем ты обвенчана? Ах, эти лишние четыре буквы в слове муж-чина!

Прислуга возвращается домой. Ключ поворачивается в замочной скважине, входная дверь открывается, снова хлопает, ключ опять поворачивается. В передней зажигается свет, гаснет, потом зажигается свет на кухне, хлопает дверца холодильника, опять хлопает, свет на кухне тушат, в твою дверь осторожно стучат:

— Спокойной ночи, госпожа Цюпфнер.

— Спокойной ночи. Маленькая Мария хорошо себя вела?

— Очень хорошо.

Свет в передней выключают, на лестнице раздаются шаги. («Стало быть, она сидела совсем одна в темноте и слушала церковную музыку».)

Твои руки, руки, которые стирали тогда простыни и отогревались у меня под мышкой, касаются сейчас тысячи вещей: патефона, пластинок, ручек настройки, клавиш приемника, чашек, хлеба, детских волос, одеяльца, теннисной ракетки.

Да, кстати, почему ты перестала играть в теннис?

Ты пожимаешь плечами. Нет настроения, просто нет настроения. А ведь теннис вполне подходящая игра для жен политиков и ведущих католических деятелей. Ни-ни. Эти понятия пока еще не совсем совпадают. Теннис сохраняет стройную, гибкую фигуру, женскую привлекательность.

— А Ф. так любит играть с тобой в теннис. Он тебе не нравится?

— Нет, нет, почему же?

Ф. человек сердечный. Правда, про него говорят, что он добивался министерского портфеля «зубами и когтями». Его считают негодяем и интриганом, но к Хериберту он и впрямь питает слабость. Люди продажные и бессовестные частенько симпатизируют людям неподкупным и совестливым. Какую трогательную порядочность проявил Хериберт при постройке своей виллы: не воспользовался специальными кредитами, не прибег к «помощи» специалистов, своих коллег по церковным и партийным союзам. Правда, он хотел, чтобы его сад был разбит «на склоне», только поэтому ему пришлось заплатить кое-что сверх установленной цены, что «само по себе» он считает аморальным. А теперь оказалось, что сад на склоне не так уж удобен.

Сады на склонах можно разбивать вниз и вверх. Хериберт выбрал спускающийся сад... Но как раз это сулит неприятности, ведь маленькая Мария скоро начнет играть в мяч, и мяч будет обязательно скатываться к изгороди соседнего участка или даже проскакивать сквозь изгородь в чужой сад, ломать ветки и цветы, подминать нежные мхи ценных пород — и здесь уж не избежишь сцен, извинений.

— Неужели мы можем сердиться на такое очаровательное маленькое существо?

Ну конечно нет. Жизнерадостный серебристый смех должен изобразить милую снисходительность, но, губы, иссохшие от вечной диеты, судорожно сжаты, на шее напряглись сухожилия; и все это скрыто под маской веселости, а ведь разрядить атмосферу мог бы только самый настоящий скандал, громкая перебранка. До поры до времени удается побороть свои чувства, спрятать их за фальшивой добрососедской улыбкой. А потом в один прекрасный тихий вечер в вилле за закрытыми дверями и опущенными жалюзи начинают бить посуду из тончайшего фарфора, давая волю подавленным инстинктам: «Я ведь хотела... ты, ты этого не хотел!» Дорогой фарфор, когда его шваркают об стенку кухни, издает дешевый звук. И громко воет сирена «скорой помощи», взбирающейся на гору. Сломанный крокус, помятый мох, мяч, брошенный детской ручонкой, катится в соседний сад и... вой сирен оповещает о войне, которую никто не объявлял. Лучше бы мы разбили сад иначе.

Телефонный звонок напугал меня. Сняв трубку, я покраснел: как же я забыл о Монике Зильвс?

— Алло, Ганс! — сказала Моника.

— Да, — ответил я, и все еще не мог припомнить, зачем она звонит. Только после того как она сказала: «Вы будете разочарованы», в моей памяти всплыла мазурка... Пути назад не было: не мог же я сказать, что «раздумал», волей-неволей нам придется пройти через это ужасное испытание. Я услышал, как Моника кладет трубку на рояль, услышал первые такты мазурки; она играла прекрасно, звук был удивительный, но, слушая ее игру, я заплакал, так худо мне стало. Не следовало возвращать тот день, когда я приехал от Марии домой и Лео играл мазурку в музыкальном салоне. Нельзя возвращать ушедшие мгновения и нельзя рассказывать о них другим... В один осенний вечер Эдгар Винекен пробежал у нас в парке стометровку за десять и одну десятую секунды. Я сам следил за секундомером, сам отмерил дистанцию; в тот вечер он пробежал сто метров за 10,1 секунды. Он был, как никогда, в форме, испытывал подъем... но, конечно, нам никто не поверил. Напрасно мы вообще рассказали об этом и тем самым попытались растянуть мгновение. Неужели нельзя было просто наслаждаться сознанием того, что Эдгар и впрямь добежал сто метров за десять и одну десятую секунды. Потом он, конечно, опять стал пробегать эту дистанцию за десять и девять десятых или за одиннадцать секунд, и ни один человек не хотел нам верить — все потешались над нами. О таких мгновениях нельзя даже рассказывать, а уж стараться повторить их — самоубийство. Самоубийством было слушать, как Моника играла мазурку Шопена. Видимо, существуют обрядовые мгновения, хоть и построенные на повторах, но тоже неповторимые, например обряд нарезания хлеба в семье Винекенов... этот обряд я однажды решил повторить, попросив Марию нарезать хлеб так, как его резала мамаша Винекен. Но кухня в квартирке рабочего не имеет ничего общего с номером гостиницы, а Мария не имела ничего общего с мамашей Винекен... Нож выскользнул у нее, и она порезала себе левую руку выше локтя; после этого мы три недели не могли прийти в себя, так нам было неприятно. Вот к каким печальным последствиям приводит сентиментальность. Не надо тревожить ушедших мгновений, не надо их воскрешать.

Когда Моника доиграла мазурку, мне было так скверно, что я даже плакать не мог. Она это, видимо, почувствовала, взяла трубку и сказала вполголоса:

— Ну вот, видите.

— Это моя вина, — сказал я, — ...не ваша... простите меня.

Мне казалось, что я уже очутился в канаве, пьяный, дурно пахнущий, вывалявшийся в собственной блевотине, изрыгающий грязные ругательства, и меня в это время снимает фотограф, по моей собственной просьбе, чтобы вручить мой портрет Монике.

— Можно мне еще раз вам позвонить? — спросил я тихо. — Через несколько дней. Я мерзавец, но у меня есть оправдание — мне ужасно плохо, так плохо, что и не передашь.

Она молчала, я слышал только ее дыхание.

— Я уезжаю на две недели, — сказала она немного погодя.

— Зачем? — спросил я.

— Заниматься богословием, — ответила она, — и немного живописью.

— Когда же вы придете ко мне, — спросил я, — и состряпаете мне омлет с грибами и какой-нибудь салат, они у вас такие вкусные?

— Я не могу прийти, — ответила она, — сейчас не могу.

— А потом?

— Приду, — сказала она; я слышал, что она плачет, затем она положила трубку.

20

Я подумал, что мне необходимо принять ванну, мне казалось, будто я выпачкался с ног до головы, что от меня смердит, как от Лазаря... но я был совершенно чистый и от меня ничем не пахло. Я проковылял на кухню, выключил газ, на котором стояли фасоль и кофейник с водой, вернулся в столовую и хлебнул коньяку прямо из горлышка — ничто не помогало. Даже телефонный звонок не мог сразу вывести меня из оцепенения. Я снял трубку и сказал:

— Да.

Мне ответила Сабина Эмондс:

— Ганс, что за фортели ты выкидываешь? — Я промолчал, и она продолжала: — Посылаешь нам телеграммы. Разыгрываешь трагедии. У тебя так плохи дела?

— Очень даже плохи, — сказал я устало.

— Я гуляла с детьми, — начала она опять, — а Карл на неделю уехал со своим классом в лагерь... пришлось найти кого-нибудь, кто посидел бы с детьми, пока я сбегаю в автомат.

По ее голосу можно было понять, что она замотана и немного раздражена, как и всегда, впрочем. Я не решался попросить у нее денег. С тех пор как Карл женился, он высчитывает каждый грош, чтобы как-то прожить; когда я с ним поссорился, у него было уже трое детей, а четвертый — на подходе. Но я не мог собраться с духом и спросить Сабину, родился ли этот четвертый. В их семье царила атмосфера неприкрытой раздражительности; повсюду валялись проклятые записные книжки Карла, в которых он высчитывал, как им свести концы с концами при его жалованье, а когда мы оставались с Карлом с глазу на глаз, он пускался в «откровенность», что мне претило, и заводил «мужской разговор» о том, как родятся дети, осыпая упреками Католическую церковь (как будто я за нее отвечаю), а потом вдруг наступала минута, когда он смотрел на меня глазами затравленного зверя; тут в комнате обычно появлялась Сабина и смотрела на Карла с видом жертвы: она опять ходила беременная. По-моему, самое ужасное, если жена смотрит на мужа с видом жертвы, потому что она беременна. Все кончалось тем, что они садились и начинали вместе сокрушаться, — ведь Карл и Сабина по-настоящему любят друг друга. За стеной визжали дети, с восторгом переворачивая ночные горшки и бросая мокрые тряпки на новенькие обои, а Карл между тем без конца долдонит: «Дисциплина и еще раз дисциплина» и «Абсолютное, безусловное послушание»; в таких случаях мне приходилось идти к детям и показывать им фокусы, чтобы они утихомирились; но они не желали утихомириться; они пищали от удовольствия и обязательно норовили повторить мои фокусы; в конце концов мы рассаживались в столовой, брали себе на колени по ребенку и разрешали им сделать маленький глоток из наших рюмок. Карл и Сабина заводили разговор о книгах и календарях, где сказано, при каких обстоятельствах женщине не грозит забеременеть. Но дети у них все равно появлялись один за другим. И им было невдомек, что такого рода беседы — сплошное мучение для меня и для Марии, потому что у нас не было детей. Позже, когда Карл напивался, он начинал посылать проклятия Риму, метать громы и молнии в кардиналов и Папу; причем самое комичное было то, что я становился на защиту Папы. Мария куда лучше меня разбиралась в церковных делах и пыталась разъяснить Карлу и Сабине, что Рим к этому вопросу не может подходить иначе... И тогда супруги начинали хитро переглядываться, как бы говоря: «Знаем мы вас... вы, наверное, черт знает что выделываете, чтобы не иметь детей», а под конец кто-нибудь из замученных долгим бдением ребятишек вырывал из рук Марии, из моих рук или рук Карла и Сабины рюмку и выплескивал вино на школьные тетради, которые стопкой лежали на письменном столе. Карлу это было страшно неприятно; ведь он все время читает своим ученикам нравоучения: «Дисциплина, порядок!» — и вот нате, придется возвращать им тетради для классных работ в винных пятнах. Колотушки сыпались на правых и виноватых, дети подымали плач, и Сабина, бросив на нас взгляд, означавший: «Что возьмешь с мужчин», удалялась на кухню с Марией, чтобы сварить кофе; там она начинала «дамские разговоры», которые Мария так же не переносит, как я — «мужские». Мы оставались с Карлом вдвоем, и он опять заводил речь о деньгах в тоне упрека, я, мол, с тобой откровенен, потому что ты хороший парень, но разве ты меня можешь понять?

— Сабина, — сказал я, вздохнув, — я банкрот по всем статьям — морально, физически, в работе, в деньгах, я...

— Если тебе нечего есть, — сказала она, — то, надеюсь, ты знаешь, у нас тебя всегда ждет тарелка супа.

Я молчал, я был растроган, она сказала это искренне, без всяких сантиментов.

— Слышишь? — спросила она.

— Слышу, и не позже завтрашнего дня явлюсь за своей тарелкой супа. Да и вот еще, если вам по-прежнему требуется кто-то, чтобы присматривать за детьми, то я... то я... — Я запнулся. На худой конец я могу делать за деньги то, что всегда делал для них бесплатно, но тут я вдруг вспомнил эту идиотскую историю с яйцом, которое скормил Грегору.

Сабина засмеялась:

— Ну, говори же!

— Я хотел только сказать, что вы можете порекомендовать меня вашим знакомым, телефон у меня есть... и я запрошу не дороже, чем другие.

Сабина промолчала, и я ясно почувствовал, что она поражена.

— Послушай, — сказала она, — я не могу долго разговаривать, но скажи наконец... что случилось.

Очевидно, Сабина — единственный человек в Бонне, который еще не прочел пасквиля Костерта; я сообразил также, что ей не от кого было узнать о Марии и обо мне. В «кружок» она не вхожа.

— Сабина, — сказал я, — Мария меня бросила, она вышла замуж за некоего Цюпфнера.

— Боже мой, — закричала она, — ведь это неправда!

— Правда, — сказал я.

Она опять замолчала, и я услышал, что кто-то барабанит в дверь телефонной будки. Наверняка это был какой-то кретин, торопившийся сообщить своему дружку по скату, что он мог выиграть на червях, хотя остался без трех.

— Надо было на ней жениться, — сказала Сабина тихо, — я хочу сказать... сам понимаешь, что я хочу сказать.

— Понимаю, — ответил я, — я уже собирался, но потом выяснилось, что с меня требуют какую-то паршивую бумажонку из отдела регистрации браков и что я должен обязаться в письменном виде, подумай только — в письменном виде, — воспитывать детей в католическом духе.

— Но ведь не из-за этого поломались ваши отношения? — спросила она.

В дверь телефонной будки забарабанили сильней.

— Не знаю, — ответил я, — во всяком случае, это послужило поводом... но тут еще много чего замешано, мне самому не ясно что. Клади трубку, дорогая, а то этот взбесившийся ариец за дверью укокошит тебя. В нашей стране не продохнешь от чудовищ.

— Обещай, что ты придешь к нам, — сказала она, — и запомни: в любое время тебя ждет тарелка супа. — Ее голос упал, и она прошептала: — Какая подлость, какая подлость! — Она была так расстроена, что забыла, как видно, повесить трубку и просто положила ее на полочку, где обычно лежит телефонная книга. Я услышал, как тот тип сказал: «Наконец-то!» — но Сабина, наверное, уже ушла. Тогда я изо всей мочи завизжал в трубку:

— Помогите! Помогите!

Тип попался на удочку, взял трубку и спросил:

— Чем могу вам служить? — Его голос звучал солидно и веско, как у настоящего мужчины. Я сразу учуял, что он ел какую-то кислятину, маринованную селедку, а может, еще что-то.

— Алло, алло, — сказал он.

— Вы немец? — спросил я. — Я принципиально разговариваю только с чистокровными немцами.

— Прекрасный принцип, — похвалил он. — Так что же случилось?

— Меня тревожит судьба ХДС, — ответил я, — вы исправно голосуете за ХДС?

— А как же иначе? — обиделся он.

— Теперь я спокоен, — сказал я и положил трубку.

21

Надо было оскорбить этого типа как следует, спросить его: изнасиловал ли он уже собственную жену, взял ли партию в скате «на двойках» и потратил ли два часа служебного времени на обязательную болтовню о войне? Судя по голосу, это был истый законный супруг и чистокровный ариец, слова «Наконец-то!» прозвучали в его устах как команда «В ружье!». Разговор с Сабиной Эмондс меня чуть-чуть утешил, хотя по ее тону можно было понять, что она несколько раздражена и замотана, зато я знал, что она искренне считает поведение Марии подлым и от всей души предлагает мне тарелку супа. Сабина очень вкусно готовит и, когда она не беременна и не испепеляет мужчин взорами «что с вас возьмешь», видно, что она человек веселый; ее религиозность импонирует мне куда больше, чем религиозность Карла, который до сих пор сохранил диковинные семинарские представления о «секстуме». Укоризненные взгляды Сабины действительно предназначены всему сильному полу; просто когда она обращает их на Карла — виновника ее состояния, — они становятся еще мрачней, предвещая семейную бурю. Я пытался обычно развлечь Сабину, разыгрывая какую-нибудь сценку, и она закатывалась веселым, добродушным смехом, ну а потом у нее навертывались слезы, она не могла сдержать их, и смех кончался плачем...

Мария уводила ее из комнаты, утешала, а Карл с мрачным, виноватым лицом сидел со мной и в конце концов с горя брался за тетради своих учеников. Иногда я помогал ему, подчеркивал ошибки красной шариковой ручкой, но он мне не доверял, прочитывал все заново и каждый раз приходил в ярость из-за того, что я не пропустил ни одной ошибки и все правильно подчеркнул.

У Карла не укладывается в голове, что я могу выполнять вполне прилично такого рода работу, совсем как он. Вообще говоря, у Карла только одна проблема — финансовая. Если бы Карл Эмондс мог оплатить квартиру из семи комнат, он, вероятно, не был бы ни раздражительным, ни озлобленным. Как-то раз я поспорил с Кинкелем о его понимании «прожиточного минимума». У Кинкеля была репутация гениального специалиста в этих вопросах; если не ошибаюсь, именно он установил, что прожиточный минимум «одиночки» в большом городе, не считая квартплаты, равен восьмидесяти четырем маркам, а позднее — восьмидесяти шести. На это можно возразить только одно: сам Кинкель, судя по тому мерзкому анекдоту, который он нам рассказал, считает, что лично его прожиточный минимум превосходит эту сумму в тридцать пять раз, но такого рода возражения принято объяснять «личной неприязнью» и «бестактностью», хотя бестактностью только и можно объяснить тот факт, что субчики, подобные Кинкелю, вообще высчитывают прожиточные минимумы других людей. В восьмидесятишестимарковом бюджете была предусмотрена даже такая статья, как расходы на культурные потребности, видимо кино или газеты; я спросил Кинкеля, как он думает, пожелает ли их «одиночка» купить билет на хороший фильм с воспитательной тенденцией? И Кинкель пришел в бешенство. Тогда я справился, как надо понимать рубрику «обновление изношенного бельевого фонда»: значит ли это, что министерство специально нанимает некоего милого старичка, который бегает по Бонну с единственной целью — износить свои подштанники, а потом сообщить в министерство, сколько времени ему понадобилось для износа вышеупомянутых подштанников... Но тут жена Кинкеля обвинила меня в опасном субъективизме, а я ответил, что, если бы примерные меню и сроки износа носовых платков начали определять коммунисты, я бы еще это мог понять; в конце концов коммунисты не лицемеры и не верят в сверхчувственное начало; но когда с этими дикими претензиями выступают христиане — такие, как ее муж, я нахожу это просто невероятным; после сего жена Кинкеля объявила, что я до мозга костей материалист и не в состоянии осознать, что такое жертва, страдание, судьба и величие бедности. Встречаясь с Карлом Эмондсом, как-то не думаешь ни о жертвах, ни о страданиях, ни о судьбе, ни о величии бедности. Он не столь уж плохо зарабатывает: только его постоянная раздражительность напоминает о судьбе и о величии бедности, ибо Карл точно высчитал, что он никогда не сможет снять достаточно просторную квартиру.

В ту секунду, когда я понял, что единственный человек, у которого я могу просить денег, — это Карл Эмондс, мое положение стало мне ясным. Я действительно остался без гроша в кармане.

22

Да, я знал, что не сделаю всего этого: не поеду в Рим, не стану разговаривать с Папой и не буду набивать себе карманы сигаретами, сигарами и арахисом на завтрашнем «журфиксе» у матери. Я уже не в силах поверить в это, как верил в то, что мы с Лео пилили старый столб. Все мои попытки снова связать нить и повиснуть на ней наподобие марионетки заранее обречены на провал. Когда-нибудь я дойду до того, что начну стрелять деньги у Кинкеля, у Зоммервильда и даже у этого садиста Фредебейля, который, держа у меня под носом пять марок, будет, наверное, требовать, чтобы я подпрыгнул и схватил их. Я обрадуюсь, если Моника Зильвс пригласит меня на чашку кофе, и не потому, что меня пригласила Моника Зильвс, а потому, что представилась возможность выпить кофе на даровщинку. Я позвоню еще раз безмозглой Беле Брозен, польщу ей и заверю, что не буду больше расспрашивать о размере помощи, а с радостью приму даже самую малость... и, наконец, в один прекрасный день я пойду к Зоммервильду, «убедительно» докажу ему, что раскаялся, образумился и вообще созрел для католической веры, и тут-то наступит самое страшное: Зоммервильд инсценирует мое примирение с Марией и с Цюпфнером; правда, если я обращусь в католичество, отец уж точно палец о палец не ударит ради меня. Для него это, видимо, предел падения. Это дело надо как следует обмозговать: ведь мне предстоит выбирать не между «rouge et noir»[1], а между темно-коричневым и черным — между бурым углем и Церковью. Наконец-то я стану таким, каким все они издавна хотят меня видеть: зрелым мужем, излечившимся от субъективизма, человеком объективным, всегда

_____

[1] Красным и черным *(фр.)*.

готовым засесть за серьезную партию в скат в Благородном собрании. Но и сейчас еще не все возможности исчерпаны: у меня остались Лео, Генрих Белен, дедушка и Цонерер, который, если захочет, сделает из меня гитариста, распевающего слащавые песенки, и я буду петь: «Когда ветер играет твоими кудрями, я знаю, что ты от меня не уйдешь». Однажды я пропел это Марии, но она заткнула уши и сказала, что ничего ужаснее не слыхала.

И все же еще не все потеряно — у меня оставались Лео, Генрих Белен, Моника Зильвс, Цонерер, дедушка и Сабина Эмондс, которая всегда угостит меня тарелкой супа; кроме того, я мог подработать, присматривая за детьми. Я готов обязаться в письменном виде никогда не кормить младенцев яйцами. Вероятно, ни одна немецкая мать просто не в состоянии перенести этого.

Как-то я придумал довольно длинную пантомиму под названием «Генерал» и долго работал над ней; я показал ее на сцене и мог себя поздравить с тем, что у профессиональных актеров зовется успехом: определенная часть публики смеялась, другая — злобствовала. Гордо выпятив грудь, я направился в свою артистическую уборную, там меня поджидала очень миниатюрная старушка. После выступлений я всегда впадаю в крайне раздраженное состояние и не переношу никакого общества, кроме общества Марии; тем не менее Мария впустила старушку. Не успел я закрыть дверь, как старушка уже заговорила и объяснила мне, что муж ее тоже был генералом, что он убит и перед смертью написал ей письмо, в котором просил отказаться от пенсии.

— Вы еще очень молоды, но уже достаточно зрелы, чтобы это понять! — И она удалилась.

Но с тех пор я уже не мог показывать своего «Генерала». Газеты, именующиеся левыми, писали, что я, видимо, дал запугать себя реакции, газеты, именующиеся правыми, заявили, будто я наконец-то понял, что нельзя играть на руку Востоку, а независимые газеты уверяли, что я отрекся от всякого радикализма в угоду кассовому успеху. Все это было чепухой чистой воды. Я не мог показывать эту сценку только потому, что меня преследовала мысль о горькой доле маленькой, терпевшей насмешки и поношения старушки. Когда какая-нибудь работа перестает доставлять мне удовольствие, я ставлю на ней крест, но объяснить это газетчику, по-видимому, слишком сложное занятие. Газетчики привыкли полагаться на свое «чутье» и всюду «чуять жареное»; широко распространенная разновидность желчного газетчика не желает признавать также, что журналист не является человеком искусства и не имеет никаких оснований стать им. В сфере искусства газетчики обычно теряют свое чутье и начинают нести околесицу, особенно в присутствии красивых молодых девиц, которые еще столь наивны, что готовы восторгаться каждым писакой только за то, что ему предоставлена печатная «трибуна» и он оказывает «влияние». Существуют весьма удивительные, еще не распознанные формы проституции, по сравнению с которыми собственно проституция представляется мне честным ремеслом: там, по крайней мере, можно хоть что-то получить за свои деньги.

Но для меня и этот путь закрыт; смешно искать утешения в милосердии продажной любви без гроша в кармане. А в это время Мария в своей римской гостинице примеряет испанскую мантилью, дабы представительствовать, как это подобает «first lady» немецкого католицизма. Вернувшись в Бонн, она начнет посещать все чаепития, на которые ее будут звать, улыбаться, заседать во всевозможных комитетах, открывать выставки «религиозного искусства» и «подыскивать себе приличную портниху». Все дамы, которые выходят замуж за официальных лиц в Бонне, «подыскивают себе приличную портниху».

Мария в роли «first lady» немецкого католицизма разглагольствует с чашкой чая или с рюмкой коктейля в руке:

— Вы уже видели этого душку — маленького кардинала? Завтра он будет освящать статую Девы Марии по проекту Крёгерта. Ах, в Италии даже святые отцы очаровательны. Кардинал просто душка.

Я уже с трудом ковылял, скорее я просто ползал; я выполз на балкон, чтобы подышать воздухом родного города, но и это мне не помогло. Я слишком долго пробыл в Бонне, почти два часа, а боннский воздух, если дышать им такой срок, теряет свои целебные свойства.

Я подумал, что, собственно говоря, они обязаны мне тем, что Мария осталась католичкой. Несколько раз она переживала тяжелые кризисы, разочаровавшись в Кинкеле и в Зоммервильде, а что касается Блотхерта, то этот субъект превратил бы в безбожника самого Франциска Ассизского. Довольно долго она в церковь вообще не ходила и отнюдь не собиралась со мной венчаться; на нее напало своего рода упрямство, и только через три года после нашего отъезда из Бонна она опять стала посещать «кружок», хотя они зазывали ее все время. Я сказал ей тогда, что разочарование — еще не резон. Если она считает это дело правым, то никакие Фредебейли и ему подобные не могут превратить его в неправое. Наконец, говорил я, там еще есть Цюпфнер, он немного педант и вообще не в моем вкусе, но как католик он приемлем. Наверняка найдется немало таких приемлемых католиков; я перечислял некоторых священников, проповеди которых мы с ней слушали, напоминал о Папе, о Гарри Купере и о Джеймсе Эллисе... Папа Иоанн и Цюпфнер стали опорой ее веры. Как ни странно, Генрих Белен в это время уже не привлекал Марию, наоборот, она уверяла, что он «липкий», и смущалась всякий раз, когда я заговаривал о нем; я даже заподозрил, что он «лип» к ней. Я ни о чем не спрашивал, но мои подозрения были довольно основательны: стоило мне представить себе экономку Генриха, как я понимал, почему он «лип» к молодым женщинам. Сама мысль об этом была мне отвратительна, но понять Генриха я все же мог, как понимал многое отвратительное, что творилось у нас в интернате.

Только сейчас мне пришло в голову, что именно я был тем человеком, который предложил ей Папу Иоанна и Цюпфнера в качестве лекарства от религиозных сомнений. Да, в отношении Католической церкви я вел себя безупречно, чего как раз не следовало делать; но религиозность Марии казалась мне такой естественной, что я хотел сохранить это ее естество. Я будил Марию, не давая ей проспать, чтобы она вовремя пошла в церковь. Частенько я брал ей такси, боясь, что она опоздает;

когда мы приезжали в город, где были одни еван-
гелисты, я обзванивал все телефоны, чтобы узнать,
где идет месса; тогда она твердила, что с моей
стороны это «на редкость» мило, а потом потре-
бовала от меня подписать эту проклятую бумажонку и дать *письменное* обязательство, что я
позволю воспитывать детей в католическом духе.
Мы без конца разговаривали о наших будущих
детях. Мне очень хотелось иметь детей, мысленно
я уже беседовал со своими детьми, таскал их на
руках, давал им молоко с сырым яйцом; меня бес-
покоило лишь то, что нам предстоит жить в гостиницах, а в гостиницах только дети миллионеров
или дети королей могут рассчитывать на хорошее обращение. На некоролевских и немиллионер-
ских детей, особенно если это мальчики, все орут:
«Здесь ты не дома!» — трижды ложная педагогическая посылка: во-первых, устанавливается, что
дома дети ведут себя как свиньи, во-вторых, пред-
полагается, будто дети чувствуют себя хорошо,
только если они ведут себя как свиньи, и, в-тре-
тьих, ребенку внушают, что ему нигде не разрешено чувствовать себя хорошо. Девочкам иногда
везет: они попадают в разряд «милых крошек» и
тогда с ними нянчатся, но на мальчиков в отсутствие родителей всегда орут. Для немцев каждый
мальчишка невоспитанный; прилагательное «невоспитанный» даже не произносится вслух, настолько оно срослось с существительным «мальчишка».
Если бы кому-нибудь пришла в голову мысль со-
ставить словарь тех слов, которыми пользуется
большинство родителей при общении со своими
детьми, то он увидел бы, что по сравнению с этим
словарем даже язык иллюстрированных журналов

может соперничать со словарем братьев Гримм. Очень скоро немецкие родители начнут изъясняться со своими детьми на языке госпожи Калик: «Какая прелесть!» или «Какая гадость!» — время от времени уснащая свою речь конкретными замечаниями, как-то: «Без возражений!» или «Ты в этом ничего не смыслишь!» Мы с Марией обсуждали также, как мы будем одевать наших детей; ей нравились «светлые, элегантные плащи», я стоял за спортивные куртки; ведь я понимал, что ребенок не сможет шлепать по лужам в светлом, элегантном плаще, в то время как куртка не помешает ему в этом занятии. И потом «она» — я всегда думал о девочке — будет достаточно тепло одета, а ногам ничего не будет мешать, и, если ей вздумается бросать в лужу камешки, брызги не обязательно попадут на плащ — она обрызгает только ноги; наконец, если ей захочется вычерпать лужу пустой консервной банкой и грязная вода польется через край, она не обязательно обольет себе плащ, весьма вероятно, опять-таки, что она испачкает только ноги. Но Мария считала, что светлый плащ заставит ее быть осторожной, а вопрос о том, разрешим ли мы своим детям шлепать по лужам, так и остался открытым; Мария избегала прямого ответа, улыбаясь, она говорила, что не надо, мол, ничего предрешать заранее.

Если у нее будут дети от Цюпфнера, она не сможет надевать на них ни спортивные куртки, ни светлые элегантные плащи; детям придется расхаживать вовсе без пальто и курток, поскольку мы подробно обсудили с ней все виды верхней одежды. Впрочем, мы разобрали также штанишки всех фасонов — короткие и длинные, рубашки, носки

285

и ботинки... да, да, придется ей пускать своих детей по Бонну голышом, иначе она будет чувствовать себя потаскухой или предательницей. Не понимал я еще, чем она станет кормить своих детей: ведь мы обсудили все методы детского кормления и пришли к единому выводу, что не будем пичкать своих ребят, не станем впихивать в них то кашу, то молоко. Я не хотел, чтобы моих детей заставляли есть насильно; меня тошнило, когда я видел, как Сабина Эмондс пичкала своих первенцев, особенно старшую дочку, которой Карл придумал диковинное имя Эдельтруд. Я даже поспорил с Марией из-за злосчастного яичного вопроса, она была против того, чтобы давать детям яйца, и в разгаре спора у нее вырвалось, что яйца, мол, — пища богачей; она покраснела, и мне пришлось ее утешать. Я привык к тому, что люди относятся ко мне не так, как ко всем остальным, только потому, что я из семьи «Шниров — бурый уголь»; Мария всего дважды допустила оплошность в этом отношении: в тот первый день, когда я вышел к ней на кухню, и в другой раз, когда мы заговорили о яйцах. Скверно иметь богатых родителей, особенно скверно это, конечно, для человека, которому богатство его родителей не приносит никакой радости. Кстати, яйца у нас в доме были крайне редко, мать считала их «определенно вредными». Эдгар Винекен испытывал неприятности противоположного свойства: его повсюду водили и представляли как мальчика из рабочей семьи; даже некоторые священники, представляя Эдгара, не забывали прибавить: «Самый доподлинный сын рабочего!» В их словах был примерно такой подтекст: «Полюбуйтесь-ка на этого малого — и рогов у него нет, и вполне интеллигентная внешность». Это тоже расовый вопрос — пусть им займется мамашино Центральное бюро. Только Винекены и отец Марии вели себя со мной без всякой предвзятости. Они не попрекали меня тем, что я из рода «Шниров — бурый уголь», и в то же время не увенчивали за это лаврами.

23

Я поймал себя на том, что все еще стою на балконе и смотрю на Бонн. Я крепко держался за перила, колено сильно болело, но мне по-прежнему не давала покоя марка, которую я выбросил из окна. Я с радостью заполучил бы ее обратно, но боялся выйти на улицу: с минуты на минуту должен был прийти Лео. Не могут же они без конца возиться со своим компотом, сбитыми сливками и застольной молитвой. Я так и не увидел на мостовой своей марки: жил я довольно высоко, а монеты ярко светятся разве что в сказках, поэтому их там легко находят. В первый раз в жизни я пожалел о чем-то, связанном с деньгами, — пожалел выброшенную марку — двенадцать сигарет, или два трамвайных билета, или одна сосиска с ломтиком хлеба. Без сожаления, но с некоторой грустью я подумал о доплатах за плацкарту в мягком и за скорость в поездах прямого сообщения, которые мы вносили, ублажая старушек из Нижней Саксонии, подумал с грустью, как думают о поцелуях, которые были когда-то даны девушке, обвенчавшейся с другим. На Лео нельзя возлагать особых надежд — у него самое странное представление о деньгах, примерно такое, как у монахов о «супружеской любви».

На мостовой ничего не блеснуло, хотя улица была хорошо освещена; никаких «звездных талеров»[1] я не увидел, я видел только автомобили, трамваи, автобусы и жителей города Бонна. Надо надеяться, что моя марка упала на крышу трамвая и ее разыщет кто-нибудь в депо.

Разумеется, я мог броситься в объятия Протестантской церкви. Но когда я подумал об этих объятиях, у меня мороз по коже пробежал. Я мог бы броситься в объятия Лютера, но отнюдь не в объятия Протестантской церкви. Если уж становиться ханжой, то так, чтобы извлечь из этого наибольшую выгоду и максимум удовольствия. Удовольствие я получил бы, прикидываясь католиком: полгодика «пробуду в тени», а потом начну посещать зоммервильдовские вечерние проповеди, и тогда во мне будут кишмя кишеть «католоны», как микробы в гнойной ране; но тут я лишусь последнего шанса снискать отцовскую милость и тем самым потеряю возможность подписывать чеки в каком-нибудь филиале концерна бурого угля. Быть может, мать пристроит меня в своем Центральном бюро и разрешит защищать мои расовые теории. Я поеду в Америку и буду выступать с речами в женских клубах, как живое воплощение раскаяния, испытываемого немецкой молодежью. Одно плохо: лично мне не в чем раскаиваться, так-таки не в чем; и здесь мне придется лицемерить. Я, правда, могу рассказать им, как бросил в лицо Герберту

---

[1] «Звездные талеры» — сказка братьев Гримм.

Калику горсть пыли с теннисного корта, как меня заперли в тир и как я предстал перед судом в составе Герберта Калика, Брюля и Лёвениха. Но и рассказ мой будет лицемерием. Нельзя описать эти мгновения и повесить их себе на шею, как орден. Каждый стремится навесить себе на шею и на грудь героические минуты своей жизни, будто ордена, но цепляться за прошлое — тоже лицемерие, ибо ни один человек не вспоминает других мгновений, подобных тому, когда Генриэтта в своей синей шляпке села в трамвай и уехала в Леверкузен защищать «священную немецкую землю» от «пархатых янки».

Нет, если уж лицемерить, то наверняка так, чтобы получить максимум удовольствия, а это значит поставить на католическую карту. С таким козырем никогда не проиграешь.

Я бросил последний взгляд поверх крыш университета на деревья Дворцового парка; за ними, на склонах холма между Бонном и Годесбергом, будет жить Мария. Это хорошо. Лучше, если я останусь поблизости от нее. Не надо облегчать ей жизнь, пусть не думает, что я все время в разъездах. Пусть помнит, что в любую минуту она может встретить меня и залиться краской стыда, ибо вся ее жизнь — сплошное распутство и нарушение супружеской верности, а если она встретит меня, гуляя с детьми, дети покажутся ей вдруг нагими, во что бы они ни были закутаны: в плащи, в куртки или в пальто.

По городу ползут слухи, будто вы, уважаемая госпожа, пускаете своих детей голышом. Это уж слишком. И вы к тому же совершили оплошность, в самый решающий момент сказали: люблю одного мужчину, вместо того чтобы сказать: люблю одного мужа. Ходят также слухи, что вы посмеиваетесь над глухой неприязнью, которую все здесь питают к тому, кого прозвали Стариком. Вы находите, что сами эти люди до отвращения похожи на него. Ведь и они мнят себя такими же незаменимыми, каким мнит себя старый канцлер, ведь и они помешаны на детективах. Конечно, обложки детективов не гармонируют с их квартирами, обставленными с отменным вкусом. Датчане не позаботились о том, чтобы распространить свой стиль на обложки криминального чтива. Финнам, наверное, удастся приспособить обложки к стульям, креслам, стеклу и керамике. Даже у Блотхерта валяются детективы: во всяком случае, в тот вечер, когда вы осматривали его дом, они стыдливо выглядывали отовсюду.

И все-то вы прячетесь по темным углам, уважаемая госпожа: и в кино, и в церквах, и в темных комнатах, где вы слушаете церковную музыку, а вот яркого света теннисных кортов вы избегаете. Слухов много. Тридцати-, а то и сорокаминутные исповеди в кафедральном соборе. В глазах людей, ожидающих своей очереди, почти нескрываемое возмущение: «Боже мой, в чем она так долго кается? Ведь у нее такой интересный, такой милый и приличный супруг. Человек по-настоящему порядочный. И прелестная дочурка. И две машины».

За решеткой исповедальни атмосфера сгущается, нетерпение, раздражительность, а два голоса без конца что-то шепчут о любви, браке, долге, снова о любви, и, наконец, голос священника спрашивает:

— А религиозных сомнений у вас нет?.. Чего же вам нужно, дочь моя?

Ты не осмеливаешься произнести вслух, не осмеливаешься даже мысленно признаться себе в том, что известно мне. Тебе нужен клоун; официальная профессия — комический актер, ни к какой Церкви не принадлежит.

Хромая, я ушел с балкона в ванную, чтобы наложить грим. С моей стороны было ошибкой показаться отцу и разговаривать с ним без грима, но я никак не ждал, что он придет. А Лео всегда так стремится узнать мои настоящие мысли, разглядеть мое настоящее лицо, мое истинное «я». Он и должен был все это увидеть. Лео всегда боялся «маскарада», боялся, что я играю, боялся того, что он называл «притворством» в те часы, когда я был незагримирован. Ящик с гримом еще путешествовал где-то между Бохумом и Бонном. Я открыл в ванной белый стенной шкафчик и тут же спохватился: как это я не подумал, что некоторым предметам присуща смертоносная сентиментальность. Банки, склянки, флаконы и тюбики Марии... в шкафчике их уже не было, и то, что от Марии не осталось *никаких следов*, подействовало на меня так же, как если бы я увидел ее баночку или флакон. Она все взяла. А может, Моника Зильвс из чувства сострадания собрала флаконы и унесла сама. Я посмотрел в зеркало: глаза у меня были пустые; в первый раз в жизни мне не понадобилось придавать им выражение пустоты, разглядывая себя полчаса в зеркале и делая гимнастику лицевых мускулов. На меня смотрело лицо самоубийцы, а когда я начал накладывать грим, мое лицо стало лицом мертвеца. Я намазался вазелином, сломал наполовину засохший тюбик с белилами, выжал из него все, что там оставалось, и набелил лицо, не добавив ни единого черного мазка, ни единой капли румян; лицо стало сплошь белым, даже брови я покрыл белилами; теперь мои волосы походили на парик, ненамазанные губы казались темными, иссиня-темными, а глаза — светло-серыми, как окаменевшее небо, и пустыми, как глаза кардинала, который не признается себе в том, что давно потерял веру. Я больше не боялся своего изображения в зеркале. С таким лицом можно сделать карьеру, можно даже лицемерно защищать дело, которое все же кажется мне относительно самым симпатичным при всей его никчемности и нелепости, дело, в которое верил Эдгар Винекен. Это дело по крайней мере не имеет привкуса, ибо оно безвкусно; но оно самое честное среди всеобщего бесчестья, самое меньшее из наименьших зол. Итак, кроме черного, темно-коричневого и синего есть еще одна возможность: назвать ее красной было бы и слишком эвфемистично, и слишком оптимистично — я назвал бы ее скорее серой с легким отсветом утренней зари. Невеселый цвет и невеселое дело. Но быть может, к нему мог бы примкнуть клоун, совершивший наиболее непростительный грех из всех, какие может совершить клоун, — возбудить сострадание к себе. Плохо только, что Эдгар — это тот человек, которого мне труднее всего обманывать, с ним мне труднее всего лицемерить. Я единственный очевидец того, что он и впрямь пробежал стометровку за десять и одну десятую секунды, и он один из немногих, которые принимали меня таким, какой я есть, я всегда казался ему таким, какой я есть. Эдгар верит только в определенных людей, больше он ни во что не верит, а ведь другие верят в нечто большее: в Бога, в абстрактную ценность денег, в то, что они именуют «государством» и «Германией». Эдгар в это не верит. Когда я схватил в тот раз такси, для него это был удар. Теперь я жалею, что не объяснил ему всего, а ведь никому, кроме Эдгара, я не обязан давать объяснений... Я отошел от зеркала. Слишком уж мне нравилось это лицо в зеркале. Ни на секунду мне не пришла в голову мысль, что это мое лицо; то был уже не клоун, а мертвая маска, изображавшая мертвеца.

Прихрамывая, я поплелся в нашу спальню; я еще не был в ней из страха перед платьями Марии. Платья я покупал большей частью сам и даже ходил к портнихам, если платья нуждались в переделках. Марии к лицу почти все цвета, кроме красного и черного; даже серое ее не убивает — особенно идет ей розовое и зеленое. Наверное, я мог бы заколачивать деньги, став специалистом по дамским модам, но для человека, склонного к моногамии и не склонного к гомосексуализму, это было бы пыткой. Большинство мужчин просто выдают своим женам чеки и советуют «следовать моде». Если в моду входит фиолетовый, все жены, вскормленные на чеках, носят фиолетовое, и когда потом на приеме собирается множество дам, которые «играют роль в обществе», в фиолетовом, то кажется, будто вы попали на Вселенский Собор епископов женского пола, в которых еле-еле теплится жизнь. Только очень немногим женщинам идет фиолетовое. Мария принадлежит к их числу. Я еще жил дома, когда в моду вошли платья-мешки, и все гусыни, которым мужья велели одеваться «в соответствии с их положением», расхаживали на наших «журфиксах» в мешках. Некоторых из них я жалел от всей души, особенно высокую грузную супругу президента одного из бесчисленных концернов, — я охотно подошел бы к ней и из чистого сострадания набросил на нее скатерть или занавеску. Тупая скотина, ее муж, ничего не замечал, ничего не видел, ничего не слышал. Он готов послать свою жену на рынок в розовой ночной рубашке, если какой-нибудь гомосексуалист объявит это последним криком моды. На следующий день он читал доклад перед ста пятьюдесятью евангелическими пасторами на тему «Познание в браке». А сам, наверное, даже не знал, что у его жены костлявые коленки и что ей нельзя носить короткие платья.

Я быстро рванул дверцу платяного шкафа, избегая глядеть в зеркало; ничто не напоминало здесь больше о Марии, ничто; я не увидел даже забытой колодки от туфель или пояса, а ведь женщины так часто оставляют их в шкафу. Только запах ее духов еще не совсем выветрился; если бы Мария была милосердной, она забрала бы с собой и мои вещи — раздарила бы или сожгла, но в шкафу по-прежнему висели мои зеленые вельветовые брюки, которые я никогда не носил, черный твидовый пиджак и несколько галстуков, а внизу, в отделении для обуви, стояло три пары башмаков; в маленьких ящичках все тоже, конечно, лежит на своих местах, все без исключения: запонки и белые уголки для воротничков, носки и носовые платки. Пора бы знать, что в вопросах частной собственности католики ведут себя с неумолимой справедливостью. Нет смысла выдвигать ящики; все, что принадлежит мне, осталось на месте, все, что принадлежит ей, исчезло. Насколько человечней было бы прихватить с собой и мое барахло, но в нашем платяном шкафу торжествовала справедливость, убийственная корректность. Когда Мария вынимала из шкафа все, что могло напомнить мне о ней, она наверняка жалела меня и наверняка плакала, как плачут женщины в фильмах о разводах, восклицая: «Никогда не забуду золотые денечки с тобой!»

Прибранный, чистый шкаф (кто-то даже стер в нем пыль) — самое худшее, что она могла мне оставить; все оказалось аккуратно поделено: мои вещи висели, ее вещей не было. Шкаф походил на операционную после удачно проведенной операции. Ничто не напоминало о Марии — нигде не завалялось даже пуговицы от ее блузки. Я оставил дверцу открытой, чтобы ненароком не увидеть себя в зеркале, хромая, вернулся на кухню, сунул в карман пиджака коньячную бутылку, пошел в столовую, лег на кушетку и закатал штанину. Колено сильно опухло, но боль, когда я лег, отпустила. В сигаретнице осталось четыре сигареты, одну из них я закурил.

Я размышлял, что было бы хуже — увидеть платья Марии или наткнуться, как наткнулся я, на пустой, стерильный шкаф и не найти даже записочки: «Никогда не забуду золотые денечки с тобой!» Вероятно, так было лучше, и все же она могла оставить мне хоть пуговицу или поясок или уж заодно взять с собой весь шкаф и сжечь его.

Когда пришло известие о смерти Генриэтты, у нас дома как раз накрывали на стол и Анна оставила на серванте не очень свежую салфетку Генриэтты в желтом кольце; все мы разом взглянули на салфетку, чуть запачканную джемом, с маленьким коричневатым пятнышком — не то от супа, не то от соуса. Впервые я почувствовал, какой ужас вселяют вещи, принадлежавшие человеку, который навсегда ушел или умер. Мать и впрямь попыталась приняться за еду; наверное, это должно было означать: «жизнь продолжается» или что-то подобное, но я точно знал, что это — неправда. Не жизнь продолжалась, а смерть. Я выбил у нее из рук ложку, выскочил в сад, опять вбежал в дом, где уже поднялся страшный шум и гам. Матери обожгло лицо горячим супом. Я влетел в комнату Генриэтты, распахнул окно и начал выбрасывать в сад все, что попадалось мне под руку: ее коробочки и платья, куклы, шляпки, ботинки, береты; рывком я выдвигал ящики с бельем и со всякими странными мелочами, которые были ей, наверное, дороги: засушенные колосья, камешки, цветы, записки и целые связки писем, перехваченные розовыми ленточками. Я выбрасывал в окно теннисные туфли, ракетки, спортивные трофеи — все подряд. Позже Лео рассказал мне, что у меня был вид «безумного» и я действовал с такой быстротой, с такой безумной быстротой, что никто не смог мне помешать. Я хватал ящики и вытряхивал их в сад; потом стремглав бросился в гараж, вытащил тяжелую запасную канистру, вылил бензин на груду вещей и поджег; все, что валялось вокруг, я ногой подталкивал в бушующее пламя, а потом подобрал последние лоскутки, бумажки, засушенные цветы, колосья и связки писем и тоже кинул их в огонь. Побежал в столовую, схватил с серванта салфетку Генриэтты в желтом кольце и швырнул ее вслед остальным вещам. Лео рассказал мне после, что все это продолжалось минут пять, а то и меньше; пока мои домашние сообразили, что происходит, костер уже пылал и я все побросал в огонь. Дело не обошлось без американского офицера, который решил, что я сжигаю секретные документы: материалы фашистского «вервольфа»; но когда офицер прибыл на место происшествия, почти все сгорело, остались только черные уродливые головешки, испускавшие удушливый чад; он хотел было поднять уцелевшую связку писем, но я выбил ее из рук офицера и выплеснул остатки бензина из канистры в костер. Под самый конец появилась пожарная команда со смехотворно длинными шлангами, и какой-то пожарник в глубине сада смехотворно высоким голосом отдал самую смехотворную команду из всех, какие я когда-либо слышал: «Вода — марш!»; они без всякого стыда поливали из своих огромных шлангов это жалкое пепелище, а когда в окне занялась рама, один из пожарников направил на нее струю воды, устроив в комнате форменный потоп; паркет покоробился, и мать убивалась из-за того, что пол испортился; она названивала во все страховые общества, чтобы узнать, что это было — ущерб от воды, ущерб от огня, а может, повреждение застрахованного имущества.

Я глотнул из горлышка, опять сунул бутылку в карман и ощупал колено. Когда я лежал, оно болело меньше. Если я успокоюсь и возьму себя в руки, опухоль спадет и боль отпустит. Можно будет раздобыть пустой ящик из-под апельсинов, сесть где-нибудь перед вокзалом и, аккомпанируя себе на гитаре, петь литанию Деве Марии. Шляпу или кепку я как бы невзначай положу рядом с собой на ступеньки, и, если какой-нибудь прохожий догадается бросить мне монетку, другие последуют его примеру. Мне нужны деньги хотя бы потому, что у меня почти не осталось курева. Лучше всего положить в шляпу одну десятипфенниговую монетку и две монетки по пять пфеннигов. Думаю, что Лео, во всяком случае, обеспечит меня этой суммой. Я уже видел себя сидящим на ступеньках, видел свое набеленное лицо на фоне темного вокзала; голубое трико, черный твидовый пиджак и зеленые вельветовые брюки; стараясь перекричать уличный шум, я «затягиваю»: «Rosa mystica — ora pro nobis — turris Davidica — ora pro nobis — virgo fidelis — ora pro nobis»[1]. Я буду сидеть на вокзале в часы, когда приходят поезда из Рима, дожидаясь, пока прибудет моя coniux infidelis[2] и ее католик-супруг. Их венчанию сопутствовали, наверное, мучительные раздумья... Мария не была вдовой, не была разведенной женой и уже не была (случайно я это знаю точно) непорочной девой; Зоммервильд, вероятно, рвал

_____

[1] Таинственная роза — молись о нас — твердыня Давидова — молись о нас — дева верная — молись о нас (*лат.*). — Обращение к Деве Марии.
[2] Супруга неверная (*лат.*).

на себе волосы: невеста без флердоранжа портила ему всю эстетическую сторону дела. Или, может, у них существуют специальные церковные правила для падших женщин — бывших наложниц клоунов? Что подумал епископ, проводивший свадебную церемонию? Меньше, чем на епископа, они, конечно, не могли согласиться. Однажды Мария затащила меня в епископскую резиденцию; большое впечатление произвела на меня вся эта процедура с возложением и низложением митры, с надеванием и сниманием белой повязки, с перекладыванием епископского жезла с одного места на другое и с заменой белой повязки красной; будучи «впечатлительной артистической натурой», я знаю толк в эстетике повторов.

Я снова подумал о пантомиме с ключами. Надо достать пластилин, сделать на нем оттиск ключа и залить этот оттиск водой, а потом «испечь» несколько ключей в холодильнике. Надеюсь, я достану небольшой портативный холодильник, в котором смогу по вечерам накануне выступлений «выпекать» ключи, которые будут таять на сцене. Из этого замысла можно, пожалуй, кое-что извлечь, но в данную минуту я от него отказался — все это было слишком сложно, да и не хотелось зависеть от громоздкого реквизита, к тому же еще связанного с техникой; если какого-нибудь рабочего сцены облапошил в годы войны мой земляк с берегов Рейна, он откроет холодильник и сорвет весь номер. Другая идея нравилась мне куда больше: сяду на лестнице боннского вокзала, такой, как я есть, только набелив лицо, и буду петь литанию Деве Марии, сопровождая ее аккордами на гитаре. А рядом с собой положу котелок, который я надевал раньше, подражая Чаплину; единственное, чего мне не хватает, — монеты для приманки; на крайний случай можно обойтись десятью пфеннигами, но лучше иметь десять и пять пфеннигов, еще лучше иметь три монетки: десять пфеннигов, пять и два пфеннига. Тогда прохожие поймут, что я не какой-нибудь религиозный фанатик, который презирает скромное подаяние, поймут, что любая лепта, даже медяк, желанна. Потом я добавлю серебряную монетку: надо явственно показать, что я не только не пренебрегаю более солидными дарами, но и получаю их. Сигарету я тоже положу на конце котелка; большинству людей легче расстаться с сигаретой, чем раскрыть свой бумажник.

В один прекрасный день передо мной, конечно, вырастет какой-нибудь блюститель правопорядка и потребует у меня патент на уличное пение или же появится представитель бюро по борьбе с богохульством, который сочтет, что мои выступления уязвимы с религиозной точки зрения. На тот случай, если у меня попросят удостоверение личности, я положу рядом с собой угольный брикет, — фирменную марку «Топи брикетом Шнира» знает каждый ребенок; красным мелком я подчеркну черную надпись «Шнир», а может, еще допишу спереди букву «Г». Угольный брикет хоть и не очень удобная, но зато недвусмысленная визитная карточка: разрешите представиться, Г. Шнир. Кое в чем отец все же может мне помочь, тем более что это не будет стоить ему ни гроша. Он должен обеспечить мне патент на уличное пение. Для этого ему достаточно позвонить обер-бургомистру или поговорить с ним за партией в скат.

Это он обязан для меня сделать; тогда я могу спокойно сидеть на вокзальной лестнице и поджидать поезда из Рима. Если Мария сумеет пройти по этой лестнице и не обнять меня, мне остается последний выход — самоубийство. Но об этом потом. Я не решаюсь думать о самоубийстве по одной причине, хотя меня могут обвинить за это в самонадеянности: я хочу сохранить свою жизнь для Марии. Она может разойтись с Цюпфнером, и мы окажемся в классической ситуации Безевица: она получит право стать моей наложницей, поскольку Церковь никогда не расторгнет ее брак с Цюпфнером. Тогда мне придется сделать себе карьеру на телевидении, вновь войти в славу, и Церковь будет смотреть на нас сквозь пальцы. У меня не было никакого желания венчаться с Марией, ради меня они могут не вытаскивать на свет Божий свою изрядно потрепанную тяжелую артиллерию — Генриха Восьмого.

Я чувствовал себя лучше. Опухоль спала, колено почти не болело, правда, головная боль и меланхолия по-прежнему мучили меня, но я сроднился с ними так же, как с мыслью о смерти. У художника смерть всегда при себе, как у хорошего попа — молитвенник. Я знаю точно, что произойдет после моей смерти, — мне не удастся избежать фамильного склепа Шниров. Мать будет плакать и уверять, что она, мол, единственная, кто понимал меня. После моей смерти она начнет рассказывать каждому встречному и поперечному, «каким наш Ганс был на самом деле». Всю жизнь она считала и будет считать, что я человек «чувственный» и «падкий на деньги». Она скажет:

— О да, наш Ганс был одаренный юноша, но, к сожалению, очень чувственный и падкий на деньги... и, к сожалению, совершенно недисциплинированный... но такой одаренный, такой одаренный.

Зоммервильд скажет:

— Наш милый Шнир был превосходный человек... жаль, что он страдал неискоренимой подсознательной нелюбовью к религии и был неспособен к метафизическому мышлению.

Блотхерт огорчится, что ему не удалось своевременно провести закон о смертных приговорах и предать меня публичной казни.

Фредебейль заговорит обо мне как о «распространенном человеческом типе», лишенном «всякой социологической последовательности».

Кинкель расплачется искренне и горячо, он будет потрясен до глубины души, хотя и слишком поздно.

Моника Зильвс так зарыдает, словно она моя вдова; ее будут мучить угрызения совести из-за того, что она не пришла ко мне сразу и не состряпала омлет.

А Мария просто не поверит, что меня нет в живых... Она уйдет от Цюпфнера, начнет ездить из гостиницы в гостиницу и повсюду справляться обо мне. Напрасно.

Отец сполна упьется трагизмом ситуации и почувствует глубокое раскаяние, ведь, уходя от меня, он мог бы незаметно положить несколько бумажек на верхнюю полку вешалки.

Карл и Сабина заплачут навзрыд, и их плач своей неэстетичностью будет шокировать остальных участников похоронной церемонии. Сабина тайком сунет руку в карман пальто Карла — она опять забудет дома свой носовой платок.

Эдгар сочтет своим долгом подавить слезы и, быть может, после похорон отправится к нам в парк, чтобы еще раз пройти по дорожке, где он бежал стометровку, а потом в одиночестве вернется на кладбище и положит к надгробию Генриэтты большой букет роз. Кроме меня, ни одна живая душа не знает, что он был влюблен в нее, не знает, что на всех письмах, которые я сжег, стояли две буквы «Э. В.» — инициалы отправителя. И еще одну тайну я унесу с собой в могилу — тайну моей матери: однажды я видел, как мать, спустившись в подвал, украдкой забралась в кладовую, отрезала толстый ломоть ветчины и стала его жадно есть — она ела стоя, руками; нет, это даже не показалось мне отвратительным, настолько я был ошеломлен: меня это скорее растрогало, нежели возмутило... Я пошел в подвал, чтобы разыскать в чулане старые теннисные мячи, хотя нам запрещали ходить туда; заслышав шаги матери, я выключил свет; я увидел, как она сняла с полки баночку с яблочным вареньем, затем задвинула ее подальше, я видел, как движутся ее локти — она что-то резала, а потом стала запихивать себе в рот свернутый в трубочку ломоть ветчины. Я этого никому не рассказал и никому не расскажу. Тайна матери будет покоиться под мраморной плитой в фамильном склепе Шниров. Как ни странно, я люблю существа той породы, к какой принадлежу сам, — люблю людей.

Когда умирает существо моей породы — мне становится грустно. Я плакал бы даже на могиле матери. На могиле старого Деркума я никак не мог прийти в себя: лопату за лопатой я кидал землю на голые доски гроба, хотя слышал, что за моей спиной кто-то шепчет, что это неприлично; но я продолжал бросать землю, пока Мария не взяла у меня из рук лопату. Я не хотел больше видеть его лавку, его дом, не хотел сохранить на память ни одну из его вещей. Ничего. Мария оказалась более практичной, она продала лавку и отложила деньги «для наших детей».

Я уже не хромал, когда шел в переднюю, чтобы взять гитару. Я расстегнул чехол, составил в столовой два кресла, придвинул телефон поближе, опять лег и стал настраивать гитару. При первых же звуках гитары на душе у меня стало легче. Я запел и почувствовал себя почти хорошо: mater amabilis — mater admirabilis[1]; слова ora pro nobis я сопроводил аккордом на гитаре. Получилось, по-моему, неплохо. Я буду ждать поезда из Рима с гитарой в руках; такой, как я есть, шляпу я положу рядом на ступеньках. Mater boni consilii[2]. А ведь когда я пришел с деньгами от Эдгара Винекена, Мария сказала, что мы с ней никогда, никогда не расстанемся. «Пока смерть нас не разлучит». Я еще не умер. У мамаши Винекен были любимые присловья: «Раз человек поет, он еще жив» и «Если хочешь есть, еще не все потеряно». Я пел, и мне хотелось есть. Я никак не мог себе представить, что Мария будет вести оседлый образ жизни: мы с ней кочевали из города в город, из гостиницы в гостиницу, и,

---

[1] Матерь любезная — матерь, восхищающая нас *(лат.)*.
[2] Матерь — добрая советчица *(лат.)*.

если задерживались на несколько дней, она говорила:

— Пустые чемоданы смотрят на меня, как разинутые пасти, которые надо поскорее заткнуть.

И мы затыкали нашим чемоданам пасти, а если мне приходилось прожить где-нибудь несколько недель, Мария слонялась по улицам, словно по раскопкам мертвого города. Кино, церкви, вечерние газеты, рич-рач... Неужели она действительно хочет присутствовать на высокоторжественной церемонии посвящения Цюпфнера в мальтийские рыцари, неужели хочет стоять рядом с канцлером и промышленными магнатами, а потом дома выводить утюгом пятна воска на орденском одеянии Цюпфнера? Конечно, Мария, о вкусах не спорят, но ведь это не твой вкус. Уж лучше вверить свою судьбу клоуну-безбожнику, который вовремя разбудит тебя, чтобы ты не опоздала на мессу, а в случае необходимости посадит на такси. Мое голубое трико тебе никогда не придется чистить.

24

Зазвонил телефон, и в первую секунду я никак не мог собраться с мыслями. Все мое внимание было приковано к тому, чтобы не пропустить звонка Лео в парадном и тут же открыть ему дверь. Я отложил гитару в сторону, уставился на трещавший телефонный аппарат и только потом снял трубку:

— Алло.

— Ганс? — спросил Лео.

— Да, — ответил я, — как хорошо, что ты придешь.

Лео помолчал немного, слегка откашлялся. Я не сразу узнал его голос.

— У меня есть для тебя деньги, — сказал он.

Слово *деньги* звучало в его устах как-то странно. У Лео вообще странные представления о деньгах. Он человек почти без всяких потребностей: не курит, не пьет, не читает вечерних газет, а в кино идет только тогда, когда по крайней мере пять его знакомых, которым он безусловно доверяет, сказали, что картину стоит посмотреть, — происходит это не чаще, чем раз в два-три года. Лео предпочитает ходить пешком, а не ездить на трамваях. Он сказал «деньги», и я сразу пал духом. Если бы он сказал *немного* денег, я бы знал точно, что дело идет о двух-трех марках. Подавив свою тревогу, я хрипло спросил:

— Сколько?

— О, — ответил он, — шесть марок семьдесят пфеннигов.

Для него это была куча денег; мне кажется, ему хватило бы их для удовлетворения того, что мы называем личными потребностями, года на два: изредка — перронный билет, пакетик мятных леденцов; десять пфеннигов — нищему; Лео не нуждался даже в спичках, и, если он покупал коробок, чтобы при случае дать прикурить кому-нибудь из вышестоящих, ему хватало этого коробка на год, и потом, сколько бы он ни таскал его в кармане, коробок казался совсем новеньким. Конечно, и ему не обойтись без парикмахерской, но деньги на стрижку он наверняка берет со своего «текущего счета на время учебы», который открыл для него отец. Раньше он покупал иногда билеты в концерты, хотя мать большей частью снабжала его контрамарками. Богачи получают куда больше подарков, чем бедняки, и, даже когда они покупают, все обходится им дешевле; у матери есть целый список оптовых торговцев; я бы не удивился, если бы мне сказали, что даже почтовые марки мать приобретает со скидкой. Шесть марок семьдесят пфеннигов для Лео — солидная сумма. Для меня в данную минуту тоже... Но Лео еще, вероятно, не знал, что я, как говорили у нас дома, «в данный момент лишился источников существования».

— Хорошо, Лео, большое спасибо, — сказал я, — когда пойдешь ко мне, захвати пачку сигарет. — Я опять услышал его покашливание, он не ответил, и я продолжал: — Ты слышишь? Да?..

Может быть, он обиделся; не надо было просить, чтобы он сразу же тратил одолженные им деньги на сигареты.

— Да, да, — сказал он, — гм... — Он начал заикаться и запинаться. — Гм... Мне очень жаль... Но я не могу к тебе прийти.

— Что? — воскликнул я. — Ты не можешь ко мне прийти?

— Сейчас уже без четверти девять, — сказал он, — а в девять я должен быть на месте.

— Ну а если ты придешь позже? — спросил я. — Тебя отлучат от Церкви, так, что ли?

— Что за шутки, — сказал он обиженно.

— Разве ты не можешь получить увольнительную или что-то в этом роде?

— Уже поздно, — сказал он, — надо было сделать это днем.

— А если ты просто опоздаешь?

— Тогда возможна строгая адгортация, — сказал он тихо.

— Насколько я помню латынь, это имеет какое-то отношение к саду.

Он несколько раз хмыкнул.

— Скорее к садовым ножницам, — сказал он, — неприятная штука.

— Ну хорошо, — сказал я, — я вовсе не хочу, чтобы тебя подвергли разносу, Лео. Но мне необходимо увидеться хоть с одной живой душой.

— Так все сложно, — сказал он, — пойми меня. Конечно, можно пренебречь адгортацией, но, если я на этой неделе получу второе внушение, его внесут в мое личное дело и я должен буду предстать перед скрутиниумом.

— Перед кем? — спросил я. — Повтори, пожалуйста, это слово медленней.

Он вздохнул, проворчал что-то и сказал очень медленно:

— Скрутиниум.

— Черт побери, Лео, какое скрипучее слово, и кажется, будто скручивают насекомое. А когда ты сказал «личное дело», я вспомнил «Девятый пехотный» нашей Анны. У них тоже все заносилось в личное дело, как будто речь идет о преступниках.

— О господи, Ганс, — сказал он, — не стоит тратить эти несколько минут на споры о нашей воспитательной системе.

— Если тебе неприятно, изволь, не будем спорить. Но ведь есть другие пути, я имею в виду окольные пути... Можно перелезть через забор и так далее, как в «Девятом пехотном». По-моему, в самой строгой системе можно найти лазейки.

— Да, — сказал он, — их можно и у нас найти, так же как на военной службе, но мне они отвратительны... Я не хочу сходить с прямого пути.

— Может быть, ради меня ты преодолеешь свое отвращение и хоть раз перелезешь через забор?

Он вздохнул, и я мысленно увидел, как он качает головой.

— Неужели нельзя потерпеть до завтра? Я могу удрать с лекции и около девяти буду у тебя. Разве это так срочно? Ты что, сразу же опять уезжаешь?

— Нет, — сказал я, — я пробуду в Бонне довольно долго. Дай мне по крайней мере адрес Генриха Белена, я позвоню ему, может, он приедет ко мне из Кельна или из другого города, где он сейчас обретается. Я разбил себе колено, сижу без гроша, без ангажемента... и без Марии. Правда, до завтра колено не заживет, и я буду так же без денег, без ангажемента и без Марии... Дело и впрямь не такое уж срочное. Но быть может, Генрих стал за это время патером и завел себе мотороллер или еще какое-нибудь средство передвижения. Ты слушаешь?

— Да, — сказал он устало.

— Дай мне, пожалуйста, его адрес, — повторил я, — и телефон.

Он молчал. Но его вздохам не было конца. Можно подумать, что он лет сто просидел в исповедальне и теперь сокрушается над всеми теми грехами и глупостями, какие совершило человечество.

— Так вот оно что, — произнес он наконец, явно делая над собой усилие. — Ты, стало быть, ничего не слышал?

— Чего я не слышал? — закричал я. — Боже мой, Лео, говори ясней.

— Генрих уже не духовное лицо, — ответил он тихо.

— А я-то считал, что духовные лица остаются таковыми до самой кончины.

— Так оно и есть, — ответил Лео, — я хочу сказать, что он больше не служит. Он сбежал, несколько месяцев назад бесследно исчез. — Лео с трудом выдавливал из себя слова.

— Да ну? — сказал я. — А впрочем, куда ему деться — опять появится. — Но тут мне пришла в голову одна мысль, и я спросил: — Он сбежал один?

— Нет, — сказал Лео сухо, — с какой-то девицей. — Он сказал это таким тоном, словно сообщал: «Генрих заболел чумой».

Мне стало жаль девушку. Она, конечно, каноличка, и ей, наверное, очень тяжело ютиться в какой-то дыре с расстригой-священником и все время иметь перед глазами разные мелочи, которые сопутствуют «вожделению плоти»: разбросанное белье, подштанники, подтяжки, блюдце с окурками, надорванные билеты в кино, — да еще к тому же наблюдать, как тают деньги, а когда эта девушка спускается по лестнице, чтобы купить хлеба, сигарет или бутылку вина, и сварливая хозяйка распахивает дверь из своей комнаты, она даже не может крикнуть ей: «Мой муж художник, да, художник». Мне было жаль их обоих, но девушку еще больше, чем Генриха. Когда в такую историю попадает захудалый капеллан наподобие Генриха, и не только захудалый, но и весьма неугодный, церковные власти проявляют особую строгость. Будь на месте Генриха человек типа Зоммервильда, они, наверное, смотрели бы на все сквозь пальцы. Но Зоммервильд никогда и не взял бы себе экономку с желтой кожей на икрах; его экономка красивая и цветущая особа, он зовет ее Мадлена, она отличная повариха, холеная, веселая женщина.

— Ну что ж, — сказал я, — в таком случае он для меня на время отпадает.

— Господи, — поразился Лео, — ты какой-то бесчувственный, я думал, ты это иначе воспримешь.

— Я ведь не епископ его епархии, и вообще эта история меня мало касается, — сказал я, — меня огорчают только сопутствующие мелочи. Знаешь ли ты по крайней мере адрес Эдгара или его телефон?

— Ты имеешь в виду Винекена?

— Да, — сказал я, — надеюсь, ты еще помнишь Эдгара. Ты встречался с ним у нас в Кельне, а детьми мы всегда играли у Винекенов и ели у них картошку с луком.

— Да, конечно, — сказал он, — конечно я его помню, но, насколько я знаю, Винекен уехал за границу. Кто-то говорил мне, что он совершает поездку в составе научной делегации не то по Индии, не то по Таиланду — не знаю точно.

— Ты уверен? — спросил я.

— Почти уверен, — сказал он. — Ах да, теперь припоминаю, мне говорил об этом Хериберт.

— Кто? — закричал я. — Кто тебе говорил?

Лео молчал, я даже не слышал больше его вздохов: наконец я понял, почему он не хотел ко мне прийти.

— Кто? — закричал я еще раз, но он опять не ответил. Характерное покашливание уже вошло у него в привычку, я слышал такое покашливание в исповедальнях, когда поджидал Марию в церкви. — Лучше, если ты не придешь ко мне завтра тоже, — сказал я вполголоса. — Жаль пропускать лекцию. А теперь можешь сообщить мне, что ты встречаешься и с Марией.

Казалось, за все это время Лео прошел полный курс вздохов и покашливаний. Вот он снова вздохнул глубоко, горестно и протяжно.

— Можешь не отвечать, — сказал я, — передай поклон милому старичку, с которым я сегодня дважды беседовал по телефону. Не забудь только.

— Штрюдеру? — спросил он тихо.

— Не знаю, как его фамилия, но он был очень мил.

— Его никто не принимает всерьез, — ответил Лео, — ведь он... он, так сказать, живет у нас из милости. — Лео выжал из себя какое-то подобие смеха. — Иногда старик украдкой пробирается к телефону и болтает всякий вздор.

Я встал и взглянул сквозь неплотно задернутые шторы на часы, висевшие внизу на площади. Было уже без трех минут девять.

— Пора закругляться, — сказал я, — а то тебе могут впаять что-нибудь в личное дело. И не вздумай пропускать завтрашнюю лекцию.

— Но пойми же меня, — взмолился он.

— К черту, — сказал я, — я тебя понимаю. И притом слишком хорошо.

— Что ты за человек? — воскликнул он.

— Я клоун, — сказал я, — клоун, коллекционирующий мгновения. Ни пуха ни пера!

И положил трубку.

25

Забыл спросить у Лео о его службе в бундесвере, но надеюсь, мне еще представится когда-нибудь такая возможность. Уверен, что он будет хвалить «довольствие» — дома его никогда так хорошо не кормили; все трудности он сочтет «чрезвычайно полезными с воспитательной точки зрения», а общение с людьми из народа — «необыкновенно поучительным». Можно, пожалуй, даже не спрашивать. В эту ночь он не сомкнет глаз на семинарской койке; будет копаться в своей совести и спрашивать себя, правильно ли он поступил, отказавшись прийти ко мне. А я хотел ему сказать нечто важное: изучай лучше богословие в Южной Америке или в Москве, в любой точке земного шара, только не в Бонне. Должен же Лео понять наконец, что для истинной веры в этом городе, где процветают Зоммервильд и Блотхерт, нет места; для Бонна он всегда будет перешедшим в католичество Шниром, который даже стал патером, то есть фигурой, как бы специально созданной для того, чтобы повысить курс акций. Надо обязательно поговорить с ним обо всем этом, лучше всего сделать это у нас дома на «журфиксе». Мы оба — братья-изгои — заберемся на кухню к Анне, попьем кофейку, вспомним старые времена, славные времена, когда мы учились в нашем парке бросать противотанковую гранату, а перед воротами останавливались машины вермахта, привозившие к нам военных на постой. Из одной машины вышел офицер, кажется в чине майора, а за ним фельдфебели и солдаты, в другой машине привезли знамя; и у офицера, и у солдат было только одно на уме — разжиться яичницей, коньяком и сигаретами и потискать на кухне служанок. Но время от времени они принимали официальный тон, иными словами, напускали на себя величие: они выстраивались перед домом, офицер выпячивал грудь и даже закладывал руку за борт кителя, словно дешевый актеришка, играющий полковника, и вопил что-то о «конечной победе». Это зрелище было отвратительным, смешным и бессмысленным. А однажды, когда вдруг выяснилось, что мамаша Винекен, прихватив с собой еще несколько женщин, ночью перешла в лесу через немецкую и американскую линии фронта, чтобы достать хлеб у своего брата-пекаря, это их величие стало просто-таки опасным для жизни. Офицер хотел расстрелять мамашу Винекен и еще двух женщин за шпионаж и саботаж. (На допросе госпожа Винекен призналась, что разговаривала за линией фронта с одним американским солдатом.) Но тут отец — второй раз в жизни, насколько я припоминаю, — проявил волю, выпустил женщин из импровизированной тюрьмы — нашей гладильни — и спрятал их на берегу в лодочном сарае. Он показал себя храбрецом, кричал на офицера, а тот на него. Самым смешным в этом офицере были его ордена — они подпрыгивали у него на груди от возмущения, и все это время мать своим сладким голосом увещевала отца и майора:

— Господа, господа, нельзя же переходить границы.

Больше всего в этой истории ее шокировало то, что два господина «из общества» орут друг на друга.

Отец сказал:

— Прежде чем дотронуться до этих женщин, извольте расстрелять меня... Прошу. — И он действительно расстегнул пиджак и подставил свою грудь офицеру. Но тут солдатам пришла пора уходить, так как американцы уже заняли холмы у Рейна, и женщины смогли покинуть лодочный сарай. Самое неприятное в этом майоре — кажется, он был майором — были его ордена. Наверное, без орденов он все же смог бы сохранить какое-то подобие достоинства. Когда на «журфиксах» у матери я вижу пошлых мещан, увешанных орденами, я всегда вспоминаю того офицера; даже орден Зоммервильда «Pro Ecclesia»[1] или что-то в этом роде кажется мне терпимым. Как-никак, а своей Церкви Зоммервильд приносит ощутимую пользу, оказывает влияние на «творческих личностей», к тому же у него достаточно вкуса, чтобы относиться к орденам «как к таковым» неодобрительно. Он носит свой орден только в исключительных случаях: во время церковных процессий, торжественных богослужений и телевизионных диспутов. Правда, телевидение лишает и его

---

[1] За Церковь (лат.).

тех последних крох стыда, которые, на мой взгляд, у него еще имеются. Наш век, если он вообще достоин специального наименования, следует назвать веком проституции. Люди в нем перешли на жаргон публичных девок. Как-то раз я встретил Зоммервильда после одного из телевизионных диспутов («Может ли современное искусство быть религиозным?»), и он спросил меня:

— Как я вам понравился? Я был хорош?

Потаскухи, обращаясь к своим отбывающим клиентам, говорят то же, слово в слово. Для полноты картины не хватало только, чтобы Зоммервильд сказал: «Порекомендуйте меня вашим знакомым!»

— Вы мне вообще *не нравитесь*, — ответил я тогда Зоммервильду, — следственно, не могли понравиться и вчера.

Зоммервильд был совершенно подавлен, хотя я выразился еще очень мягко. Он был отвратителен — ради красного словца он, можно сказать, «убил», «зарезал», в лучшем случае только «втоптал в грязь» своего партнера, несколько беспомощного старичка из СДПГ. Он коварно спросил:

— Ах так, значит, вы считаете раннего Пикассо абстракционистом?

А потом на глазах у десяти миллионов зрителей окончательно «изничтожил» этого старого седовласого господина, бормотавшего что-то о своих «обязательствах», задав ему нижеследующий вопрос:

— Стало быть, речь идет об обязательном социалистическом искусстве, может быть, даже о... социалистическом реализме?

А когда на следующий день я встретил Зоммервильда на улице и сказал, что он мне не понравился, он был просто убит. Тот факт, что он не сумел покорить одного из десяти миллионов зрителей, явился ударом по его тщеславию, правда, он был щедро вознагражден «волной похвал», которая поднялась на страницах всех католических газет. Газеты писали, что он завоевал победу во имя «праведного дела».

Я закурил — и теперь у меня осталось всего две сигареты, опять взял гитару и стал бренчать. Я вспомнил, как много хотел рассказать Лео, как много вопросов собирался ему задать. Всякий раз, когда мне надо было с ним серьезно поговорить, он либо сдавал экзамены на аттестат зрелости, либо боялся своего скрутиниума. Я размышлял также — стоит ли мне петь литанию Деве Марии. Пожалуй, не стоит. Люди могут подумать, что я католик, католики объявят меня «своим», и из всего этого может получиться неплохая пропагандистская акция в пользу католиков, ведь они все умеют оборачивать себе на пользу; то обстоятельство, что я вовсе не католик и что литания нравится мне сама по себе, никто не понял бы — для людей это было бы слишком путано; никто не понял бы также, что мне просто по душе еврейская девушка, которой посвящена эта литания; все равно католики совершили бы какой-нибудь трюк и открыли бы во мне несколько миллионов «католоно-единиц», а потом выволокли бы меня на телевизионный экран. И вот уже курс акций снова повышается! Надо придумать что-нибудь другое, а жаль, мне бы очень хотелось спеть эту литанию, но ее нельзя исполнять на ступеньках боннского вокзала; это может привести к недоразумениям. Жаль. У меня уже выходило неплохо, а для слов ora pro nobis я подобрал красивый аккорд на гитаре.

Я встал, чтобы подготовиться к выступлению. Уверен, что мой импресарио Цонерер окончательно «отвернется от меня», узнав, что я пою на улице песенки под гитару. Если бы я действительно исполнял литанию, «Верую» и все церковное, что я столько лет распеваю в ванной, он еще, возможно, «вступил бы в игру», ведь это довольно заманчивое дельце, примерно такое же, как малеванье мадонн. Между прочим, я верю, что Цонерер и впрямь меня любит, — люди земные куда сердечней братьев во Христе. Но стоит мне усесться на ступеньки вокзала в Бонне, как «с точки зрения бизнеса» я буду для него человеком конченым.

Хромота при ходьбе была уже почти незаметна. Таким образом, отпала необходимость в ящике из-под апельсинов; под левую руку я суну диванную подушку, под правую — гитару и пойду работать. У меня осталось еще две сигареты: одну я выкурю, другую кину на донышко черной шляпы как приманку, рядом с ней следовало бы положить хоть одну монетку. Я пошарил в карманах брюк и даже вывернул их наизнанку: несколько старых билетов в кино, красная фигурка от рич-рача, грязная бумажная салфетка — денег не было. Рывком я выдвинул ящик под вешалкой: там лежала платяная щетка, квитанция от подписки на боннскую церковную газету, жетон на пивную бутылку, но ни гроша денег. Я перерыл все шкафчики на кухне, побежал в спальню, разворошил ящик с запонками, уголками для воротничков, носками и носовыми платками, но ничего не нашел; пошарил в карманах зеленых вельветовых брюк — тот же результат. Тогда я стащил с себя темные брюки, оставив их лежать на полу, словно слинявшую кожу, бросил туда же белую рубашку и натянул голубое трико — ярко-зеленый и светло-голубой; я захлопнул дверцу зеркального шкафа и посмотрел на себя — великолепно; я еще никогда так себе не нравился. Грим был наложен слишком толстым слоем, и за те годы, что он валялся без употребления, жир изрядно высох; я увидел в зеркале, что белила потрескались, и эти трещины придавали моей голове сходство с головой статуи, вырытой из земли. Темные волосы напоминали парик. Я вполголоса запел слова, которые вдруг пришли мне на ум:

> Неохота слушать ХДС
> Бедному Папе Иоанну,
> Ни от них подачки получать,
> Ни таскать им из огня каштаны[1].

Для начала это годилось, Центральному бюро по борьбе с богохульством не к чему будет придраться. Я сочиню еще много-много куплетов и буду петь все на манер баллады. Мне хотелось плакать, но было жаль грима — он был наложен очень удачно: мне нравились и эти трещины, и то, что в некоторых местах белила начали сходить; слезы все испортят. Поплакать можно потом, в свободное время, если мне еще захочется плакать. Интересы профессии — самая лучшая защита от

---

[1] Перевод Б. Слуцкого.

всего, только святых и дилетантов горе может поразить не на жизнь, а на смерть. Я отошел от зеркала, чтобы лучше вникнуть в свое изображение и в то же время взглянуть на себя со стороны. Если Мария, встретив меня в таком виде, сможет выводить утюгом пятна от воска на мальтийском одеянии Цюпфнера, значит, она умерла и мы с ней развелись. Тогда я могу печалиться на ее могиле. Надеюсь, у них у всех окажется в кармане мелочь, когда они будут проходить мимо меня; может, Лео наскребет и больше десяти пфеннигов, и Эдгар Винекен, вернувшийся из Таиланда, бросит мне старую золотую монету, ну а дедушка, отдохнувший в Искье, уж пусть выпишет чек. За это время я научился превращать чеки в наличные деньги. Мать, наверное, сочтет, что наиболее правильным будет пожертвовать от двух до пяти пфеннигов. Моника Зильвс, быть может, нагнется и поцелует меня, зато Зоммервильд, Кинкель и Фредебейль, возмущенные всей этой безвкусицей, не бросят в мою шляпу ничего, даже сигарету. В перерыве, когда с юга не приходят поезда, я отправлюсь на велосипеде к Сабине Эмондс, съем свою тарелку супа. Может быть, Зоммервильд позвонит Цюпфнеру в Рим и посоветует ему сойти с поезда, не доезжая Бонна, в Годесберге. Тогда я поеду на велосипеде, сяду перед их садом, разбитым на склоне, и спою свою песенку — пусть она придет, пусть посмотрит на меня, и я пойму: живая она или мертвая. Жалел я одного только отца, очень хорошо, что он спас тех женщин от расстрела, и хорошо, что он положил мне руку на плечо, а сейчас — я увидел это в зеркале — в гриме я был не просто похож на него, наше сходство было поразительным, и я понял, как тяжело ему далось обращение Лео в католичество. Сам Лео не вызывал во мне сочувствия, ведь у него есть его вера.

Когда я спускался в лифте, еще не было даже половины десятого. Я вспомнил доброго христианина Костерта, который зажулил у меня бутылку водки и разницу между билетом в мягком и в жестком. Надо отправить ему доплатное письмо и воззвать к его совести. И потом он еще должен переслать мне квитанцию от багажа. Я был рад, что не встретил свою красивую соседку, госпожу Гребсель. Пришлось бы ей все объяснять. А если она увидит меня на ступеньках вокзала, тогда уже объяснять ничего не надо. Жаль, что у меня не было угольного брикета — визитной карточки.

На улице стало прохладно — типичный мартовский вечер; я поднял воротник пиджака, нахлобучил шляпу и нащупал в кармане последнюю сигарету. Наверное, следовало захватить коньячную бутылку; она очень живописна, но может помешать делу благотворительности, коньяк — дорогой, и по бутылке это видно. Зажав под левой рукой подушку, а под правой — гитару, я опять шел на вокзал. Только сейчас я увидел приметы времени, времени, которое прозвали у нас «шутовским». Пьяный паренек, загримированный под Фиделя Кастро, пристал ко мне, но я благополучно ускользнул. На вокзальной лестнице кучка людей — матадоров и испанских сеньорит — поджидала такси. Я совсем забыл, что в городе карнавал. Для меня это как нельзя более кстати.

Профессиональный актер надежней всего скрыт в толпе любителей. Я устроил подушку на третьей ступеньке снизу, сел, снял шляпу и положил на донышко сигарету — не на самую середину и в то же время не совсем сбоку, а так, чтобы казалось, будто ее бросили сверху; потом я начал петь: «Неохота слушать ХДС», никто не замечал меня; да это было и не нужно... Пройдет час, два, три, и они обратят на меня внимание. Когда на вокзале раздался голос диктора, я перестал петь. Он объявил о прибытии поезда из Гамбурга, и я запел снова. И вдруг я вздрогнул: в шляпу упала первая монетка — десять пфеннигов; монетка ударилась о сигарету и немного сдвинула ее. Я положил сигарету на место и снова запел.

ПОСЛЕСЛОВИЕ 1985 ГОДА К «ГЛАЗАМИ КЛОУНА»

Новое поколение — а под ним я подразумеваю тех молодых немцев, которые родились в конце пятидесятых, то есть сегодняшних 25—27-летних, — новое поколение вряд ли поймет, почему столь безобидная книга в свое время вызвала такой шум. На примере этой книги оно сможет усвоить, как быстро в наши времена роман становится *историческим* романом, а также увидеть — и, возможно, это единственное, что делает этот роман «вечным», — как *корпоративное* мышление присваивает себе право говорить и судить от имени больших групп населения. В данном случае речь идет об исконном, до сих пор не проясненном вопросе, в какой мере католические союзы, организации и их печать представительны для все еще значительной статистической массы миллионов эдак в двадцать шесть немецких католиков? Кто и от чьего имени говорит, кто кого *представляет*? Тем не менее спорщику Карлу Амери роман показался «слишком благочестивым», хотя у романа есть эпиграф, который спокойно можно было бы использовать как своего рода ключ: «Не имевшие о Нем известия увидят, и не слышавшие узнают». Прочесть это можно в маленькой книге, вовсе не внесенной в Запретный список, а именно — в Послании к римлянам, глава

323

15, стих 21. Неужели нельзя было «поломать голову» заодно и над эпиграфом, вместо того чтобы совершать глупейшую из всех ошибок, *полностью* отождествляя автора с «героем»? А тут — абсолютное отсутствие чувства юмора, полное непонимание литературных возможностей сатиры. Реакция религиозной прессы была негибкой, неловкой и даже не разозлила меня из-за своей изрядной *глупости*. Вполне вероятно, что книга только потому проживет еще некоторое время и выживет, что она доказывает наличие — не у всех католиков, а у воинствующего организованного католицизма — печально известного «дефицита культуры». Здесь, пользуясь случаем, мне хотелось бы вспомнить Райнхольда Шнайдера, крупного автора, одного из парадных авторов религиозных «кругов», не признанного «левыми», который сегодня предстает как мыслитель, стоявший у истоков «борьбы за мир», и который был отторгнут «кругами», поскольку посмел протестовать против ремилитаризации, когда возникли еще только первые признаки; вспомнить также мужественную Гертруду фон Ле Форт, которой десятилетиями угрожали возможной экскоммуникацией. Если уж подробно писать об этом «дефиците культуры», надо оглянуться назад, год эдак на 1896-й, когда Карл Мут, которому был 31 год, опубликовал под псевдонимом Веремундус памфлет под названием «Отвечает ли католическая беллетристика духу времени?» Был скандал, опровержения, Мут раскрыл свой псевдоним, но не сдался и остался противником низкопробной «душеполезной» литературы, которую защищали *его противники*. Позднее Мут стал издателем «Хохланда», первого и последнего католического ежемесячника, издаваемого непрофессионалом, который создал «кругам» некоторое реноме. Во время Второй мировой войны (Мут умер в 1944 году в возрасте 77 лет) он был другом и советчиком брата и сестры Шолль и их друзей.

Похоже, рецензии, публикуемые у нас католическими организациями, доказывают: почти за сто лет не изменилось ничего. Мут, будь он жив, скорее всего, подобно Карлу Амери, определил бы «Клоуна» как произведение «слишком благочестивое», даже, может быть, причислил бы его к «душеполезной» литературе. Если вдруг кто-нибудь когда-нибудь возьмется написать подробное аналитическое исследование о «дефиците культуры» организованного католицизма, то взвалит на себя тяжкий труд показать и объяснить на примерах ретроспективу его столетнего развития. Моя безобидная книга (у которой есть свои слабости) вызвала у представителей воинственно-апологетического меньшинства, которое считает себя вправе говорить от имени всех немецких католиков, бурную реакцию, вплоть до бойкота. Существовали книжные магазины католического направления, которые продавали книгу только «из-под прилавка», не рискуя предложить ее открыто. Звучит безумно, но то были безумные времена — и как, как можно донести эту историческую ситуацию до того, кому сегодня 25—30 лет, продемонстрировать ее и объяснить?

Либеральная, не ориентированная на Церковь литературная критика поняла кое-что, не все, конечно, поскольку для нее католицизм, организованный или нет, *сам по себе* был и остается неинтересным, что кажется мне заблуждением, ибо католицизм эры Аденауэра представлял собой *действенную* силу. Ведь существовал, между прочим, шеф кадров бундесвера, который отказывал разведенным офицерам в повышении или задерживал его, поскольку он, как верующий католик, видел в этом свой долг. С точки зрения личности, может быть, это и достойная позиция, да только в секуляризованном обществе довольно абсурдная.

В моей книге запрятано многое из истории Федеративной Республики, которой было 12 лет, когда я начинал писать, 14, когда книга вышла, и которой теперь исполнилось 36. Один из главных упреков был связан с тем, что герои этого романа не состоят в официальном браке. Кто из молодых может понять это сегодня, кому интересны разъяснения определенных процессов развития, происходивших *в том числе* и в «кругах», когда представители католических организаций откатились во времена, предшествовавшие Карлу Муту, или, по крайней мере, были там еще 20 лет тому назад? Нет, этому роману не сто, ему всего лишь двадцать два года, а он уже исторический.

Жить неженатыми не только стало обычным, это принято в католических кругах так же, как в некатолических, и все же «Глазами клоуна» — семейный роман, почти отвечающий библейскому выражению: «Что Господь свел, человек разделять не должен». Разумеется, для Карла Амери такое толкование опять «слишком благочестиво». Просто подвергается сомнению претензия на то, что только Церковь или государство, а по большей части оба вместе, вправе определять, что такое брак. Не более того. Не пропагандируется ни «конкубинат», ни промискуитет, а — и я не стыжусь признаться в этом — своего рода целомудрие, чего так и не поняло большинство интерпретаторов.

И в католических семьях стало допустимым жить друг с другом, не состоя в браке, не всегда это одобряется, но *принимается*. Приспособляемость, которую мне не хотелось бы называть прогрессивностью, просто поразительная. Что еще двадцать лет тому назад могло привести и приводило к проклятиям и конфликтам, теперь принимается католическими семьями, как были приняты ими и ракеты. Дистанция между организованным католицизмом и большой группой населения под названием «немецкие католики» становится все больше.

Пусть этот роман через несколько лет, а может, уже и сейчас, покажется не более чем иронически-сатирическим наброском своего времени, все же исторический момент его создания останется интересным из-за реакции воинственных представителей организованного католицизма.

Признаем: год 1963-й был для показных христиан тяжелым годом. Вышла «Капитуляция» Карла Амери, «Заместитель» Хоххута, и это через год после Второго Ватиканского Собора. Одной из глав «Капитуляции» Карла Амери предпослан эпиграф, который тоже следовало бы повнимательнее прочитать, прежде чем разражаться слепым гневом: «Христианство втянуто в гибель буржуазии, и совершенно ясно, что из этого слоя не может более прийти спасение» (Роберт Гроше). И следует помнить, — но кто же помнит об этом! — что прелат Гроше не только не был «левым», но даже не вызывал «подозрений в левизне»: он был консервативен, но достаточно умен, чтобы воспринять знамение времени.

Он был пропитан «римским духом» до мозга костей, для него понятие «буржуазный», очевидно, не было идентично понятию «консервативный», и было время, когда его рассматривали как претендента на пост архиепископа Кельнского. Сегодня мы знаем, что вышло иначе.

В 1963 году один из клерикально настроенных критиков опасался, что моя книга может попасть в руки старшеклассников. Что ж, чего тогда опасались, со временем произошло, и я спрашиваю себя, возможно ли перенести сегодняшних 19—20-летних в прошлое, в ментальность эры Аденауэра, чтобы они поняли, насколько историчен этот роман. Возможно, год 1963-й, когда вышли «Капитуляция», «Заместитель» и эта книга, был поворотным годом, все попытки организованного католицизма повернуть вспять провалились: никто больше всерьез не хотел возвращаться ни на двадцать, ни тем более на сто лет назад. Даже ракетная эйфория в «кругах» уже не так непоколебима.

Говоря о немецком католицизме, необходимо различать четыре категории: организованный католицизм, в котором тоже начинается брожение, например в среде молодежных католических организаций, официальную Церковь, немецких католиков и католическую теологию, которая давно преодолела дефицит культуры.

ОГЛАВЛЕНИЕ

Литературно-художественное издание

ГЕНРИХ БЁЛЛЬ
ГЛАЗАМИ КЛОУНА

Редактор Антонина Балакина
Художественный редактор Вадим Пожидаев
Технический редактор Татьяна Раткевич
Корректоры Ирина Киселева, Маргарита Ахметова
Верстка Владимира Титова

Главный редактор Вадим Назаров
Директор издательства Максим Крютченко

ЛП № 000116 от 25.03.99.

Подписано в печать 23.08.99.
Формат издания 80×100 $^1/_{32}$. Печать высокая.
Гарнитура «Академическая». Тираж 10 000 экз.
Усл. печ. л. 15,5. Изд. № 33. Заказ № 1311.

Издательство «Азбука».
196105, Санкт-Петербург, а/я 192.

Отпечатано с готовых диапозитивов в ГПП «Печатный Двор»
Министерства РФ по делам печати, телерадиовещания
и средств массовых коммуникаций.
197110, Санкт-Петербург, Чкаловский пр., 15.

По вопросам приобретения книг

СЕРИИ

«АЗБУКА – КЛАССИКА»

обращайтесь

в Санкт-Петербурге:
издательство "Азбука"
тел. (812) 327-04-55, факс 327-01-60

в Москве:
представительство издательства
"Азбука", тел. (095) 276-63-05

в Челябинске:
ЗАО "Корвет", тел. (3512) 36-75-10

в Новосибирске:
ООО "Топ-книга", тел. (3832) 36-10-28

в Ростове-на-Дону:
ООО "Фаэтон-Пресс", тел. (8632) 65-61-64

в Екатеринбурге:
ООО "Валио Плюс", тел. (3432) 42-07-75

в Иркутске:
издательство "Востсибкнига", тел. (3952) 34-42-95

в Волгограде:
ИЧП "Эзоп", тел. (8442) 37-25-19